PAULA PIMENTA **BABI DEWET**

UM ANO ♥ INESQUECÍVEL

BRUNA VIEIRA **THALITA REBOUÇAS**

11ª reimpressão

GUTENBERG

Copyright © 2015 Paula Pimenta
Copyright © 2015 Babi Dewet
Copyright © 2015 Bruna Vieira
Copyright © 2015 Thalita Rebouças

Todos os direitos reservados pela Editora Gutenberg. Nenhuma parte desta publicação poderá ser reproduzida, seja por meios mecânicos, eletrônicos, seja via cópia xerográfica, sem a autorização prévia da Editora.

EDITORAS RESPONSÁVEIS
Rejane Dias
Silvia Tocci Masini

CAPA
Diogo Droschi
(Sobre imagem de Pictu Landra)

ASSISTENTES EDITORIAIS
Carol Christo
Felipe Castilho

DIAGRAMAÇÃO
Christiane Morais

REVISÃO
Cecília Martins
Lívia Martins
Maria Theresa Tavares

Dados Internacionais de Catalogação na Publicação (CIP)
(Câmara Brasileira do Livro, SP, Brasil)

Um ano inesquecível / Paula Pimenta... [et al.]. – 1. ed.; 11. reimp. – Belo Horizonte : Gutenberg, 2023.

Outras autoras: Babi Dewet, Bruna Vieira, Thalita Rebouças

ISBN 978-85-8235-311-0

1. Ficção brasileira 2. Literatura juvenil I. Pimenta, Paula. II. Dewet, Babi. III. Vieira, Bruna. IV. Rebouças, Thalita.

15-06349 CDD-869.3

Índice para catálogo sistemático:
1. Ficção : Literatura brasileira 869.3

A **GUTENBERG** É UMA EDITORA DO **GRUPO AUTÊNTICA**

São Paulo
Av. Paulista, 2.073 . Conjunto Nacional
Horsa I . Sala 309 . Bela Vista
01311-940 . São Paulo . SP
Tel.: (55 11) 3034 4468

Belo Horizonte
Rua Carlos Turner, 420
Silveira . 31140-520
Belo Horizonte . MG
Tel.: (55 31) 3465 4500

www.editoragutenberg.com.br
SAC: atendimentoleitor@grupoautentica.com.br

PAULA PIMENTA
ENQUANTO A NEVE CAIR
9

BABI DEWET
O SOM DOS SENTIMENTOS
115

BRUNA VIEIRA
A MATEMÁTICA DAS FLORES
207

THALITA REBOUÇAS
AMOR DE CARNAVAL
305

PAULA PIMENTA

UM INVERNO ♥ INESQUECÍVEL

Enquanto a neve cair

Não eram nem oito horas da manhã e eu já estava espremida dentro de um avião. Meu irmão não parava de dar pulinhos no assento ao lado, tentando a todo custo ter um relance da vista que a minha janela oferecia. Meus pais continuavam a me olhar como se o fato de eu não ter cedido meu lugar para o Dudu tivesse sido uma grande injustiça, mas foram eles mesmos que me ensinaram que devemos dar prioridade aos mais velhos... Ou seja, pelo menos naquela situação, eu era a mais velha da história! E eu havia ganhado aquela janela legitimamente, no par ou ímpar. Não tenho culpa de o meu irmão de 7 anos ser completamente previsível e sempre colocar o mesmo número – as duas mãos cheias – e com isso eu já saber quantos dedos devo mostrar para ganhar o jogo. Além do mais, minha mãe poderia perfeitamente ter cedido a janela dela para ele! Não sei que necessidade é essa de ir agarrada ao meu pai... Caramba, eles se conhecem há quase 20 anos! Já deveriam ter superado essa fase do grude.

E quer saber? Era totalmente por culpa deles que eu estava ali naquele momento. *Eles* haviam inventado aquela viagem! "Temos que viajar em família pelo menos uma vez por ano!", foi o que o meu pai disse, por mais que eu implorasse para que ele me deixasse ficar. Mas meus apelos e súplicas não adiantaram nada...

Pois bem. Pelo menos a janela eu merecia, para tentar esquecer para onde estavam me levando.

Olhei para baixo e pude ver a minha cidade ficando para trás. Dei um suspiro de saudade antecipada, lembrando das mensagens que havia recebido uma semana antes. Se não fosse aquela viagem estúpida, eu estaria naquele momento indo para um local bem diferente... Olhei para o céu azul sem nenhuma nuvem, abracei meu corpo, que estava gelado por causa do ar condicionado, e fechei os olhos com força, esperando sonhar com o lugar onde eu realmente gostaria de estar...

Uma semana antes...

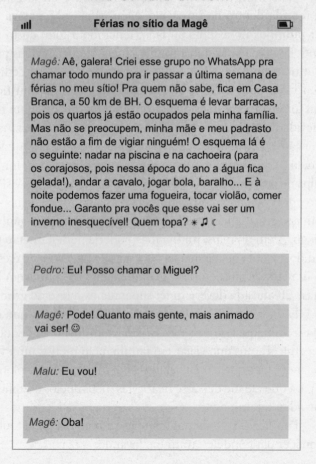

Magê: Aê, galera! Criei esse grupo no WhatsApp pra chamar todo mundo pra ir passar a última semana de férias no meu sítio! Pra quem não sabe, fica em Casa Branca, a 50 km de BH. O esquema é levar barracas, pois os quartos já estão ocupados pela minha família. Mas não se preocupem, minha mãe e meu padrasto não estão a fim de vigiar ninguém! O esquema lá é o seguinte: nadar na piscina e na cachoeira (para os corajosos, pois nessa época do ano a água fica gelada!), andar a cavalo, jogar bola, baralho... E à noite podemos fazer uma fogueira, tocar violão, comer fondue... Garanto pra vocês que esse vai ser um inverno inesquecível! Quem topa? ✳ ♪ ☾

Pedro: Eu! Posso chamar o Miguel?

Magê: Pode! Quanto mais gente, mais animado vai ser! ☺

Malu: Eu vou!

Magê: Oba!

Férias no sítio da Magê

Laís: Tô dentro!!!! A barraca que vou levar é grande! Quem quer dividir comigo? Cabem três pessoas além de mim! Malu, Mabel?

Igor: Eu quero dividir com você! Se as outras meninas quiserem, podem vir também! Dou conta de todas!

Magê: Só por curiosidade... Cadê sua namorada, Igor?

Igor: Já era! Foi passar as férias com a família em Gramado. E eu já tinha avisado que, se ela fosse, estaria tudo terminado! Nem pensar que eu ia deixar namorada minha ir para o Sul do Brasil nesse frio! Claro que ela vai arrumar algum gaúcho pra aquecê-la, não sou bobo! Mas o que importa agora é que estou solteiro e cheio de amor pra dar! E então, quem vai dividir a barraca comigo?

Magê: Claro que a possibilidade da sua (ex) namorada te amar o suficiente pra não te trair com o primeiro que aparecer nem te passou pela cabeça, né? Isso sim é uma pessoa segura de si, que se garante...

Igor: Tá me zoando, Magê? Se não quer que eu vá, pra que me colocou no grupo?

Magê: Te coloquei no grupo a pedidos...
Mas quero que você vá sim.

Malu: Nossa, que máximo, a turma toda vai! Quer dizer, cadê a Mabel que não se manifestou ainda?

MMM

Mabel: Meninas, estou morrendo! O Igor está solteirooooooooooooooooo! Ai, meu coração! ♥

Magê: Solteiro e mulherengo como sempre! E além de tudo, ciumento! Credo, sai fora, será que você ainda não aprendeu que ele não presta? Não sei o que você vê nesse garoto! Aliás, quase falei ali que só coloquei ele no grupo por sua causa! Mas ele não merecia, ia ficar se achando mais ainda! Viu como ele deu em cima da Laís?

Mabel: Deu em cima nada, só estava brincando! Aliás, Magê, pra que você tinha que chamar a Laís também?!

Magê: Sou amiga dela, ué! E pelo que sei, você também é...

Malu: A Magê tem razão, Mabel. Desencana do Igor, você merece coisa muito melhor! Você lembra muito bem o que aconteceu no ano passado, quando ele mentiu pra você, sem a menor consideração com os seus sentimentos...

Mabel: Vocês não entendem de amor verdadeiro! Não é como se a gente pudesse escolher quem amar! E ele não mentiu...

Magê: Hahahaha! Amor verdadeiro! Para de ver novela, pelo amor de Deus! Isso não existe no mundo real!

Mabel: Existe sim! E tenho certeza que ele terminou com a namorada por outro motivo... Só peço uma coisa: ninguém mais ofereça para dividir a barraca! Eu tenho um plano! Vou levar uma com espaço suficiente para apenas duas pessoas... E se todo mundo disser que não tem espaço nas outras, ele vai ter que ficar comigo!

Malu: Ai, ai, deixa seu pai sonhar que você está planejando isso... Vai te prender em uma barraca com cadeado e não te deixar sair nunca mais!

Família Feliz

Papai: Queridos filhos e amada esposa, tenho uma notícia que vocês vão adorar! Consegui terminar aquele projeto antes do previsto e com isso tenho uma semana livre para aproveitar com vocês! Para comemorar, tenho uma surpresa... Quem quer conhecer a neve?!

Dudu: EU!

Mamãe: Não acredito! É sério isso?

Papai: Sim! Quer dizer, a parte de "conhecer" a neve foi para os nossos filhos, você e eu já conhecemos e amamos... E foi exatamente por isso que planejei essa viagem para um lugar muito especial, para que a Mabel e o Dudu também aprendam a esquiar e gostem tanto disso quanto a gente!

Mabel: Posso ficar aqui? Por favor? Por favor, por favor, por favor??????????????

Papai: Como assim? Você não quer aprender a esquiar?

Mabel: Não agora! Quero ficar aqui! Já tenho planos! Vocês não podem me obrigar a ir!

Mamãe: Não seja malcriada! Seu pai faz uma surpresa maravilhosa dessa e você responde desse jeito?! E que planos são esses que são mais importantes que passar as férias com sua família?

Dudu: Ela quer ficar trancada em uma barraca com um tal de Igor, eu ouvi ela falando no telefone com a Malu.

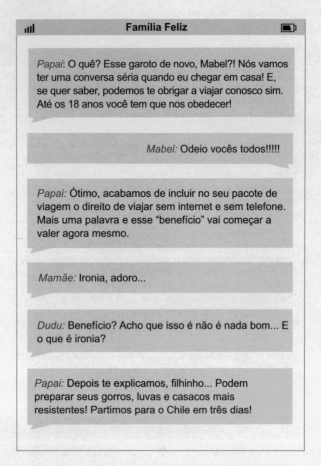

"Mabel, acorda! Olha a neve, você está perdendo!"

Abri os olhos depressa, completamente desorientada. Por alguns segundos fiquei sem entender onde estava, mas quando senti meus joelhos batendo no encosto do assento da frente e o meu pescoço dolorido por ter dormido de mau jeito, me lembrei na hora que estava naquela lata de sardinha. Quer dizer, naquele avião.

Meu irmão, praticamente em cima de mim, apontava insistentemente para a janela, e então, para me livrar dele, abafei um bocejo e virei o rosto para a direita. De repente entendi a razão do afobamento do Dudu. Estávamos passando pela Cordilheira dos Andes. Tudo que se via eram montanhas, montanhas e mais montanhas... e neve! Muita neve. Tudo estava branco, como naquele filme que nos fizeram assistir na aula de Geografia, em que um avião cai exatamente na tal cordilheira e as pessoas têm que comer umas às outras para sobreviver. *Vivos* era o nome do filme. Deveria se chamar *Mortos*, isso sim! Aliás, nem morta que eu comeria alguém, nem se minha vida dependesse disso! Argh... E o Dudu ainda tinha a coragem de ficar empolgado com essa paisagem!

Empurrei meu irmão de volta para o assento do lado, fechei a persiana da janela e peguei meu fone de ouvido na mochila, para não ter que ouvir os protestos dele, que já estava choramingando para os meus pais novamente. Resolvi fingir que eu tinha caído no sono outra vez. Se aquilo era uma prévia do que seriam os próximos dias, eu iria passar muito tempo de olhos fechados, para pelo menos nos sonhos poder vivenciar o final que eu realmente queria para as férias...

Em certo ponto, acabei mesmo dormindo, pois acordei assustada com o tranco do avião tocando o chão. Olhei para os meus pais e meu irmão, que se levantaram no mesmo instante em que os avisos de atar os cintos de segurança foram desligados. Eles pareciam não estar se aguentando de ansiedade para pisar em solo chileno, mas eu só queria dar um jeito de me esconder debaixo daquele banco para que o piloto me levasse de volta para casa sem perceber...

Infelizmente meu plano não deu certo, meus pais não sossegaram enquanto eu não me levantei. Tive que descer com todo mundo. Assim que pegamos as malas, saímos do aeroporto e uma lufada de vento me atingiu, tive meu primeiro choque. *Térmico*. Estava muito frio!!! Eu não me lembrava de ter passado tanto frio assim na vida! Olhei depressa para um grande relógio digital na rua, que também marcava a temperatura, e vi escrito no visor: "10 °C". Certamente ele estava estragado, pois pelo frio que eu sentia, devia estar fazendo uns 10 *negativos*!

"Mabel, onde está seu casaco?!", minha mãe me olhou com uma expressão espantada.

"Dentro da mala", tentei explicar, meu queixo tremia tanto que meus dentes estavam até batendo uns nos outros.

"Eu não falei que era pra levar na mochila, filha? Você está roxa! E também avisei que não era pra viajar de vestidinho, está achando que o inverno daqui é igual ao do Brasil? Aqui, além do frio, tem o vento! Você vai pegar uma gripe no primeiro dia!"

Ela tirou o cachecol de lã que estava usando e começou a enrolar no meu pescoço e no meu rosto. Nem reclamei dessa vez, meu corpo estava tão gelado que experimentei o maior alívio ao sentir aquele cachecol quentinho na minha pele.

"Acho melhor você voltar com eles para dentro do aeroporto enquanto eu procuro saber o que aconteceu com o pessoal do traslado", meu pai falou olhando para a minha mãe. "Eu havia entendido que estariam nos esperando na saída do terminal A, com uma placa com o meu nome, mas não tem ninguém aqui."

Assim que disse isso, ele se afastou, e eu imediatamente avisei à minha mãe que precisava ir ao banheiro. Na verdade, o que eu precisava mesmo era conseguir uma rede Wi-Fi! O meu pai havia avisado que se me visse usando o celular durante a viagem ia confiscá-lo, mas eu tinha que saber se as minhas amigas haviam mandado alguma mensagem! Naquele horário elas já deviam ter chegado ao sítio da Magê, e eu necessitava saber como a divisão das barracas tinha ficado. Se o Igor passasse um minuto sozinho no mesmo recinto que a Laís, o meu coração é que ia congelar!

Eu tinha acabado de descobrir que o aeroporto fornecia internet gratuita para os passageiros, quando minha mãe entrou no banheiro mandando que eu saísse logo, pois o meu pai tinha encontrado o ônibus e ele já estava cheio de outros turistas apenas esperando por nós. Coloquei depressa o celular no bolso e fui atrás dela, que estava praticamente correndo enquanto explicava que o meu pai tinha errado o terminal. Era por isso que não tinha ninguém nos aguardando.

Quando chegamos ao lugar certo, no terminal B, eu já não estava sentindo o menor frio, muito pelo contrário! Fazer *cooper* em pleno aeroporto, em meio a todas aquelas bagagens e pessoas, não é uma tarefa fácil. Enquanto arrancava do pescoço o cachecol da minha mãe, vi que meu pai já tinha colocado as nossas malas no bagageiro do micro-ônibus, e o meu irmão estava sentado na primeira fileira, todo feliz... Ao contrário dos outros passageiros, que estavam com a cara superfechada, nos olhando como se tivéssemos atrasado a vida inteira deles!

Fingi que não vi e me sentei ao lado do Dudu, enquanto meus pais se acomodavam na última fileira, que era a única com lugares ainda disponíveis. Apenas quando o motorista deu a partida e eu me levantei para devolver o cachecol da minha mãe, foi que notei que entre os passageiros, que eram de várias nacionalidades, havia três garotos, um pouco mais velhos do que eu, falando em português e rindo muito de alguma piada que um deles tinha feito. Dois tinham cabelos lisos e em um mesmo tom de castanho, deviam ser irmãos. E o que parecia ser o mais novo deles era meio ruivo e tinha os cabelos ondulados. Por não estar acostumada a ver muitos ruivos (a não ser nos filmes do Harry Potter), talvez eu tenha demorado um tempo a mais olhando para ele, que – ao perceber que eu o estava encarando – parou de rir e, com um ar meio arrogante, deu uma piscadinha e mandou um beijo para mim.

Enrubesci imediatamente e voltei lá para a frente depressa. Era só o que faltava, nos meus primeiros minutos no

Chile encontrar um brasileiro pretensioso, achando que eu tinha me apaixonado à primeira vista ou algo assim!

Passei o resto do tempo tentando olhar pela janela, já que dessa vez o meu irmão tinha ocupado o "meu" assento. Aos poucos fui percebendo que as ruas de Santiago se pareciam um pouco com as do centro de Belo Horizonte. Mas de cara notei uma diferença básica: as montanhas ao fundo da cidade... Enquanto em BH eram totalmente verdes e marrons, ali elas eram brancas em sua maior parte, forradas de neve. Tive vontade de parar em alguns lugares para conhecer, mas eu já sabia que naquele momento não teria o meu desejo satisfeito. O meu pai tinha explicado o cronograma várias vezes... Apenas no final da viagem iríamos passar um fim de semana na capital do Chile. Antes ficaríamos cinco dias esquiando no Valle Nevado, que era para onde estávamos indo agora.

Valle Nevado... Eu realmente não conseguia entender o sentido de ficar quase uma semana em um vale cheio de neve! Que graça teria um lugar todo branco e frio?

O ônibus entrou em uma estradinha íngreme e, alguns minutos depois, parou. Pensando que já havíamos chegado, peguei a minha mochila e comecei a me levantar, mas então o motorista explicou, em espanhol, que não era para ninguém descer, por algum motivo que eu não consegui entender. Olhei para o meu pai em busca de explicação, mas antes que ele dissesse alguma coisa, o menino ruivo falou, como se fosse óbvio, com um sotaque que eu não consegui identificar bem: "Eles só vão colocar correntes nos pneus... Sem isso o ônibus não conseguiria subir, ficaria patinando por causa da neve".

Tive vontade de dizer: "Quem te perguntou alguma coisa?", mas fui distraída pelo meu irmão, que, ao ouvir a explicação, começou a pular no banco dizendo que queria ver as correntes sendo colocadas e perguntando se a gente podia ir lá fora assistir.

"Dudu, você não ouviu o moço dizendo que não é pra ninguém descer?", falei impaciente.

"Não entendi, ele falou em espanhol! Por favor, Mabel, pede pra ele?"

Como eu estava louca para sair dali, resolvi atender ao pedido do meu irmão e me levantei. Porém, assim que desci, o motorista me viu do lado de fora e começou a gritar comigo, como se eu tivesse cometido algum crime... Tentei pedir desculpas mesmo sem entender a razão, mas ele continuou berrando, até que, no meio daquele espanhol complicado, consegui entender que, se eu ficasse ali e fosse atropelada, ele seria o culpado.

Voltei depressa para dentro, sentindo vários olhares de reprovação em cima de mim. Para piorar, minha mãe se levantou e foi até onde eu e meu irmão estávamos sentados e me deu uma bronca na frente de todo mundo, querendo saber que história tinha sido aquela de sair do ônibus sem avisar e dizendo que dali em diante eu estava proibida de ir para qualquer lugar sem comunicar a ela ou ao meu pai!

Ótimo. Sem celular, sem internet e tendo meus passos vigiados. Alguém, por favor, poderia fazer o tempo passar rápido para as aulas voltarem? Se isso eram férias, eu preferia mil vezes a escola...

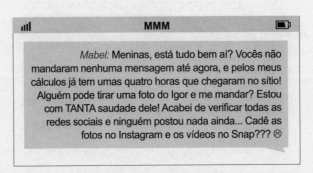

MMM

Mabel: Sei que vão perguntar sobre a minha viagem, então já vou responder que por aqui está tudo bem... Quer dizer, médio. Acabamos de chegar no hotel, meu pai está fazendo o nosso check-in. Vou ficar em um quarto com o meu irmão, e ele vai ser acoplado ao dos meus pais. Ou seja, vai ser muito complicado conseguir usar a internet pelo celular, porque além do Dudu, que não pensa um segundo antes de me dedurar, agora também tem a possibilidade da minha mãe e do meu pai aparecerem na porta a qualquer instante! Por isso estou aproveitando enquanto ainda posso me manter a uma certa distância deles. Estou em um parquinho ao lado da recepção do hotel, vocês nem imaginam o frio congelante que está fazendo aqui! Quase não consigo usar os meus dedos, pois eles estão duros como um picolé e

Mabel: Desculpa ter interrompido a outra mensagem, tive que parar porque acho que algum imbecil resolveu fazer uma guerrinha de bolas de neve e errou a mira. Caiu bem na minha cabeça! Agora, além de tudo, meu cabelo está molhado! Ah, acabei de ver, foram uns meninos ridículos que estavam no ônibus na nossa vinda pra cá! Poxa, eles são mais velhos que eu e ficam brincando como se fossem mais novos que o meu irmão! Mas então, vocês já chegaram no

Mabel: Que raiva desses meninos!!! Jogaram uma bola de neve no meu celular de propósito! Eles viram que eu estava brava por causa da bola anterior que caiu no meu cabelo e resolveram me provocar! Se tivesse estragado meu celular eu ia pegar toda essa neve e fazer com que eles engolissem! E agora ficam rindo da minha cara! Vou lá perguntar se estão vendo um nariz de palhaço no meu rosto! Como tem gente imprestável nesse mundo! Aposto que o Igor nunca faria nada parecido... Por falar nisso, vocês prometem que não vão deixá-lo nem um segundo sozinho com a Laís? Sabe como é, ele acabou de terminar, deve estar meio carente e eu não estou aí para consolá-lo. Então acho que

.ıll　　　　　　　MMM　　　　　　🔋

Mabel: Sério, esses caras passaram do limite! Acredita que eles começaram a jogar bolas de neve nas minhas pernas também?! Eu estou de vestido, porque até o último minuto pensei que meu pai ia voltar atrás e me deixar ficar no Brasil, então eu poderia ir direto encontrar vocês pra ir para o sítio... Mas como isso não aconteceu, acabei viajando com essa roupa mesmo. Como não posso usar o celular na frente do meu pai, tive que vir aqui pra fora e agora estou congelada da cabeça aos pés! E ainda vêm esses sem noção e ficam fazendo tiro ao alvo com bola de neve, usando meu corpo como o alvo! Se eles jogarem mais um centímetro de neve em mim eu vou

Mabel: Estou encrencada. Pelo visto o lugar em que eu estava é tipo um local reservado para crianças fazerem bonecos de neve. Os tais garotos jogaram juntos um monte de bolas em mim, como se fosse uma espécie de brincadeira, e em seguida ficaram fazendo sinal que eu fosse até lá "brincar" com eles! Em vez disso, eu comecei a xingar, e aí uma mulher ouviu e falou que ia dizer pros meus pais! Ela acabou de ir lá pra dentro e aposto que em um segundo minha mãe vai aparecer! Tenho escondido o celular dentro do sutiã, pra eles não verem que eu o trouxe na viagem, então tenho que fazer isso logo antes que

  Imagine um local onde não haja nenhuma cor. Um ambiente em que, para onde quer que você olhe, tudo seja branco, até onde a sua visão alcança. Sim, esse lugar existe e eu posso provar, pois estou nele.

  Eu vi quando as cores começaram a sumir. Depois que o motorista colocou as correntes nas rodas daquele ônibus minúsculo, ele voltou para o volante e continuou a

21

dirigir. Se eu estava achando a subidinha do começo íngreme, eu mal poderia imaginar o que estava por vir... A impressão que tive é que estávamos indo em direção ao céu! Mas na minha cabeça, o céu sempre teve um tom de azul superalegre... Só que ali, à medida que íamos subindo, as cores foram pouco a pouco desaparecendo. Primeiro os vermelhos, os amarelos, os rosas. Depois os roxos, os verdes, os azuis. E então os cinzas, os marrons e os pretos. No lugar deles, o branco dominou a paisagem.

Meu irmão, quando viu a neve pela janela, começou a gritar, como se, em vez de aquela massa gelada sem graça, tivesse avistando um unicórnio furta-cor! Mas ele aos poucos contagiou as outras pessoas do ônibus, que acabaram pedindo ao motorista para estacionar no meio da ladeira, só para poderem tirar uma foto para marcar o momento. Ele então estacionou em um lugar plano, um pouco afastado da estrada, para não ter perigo de ninguém morrer atropelado e ser culpa dele, e deixou as pessoas descerem.

Eu já tinha visto neve na televisão várias vezes e não percebi a menor diferença entre olhá-la através de uma tela ou de uma janela. Por isso eu tinha certeza de que, de um pouco mais perto, ela também teria a mesma aparência. Mas como eu estava meio nauseada por causa daquela subida com tantas curvas, resolvi descer com os outros, apesar do frio. Porém, quando toquei na neve, tive a maior surpresa... Eu pensava que a textura dela seria parecida com a de um sorvete de baunilha. Mas não! Aquilo ali esfarelava, como um frozen de limão!

Curiosa, peguei um pouco e coloquei na boca. Tinha gosto de água suja. Cuspi tudo e resolvi esperar dentro do ônibus. Se demorasse mais uns três segundos lá fora, eu provavelmente me tornaria parte da paisagem, pois meus ossos e minha pele já estavam entrando em estado de congelamento! Acho que com as outras pessoas aconteceu o mesmo, pois pouco depois todos subiram para o ônibus também. Meu irmão estava tão empolgado por ter tocado na neve que nem se deu conta de que eu tinha me sentado do lado da janela. Ele só ficava perguntando para o motorista quanto tempo ainda demoraria para chegarmos, pois ele não via a hora de pegar na neve de novo.

Com isso, apoiei minha cabeça na janela e fiquei observando aquele cenário branco... Aos poucos a falta de cor começou a me dar muito sono e eu só percebi que dormi quando uma voz entrou no meio dos meus sonhos.

"Llegamos. Cada uno debe tener mucho cuidado para no resbalar en el hielo!"[*]

Olhei depressa pela janela e avistei alguns prédios, que deviam ser os hotéis do local. Apesar de o meu relógio estar marcando quatro da tarde, a impressão que tive é de que já era noite, pela pouca luminosidade. Mas logo entendi que a falta de sol era o normal dali. Sabe quando chove no meio da tarde e tudo fica meio escuro, como se a noite fosse chegar a qualquer momento? Assim era no Valle Nevado. Porém, em vez da chuva, o que caía das nuvens era neve. E percebi isso assim que desci do ônibus.

"Mabel, pelo amor de Deus, você vai congelar!", meu pai falou assim que me viu tremendo, após ficar 30 segundos ao ar livre. Ele tirou o sobretudo que estava usando e o colocou em mim, mas por ele ser bem mais alto do que eu, aquela roupa ficou parecendo um saco de batata no meu corpo! Por isso, logo que entramos no nosso hotel, dei um jeito de devolver, dizendo que não precisava mais. Era verdade, ali dentro estava muito quente, não sei se pelo aquecedor ou por causa de todas aquelas pessoas no local. Parecia que todo mundo que ia se hospedar ali tinha resolvido chegar no mesmo momento!

Como vi que o check-in possivelmente ia demorar horas, falei: "Bebi muita água no avião, tenho que ir ao banheiro de novo...". Meu pai pareceu não desconfiar de nada e minha

---

[*] Chegamos. Todos devem ter muito cuidado para não escorregarem no gelo.

mãe até me mostrou onde era o toalete mais próximo. Fui em direção ao local, mas logo que saí da vista da minha família, escapei para uma espécie de terraço que eu tinha visto na entrada.

Eu mal havia encontrado o Wi-Fi do hotel e mandado a primeira mensagem para as minhas amigas, quando a confusão começou. Aqueles garotos que eu havia visto no ônibus começaram a jogar umas bolas de neve em mim sem nenhuma razão aparente, provavelmente por terem como hobby o hábito de perturbar as outras pessoas.

Confesso que no começo pensei que a mira deles fosse apenas muito ruim e que estavam acertando em mim por engano, mas aos poucos vi que aquilo era proposital! Então resolvi tirar satisfação e gritei *onde* eles deviam enfiar aquelas bolinhas... Acontece que, nesse momento, uma mãe puritana, que eu inclusive tinha visto no avião, com uma criança de uns dois anos que chorou a viagem inteira, resolveu descontar em mim sua raiva do mundo! Alegando que seus ouvidos haviam se ofendido com o que eu tinha dito, entrou no hotel e foi direto dizer aos meus pais que eu estava dizendo *palavrões* em um lugar cheio de criancinhas!

Veja bem... Foi um palavrão só e eu o falei em português! Que eu saiba, nós estávamos no Chile, então ninguém podia me acusar de estar ofendendo alguém intencionalmente, afinal, a língua local era o espanhol...

Só que meus pais, em vez de entenderem isso, saíram da fila especialmente para me dar (mais) uma bronca, o que fez com que os três garotos rissem e me deixassem com vontade de repetir o que eu havia dito!

Porém, nem pude fazer isso, pois minha mãe apertou o meu braço, me arrastando de volta para dentro do hotel, enquanto dizia: "Por acaso você lembra que daqui a um mês vai completar 15 anos?". Eu ia responder que lembrava perfeitamente, mas ela emendou: "Então pare de agir como uma criança de 5!".

Em seguida ela me fez sentar em um banco na recepção, avisando que, se me levantasse, eu iria passar o resto da semana trancada no quarto. Quase me levantei de propósito, pois eu sinceramente acharia ficar sozinha no quarto muito bom. Afinal, como eu havia sido esperta o suficiente para esconder o celular antes que alguém visse, agora eu só precisava arrumar uma maneira de ficar sozinha. Mas eu sabia perfeitamente que a minha mãe revistaria cada centímetro do meu corpo antes de me trancafiar, exatamente como fazem com prisioneiros.

É, pelo jeito, se eu quisesse alguma chance de conversar com as minhas amigas sem ninguém perceber, teria que simular uma dor de barriga e passar a maior parte do tempo no banheiro... Tudo bem, pelo menos ali as toalhas eram coloridas. O que já era mais uma razão para eu preferir a companhia do chuveiro, da pia e do vaso sanitário àquela paisagem descorada que dominava tudo ao meu redor.

"Mabel, vamos tomar café? A mamãe falou que deve ter panquecas no café da manhã e eu estou morrendo de fome!"

Abri apenas um olho, disposta a expulsar o meu irmão do meu quarto e sem entender por que ele não tinha ido logo comer em vez de me acordar. Mas ao vê-lo todo encapotado, com gorro, luvas e cachecol, me lembrei que aquele não era o *meu* quarto, e sim o do hotel no Chile... E que eu estava dividindo com aquela peste saltitante, que não parava de puxar o meu cobertor quentinho. Aliás, que ar frio era aquele? Eu não havia ligado o aquecedor antes de dormir?

"Dudu, que tal você ir perturbar a mamãe e o papai e me deixar em paz, por favor? Não estou com fome nenhuma, só com muito sono! Estava tendo um sonho lindo e você me acordou!"

Era verdade. No meu sonho eu estava com o Igor em uma praia maravilhosa, o dia estava muito ensolarado e o céu e o mar tinham o azul mais bonito que eu já tinha visto...

"Mas, Mabel, está caindo neve até aqui dentro, olha! A gente tem que ir logo pra aprender a esquiar! O papai falou que ia arrumar um professor pra gente hoje cedinho!"

"Não é professor, é instrutor..." De repente pensei no que ele tinha dito. Estava caindo neve dentro do quarto??? Abri os dois olhos depressa e me virei para a janela. Ela estava escancarada, o que explicava aquele frio todo que eu estava sentindo! "Dudu, você enlouqueceu?! Está fazendo uns 50 graus abaixo de zero lá fora e você ainda tem coragem de abrir a janela?"

Levantei depressa e a fechei com força, enquanto meu irmão dizia que estava fazendo apenas cinco graus negativos e não 50, pois ele havia checado em um canal da TV que passava apenas informações sobre o Valle Nevado, como o nível de neve, a temperatura do dia e outras coisas inúteis.

"Sabia que tem vários teleféricos que levam as pessoas para todas as pistas e depois as trazem de volta? O moço da TV falou que tem um restaurante bem lá em cima, que a gente pode ir e depois descer. Será que a gente pode almoçar lá no meio da neve?"

"Dudu, se você não sumir da minha frente em dois segundos, vou te jogar por essa janela pra você chegar na neve bem rápido, congelar e não me encher o saco nunca mais!"

Bem nesse momento a porta adjacente ao nosso quarto se abriu e minha mãe apareceu, com a maior cara de emburrada, e veio em minha direção enquanto falava para o Dudu que era para ajudar o meu pai a escolher um casaco de neve, enquanto ela tinha uma conversinha comigo. Oh, oh...

Tive vontade de me esconder debaixo do cobertor, mas minha mãe poderia fazer parte da Liga da Justiça, pois tinha o superpoder de me paralisar apenas com o olhar!

"Mabel, eu estou cansada!", ela falou assim que meu irmão passou pela mesma porta por onde tinha entrado. "Quem está 'enchendo o saco', como você acabou de dizer para o seu irmão, é você! Desde o momento em que falamos que íamos viajar, você virou outra menina! Só fica emburrada, choramingando pelos cantos e fazendo malcriação! E, principalmente, não para de brigar com o Dudu, como se ele tivesse culpa da sua infelicidade! Poxa, não dá pra ser mais compreensiva com seu irmãozinho? Ele acabou de fazer 7 anos, a metade da sua idade! É natural que ele esteja empolgado com a viagem, com a neve e que queira sua companhia... Sim, eu já entendi que você prefere suas amigas à sua família, e se o seu pai tivesse me consultado antes de comprar as passagens, eu teria dito a ele para viajarmos só com o Dudu e te deixar hospedada na casa da Maria Eugenia ou na da Maria Luisa. Ninguém inventou essa viagem pra te castigar, o seu pai realmente achou que você ia ficar superfeliz. Não era você que dizia que adoraria conhecer a neve? Ele pensou que estava te dando um presente ao te trazer pra cá e está visivelmente decepcionado com o jeito como você vem agindo. Eu já o peguei várias vezes te olhando com uma expressão triste..."

Percebi que não era só o meu pai, pois ela própria estava olhando para mim como se fosse começar a chorar a qualquer momento. E aquilo começou a *me* dar vontade de chorar também. Se tinha uma coisa em que a minha mãe tinha a maior habilidade era em fazer com que eu me sentisse culpada. Eu ainda me lembrava perfeitamente da primeira vez em que ela havia feito isso. Eu devia ter uns três anos e era obcecada por um travesseirinho cinza que eu tinha. Na verdade, ele era originalmente azul, mas eu não me desgrudava dele, o levava para todos os lados, então ele até descorou (ou ficou com uma camada de sujeira). Minha mãe às vezes tentava lavá-lo enquanto eu estava dormindo, mas eu chorava tanto quando percebia que, depois de um tempo, ela até desistiu. Mas em um momento aquilo se tornou insustentável, ele devia estar realmente imundo, pois minha mãe começou a dizer – em uma tentativa de me convencer a largá-lo – que lá dentro devia estar cheio de ratos, cobras e outros bichos nojentos. Nem assim eu sucumbi. Até que um dia, depois de me pedir mais uma vez para colocá-lo na máquina de lavar e eu abraçar o meu tolinho (como eu o chamava) com toda força e negar bem brava, ela fez a maior cara triste, dizendo "Ôoooo...", como se eu tivesse ferido seus sentimentos ou coisa parecida. Aquilo me desestruturou. Senti meu coração derreter ao ver que eu tinha deixado minha mãe daquele jeito. E então entreguei para ela o travesseiro... que foi lavado e esfregado até se tornar azul novamente. Eu nunca mais quis saber dele.

E era exatamente aquela expressão desolada que ela estava fazendo naquele momento, ao jogar na minha cara que eu não estava nem aí para a minha família. E para piorar, ela falou: "Seu pai pensou que essa ia ser uma viagem de sonho... E com razão, né? Olha esse hotel lindo, essa paisagem deslumbrante... Quantas pessoas dariam tudo para estar aqui? E sabe o que mais? Ele me falou que caprichou no roteiro porque achou que você ficou meio triste depois daquela paixonite no ano passado e que sabe que daqui a algum tempo você vai começar a namorar pra valer e que essa possivelmente seria uma das últimas viagens que iria querer fazer com a gente... Mas acho que ele se enganou. Não precisou de namorado nenhum pra que isso acontecesse. Você já não está fazendo a menor questão da nossa companhia. Prefere ficar grudada no celular, que eu sei perfeitamente que você trouxe escondido, por mais que eu tenha te dado o castigo de ficar sem ele por uns dias, para que pudesse ver que o mundo é bem maior e interessante do que uma tela minúscula... Mas tudo bem, se você prefere assim...".

E, ao dizer isso, ela olhou para o chão, como se estivesse realmente triste comigo, balançou os ombros e se virou, indo em direção à porta do quarto dela e do meu pai, me deixando sozinha.

Fiquei um tempo assimilando o que ela havia dito. Mal sabiam eles que aquela "paixonite" do ano passado não estava tão no passado assim...

Olhei para a cama aconchegante e a neve caindo do outro lado da janela. Se fosse em outra época, sei que eu estaria curtindo a viagem. Todos os anos, para comemorar o aniversário de casamento, os meus pais passavam alguns dias esquiando, pois foi exatamente em uma pista de esqui que se conheceram. Eu sempre insistia para ir junto, mas eles diziam que aquilo era uma coisa deles, os únicos dias que tinham para namorar sozinhos, como antigamente. Mas dessa vez eles resolveram abrir mão da tradição... E, pelo que ela havia dito, especialmente para me animar.

De repente ouvi o riso dos meus pais e do meu irmão no quarto ao lado, nitidamente felizes, e comecei a me sentir muito solitária... Deitei na minha cama e enfiei o braço dentro da fronha do travesseiro, para alcançar o celular que eu havia escondido lá dentro. Nenhuma mensagem recebida. E todas que eu tinha enviado haviam sido visualizadas. As minhas amigas certamente estavam aproveitando bastante, para não ter um segundo para me escrever contando como estava lá. Dei um suspiro, guardei de volta o celular, me levantei da cama e fui em direção à passagem para o quarto dos meus pais. Bati timidamente na porta e, ao abrir, ouvi os risos ainda mais alto. Os três estavam em cima da cama, fazendo uma guerra de travesseiros.

No mesmo segundo um travesseiro voou pelo ar e aterrissou bem no meu rosto. Franzi as sobrancelhas meio revoltada, aquilo tinha doído, mas olhei para os meus pais e para o meu irmão e notei que estavam meio apreensivos pela minha reação. Pelo visto esperavam que eu fosse ter um ataque de raiva e sair gritando com todos eles, afinal, era exatamente assim que eu vinha agindo ultimamente...

Então respirei fundo, coloquei a mão na cintura, estreitei os olhos e peguei o travesseiro no chão. A seguir o levantei, como se estivesse escolhendo em quem jogar, mas então falei: "Ontem vi uns meninos fazendo guerra de bolas de neve, e eles pareciam estar se divertindo pra valer... Que tal a gente também experimentar e deixar a guerra de travesseiros lá pra casa, quando voltarmos?".

Meus pais sorriram para mim, e meu irmão pulou da cama para me abraçar, dizendo: "Eu posso comer as panquecas primeiro? Essa guerra toda me deu a maior fome...".

Então afundei na cabeça dele o travesseiro que ainda estava segurando e falei: "Só se sobrar... Esse frio me deixou faminta e eu vou trocar de roupa bem rápido para devorar todas elas antes de você!".

Ele começou a gritar e eu saí correndo para o nosso quarto, me sentindo pela primeira vez feliz por estar ali.

Nos filmes passados na neve, sempre que via os personagens usando muitas roupas de frio, imaginava que eles estivessem quase congelando e, por isso, nos dias muito quentes, eu ficava desejando estar em um daqueles locais para o calor passar. Mas ao colocar a roupa de neve que alugamos, percebi que eu estava totalmente enganada, pois eu quase derreti! Era muito quente! Só que, quando tirei tudo, para parar de suar, comecei a tremer de frio no mesmo instante! Ou seja, as únicas opções eram congelar ou morrer de calor. Um meio termo? Eu podia esquecer...

Então resolvi ir logo para a neve, para ver se pelo menos ali o vento frio me refrescava um pouco. O problema é que, além de ter que carregar aqueles esquis pesados e de aquela roupa ser calorenta, ela também era muito desconfortável! A bota impermeável era toda dura, própria para se acoplar ao esqui, então eu mal dei dois passos com ela e já tropecei. O mais incrível era que meus pais e meu irmão, além de todas as outras pessoas do local, estavam andando normalmente, como se estivessem passeando no shopping! Comecei a achar que tinha alguma coisa errada com a *minha* bota, por isso avisei que eu ia ter que voltar à loja para trocar. Mas o Dudu no mesmo instante começou a reclamar, dizendo que chegaria atrasado à primeira aula de esqui.

"Eu posso ir sozinha", falei depressa. Na verdade, aquilo seria ótimo, assim eu poderia ver se a Magê ou a Malu tinham respondido minhas mensagens.

"De jeito nenhum, você não tem o menor senso de direção e vai acabar se perdendo", minha mãe respondeu, estragando meus planos. "Eu te acompanho enquanto seu pai vai na frente com o Dudu. Você tem certeza que não quer fazer umas aulas também? Esquiar não é tão fácil assim..."

Ah, claro, eu precisava muito ter alguém para me ensinar a ficar em cima de duas pranchas e sair deslizando. Como aquilo podia ser difícil?!

"Não, obrigada, eu me viro."

Vi que meus pais trocaram um olhar meio irônico, como se estivessem dizendo um para o outro que eu ia mudar de ideia logo, logo, o que me fez prometer para mim mesma que ia provar que eles estavam errados.

Chegando à loja que alugava as roupas, percebemos que estava lotada. Parecia que todos os hóspedes tinham acordado juntos e ido direto para ali.

"Ah, não...", minha mãe falou meio desapontada. "Pensei que a gente trocaria a sua bota rapidinho e voltaria quando o Dudu ainda estivesse recebendo algumas instruções teóricas... Desse jeito, quando chegarmos lá, o seu irmão já vai estar na pista. Queria tanto vê-lo em cima dos esquis pela primeira vez... Aposto que vai sair esquiando como se sempre tivesse feito isso, afinal, ele é muito bom no skate, possui naturalmente o equilíbrio necessário. Mas duvido que seu pai se lembre de tirar fotos ou filmar..."

Aquilo me deu uma ideia.

"Mãe, eu posso trocar a bota sozinha, já falei. Por que você não vai ver a aula do Dudu e eu te encontro lá? A gente pode combinar um horário na frente da porta do hotel, caso eu me perca..."

Percebi que ela ficou pensando, mas então deu mais uma olhada para a loja e viu que a cada minuto ela enchia mais. "Ok, você me convenceu...", ela falou depois de soltar um suspiro. "Mas presta muita atenção, Mabel. Não quero que você fique andando por aí, pois é realmente muito fácil se perder no meio dessa neve toda. Ontem quando finalmente conseguimos fazer o check-in já estava escurecendo e nem deu pra mostrar o local direito pra vocês. E também não quero que tente esquiar! Sei que você é autossuficiente e pensa que já nasceu sabendo tudo, mas acredite em mim, isso não é tão fácil quanto parece! Não quero que você se machuque no primeiro dia! Quer dizer, não quero que você se machuque em dia nenhum, mas você entendeu o que eu quis dizer."

"Sim, entendi", falei, já me virando para entrar na fila da loja.

"Não tão rápido, mocinha...", ela me segurou, fazendo com que eu olhasse para ela novamente. "Saindo daqui, quero que você vá direto para a área reservada para as aulas dos principiantes. É bem perto de onde estávamos, basta ir subindo por fora daquela cerca vermelha e, ao chegar na frente do hotel, pergunte onde fica para qualquer funcionário de lá. Eles vão te mostrar o local exato. Não passe nem perto da pista dos esquiadores de nível avançado, são perigosas! Pior que elas, só a dos experientes, porém essas ficam lá no alto..."

"Sim, senhora", falei batendo continência.

"Já falei que não gosto que me chame de senhora!", ela disse, puxando o meu gorro para baixo. "Faz com que eu me sinta muito velha!"

"Você sabe que não é...", falei balançando a cabeça. Minha mãe tinha 22 anos quando eu nasci, então ela estava com apenas 36. Muitas pessoas perguntavam se éramos irmãs, apesar de ela ser muito mais bonita do que eu jamais conseguirei ser. Se ela fosse mais alta, certamente teria sido modelo, ela inclusive chegou a fazer algumas fotos de rosto para umas revistas. Pena que dela eu só puxei mesmo a altura: 1,59 m. Mas me afirmaram que até os 18 anos eu ainda posso crescer mais um pouco, só espero que isso seja verdade...

"Te vejo daqui a pouco então. Boa sorte com a bota! Lembre-se, tem que ser justinha no pé, nada de trocar o número!"

Eu concordei e entrei na fila, mas aquilo havia me dado uma ideia... No momento em que escolhemos as roupas, o cara da loja e meus pais me fizeram levar botas e luvas bem justas, que até pareciam um número abaixo do meu. Devia ser por isso que eu estava sentindo tão desconfortável! Sendo assim, quando chegou a minha vez, falei que queria trocar tudo por um número maior.

O atendente falou alguma coisa em castelhano que eu não entendi bem, só reconheci a palavra "calor". Eu então deduzi que ele havia explicado que eu sentiria calor com um número maior, mas como eu já estava com calor com aquelas roupas apertadas mesmo, apenas reafirmei a minha escolha. Ele então balançou os ombros, pegou as luvas e as botas que eu estava estendendo para ele e pouco depois voltou com outras parecidas, mas logo vi que não eram tão pequenas. Peguei da mão dele feliz e fui me vestir. Primeiro calcei a bota. Imediatamente me senti mais confortável! Aquela sim havia sido feita para o meu pé! Em seguida coloquei as luvas. Ah, agora eu conseguia mexer os dedos! Ótimo!

Tirei-as novamente, apenas para verificar mais uma vez o meu celular, que, por não conseguir resistir, havia levado comigo. Mas logo vi que tudo continuava igual, ninguém tinha me mandado nada. Bufei enquanto escrevia mais uma mensagem para a Magê, desejando que o WhatsApp tivesse algum tipo de alarme para mandar junto com a mensagem, que não parasse de tocar enquanto a pessoa não visualizasse.

E também um aplicativo que fizesse a mão da pessoa grudar no aparelho enquanto ela não respondesse...

Para a minha surpresa, ela me respondeu imediatamente. Começamos a conversar, mas logo percebi que o que ela estava escrevendo não era bem o que eu queria ler. Comecei a sentir tanto calor, e aquela loja de repente me pareceu tão abafada, que saí correndo para a neve, para conseguir respirar melhor.

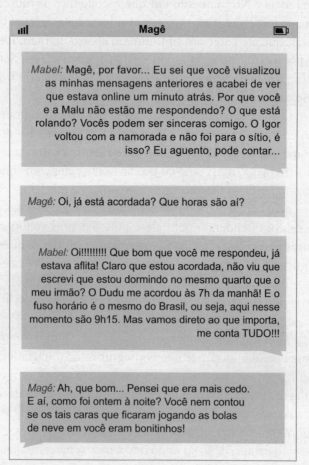

Magê

Mabel: Magê, por favor... Eu sei que você visualizou as minhas mensagens anteriores e acabei de ver que estava online um minuto atrás. Por que você e a Malu não estão me respondendo? O que está rolando? Vocês podem ser sinceras comigo. O Igor voltou com a namorada e não foi para o sítio, é isso? Eu aguento, pode contar...

Magê: Oi, já está acordada? Que horas são aí?

Mabel: Oi!!!!!!!!! Que bom que você me respondeu, já estava aflita! Claro que estou acordada, não viu que escrevi que estou dormindo no mesmo quarto que o meu irmão? O Dudu me acordou às 7h da manhã! E o fuso horário é o mesmo do Brasil, ou seja, aqui nesse momento são 9h15. Mas vamos direto ao que importa, me conta TUDO!!!

Magê: Ah, que bom... Pensei que era mais cedo. E aí, como foi ontem à noite? Você nem contou se os tais caras que ficaram jogando as bolas de neve em você eram bonitinhos!

Magê

Mabel: Ai. Eu te conheço, Magê... Você está mudando de assunto. Sinal de que está me escondendo alguma coisa! O que aconteceu com o Igor?! Fala logo!!!!!!!!!!!!!!!!!!

Magê: Nossa, que desespero! Não aconteceu nada... ainda. Mas não vou mentir pra você, pelo visto vai acabar acontecendo. Ele está dando em cima de TODAS as meninas desde o momento em que chegou... Inclusive de mim.

Mabel: Haha, é o jeito dele... O Igor é todo brincalhão, você sabe. Com certeza não é pra valer.

Magê: Mabel... Eu não teria tanta certeza assim. E não o considero nem um pouco brincalhão. Canalha é uma palavra que cairia bem melhor pra ele! Ainda não esqueci o que ele fez com você no ano passado! Não acredito que você o perdoou... Aliás, não só que o perdoou, mas que continua apaixonada até hoje! Até quando isso vai durar?

Mabel: Ele não fez nada, Magê... As pessoas podem mudar de ideia, já te falei...

Magê: Ah, não fez nada? Então me deixa refrescar sua memória... Quem foi que ficou dando em cima de você um tempão mesmo tendo namorada? E aí, quando você falou que não ficaria com ele por esse motivo, inventou que terminou o namoro, mas foi visto com a menina no mesmo dia, exatamente depois de ter ficado com você?

Magê

Mabel: Ele realmente terminou!!! Mas ficou com tanta pena da namorada, porque ela ficou chorando sem parar, que acabou voltando! Ele me explicou tudo! Isso só mostra o quanto ele é sensível, o que me faz admirá-lo ainda mais... E desde então ele me fala que só está esperando o momento certo para terminar de novo, sem fazê-la sofrer muito, e poder ficar comigo pra sempre! E agora finalmente esse momento chegou!

Magê: Mabel, pelo amor de Deus, esse cara é o maior mentiroso, acredita em mim! Sou sua melhor amiga, não quero o seu mal... Você viu o que ele escreveu no grupo, ele terminou com a garota apenas pela possibilidade de ela ficar com outro na viagem dela! Ele é tão ridículo que acha que todo mundo age como ele (que certamente ficaria com alguém se viajasse), e resolveu terminar só pra não sentir o suposto chifre!

Mabel: Magê, é claro que ele falaria isso no grupo, né... Ele não podia assumir publicamente que terminou com ela pra ficar com outra menina. Comigo. Por isso, teve que inventar uma desculpa, senão a ex dele poderia ficar sabendo e começar a maior choradeira só pra ele voltar com ela de novo!

Magê: Mabel, chega, estou perdendo meu tempo, não vou conseguir te convencer nunca! Tá vendo? Por isso que eu não queria responder suas mensagens, sabia que era tempo perdido! Olha, neste momento está todo mundo na piscina, o Pedro veio com o Miguel e um outro amigo que também toca violão, as meninas estão na maior cantoria... Em vez de estar lá curtindo, estou dentro do banheiro te dando conselhos que entram por um ouvido e saem pelo outro! Se você não quer acreditar em mim, tudo bem, mas depois não vem ficar chorando. Cansei de ficar com pena de você! Se quer continuar nessa cegueira toda, o problema é seu. Como te disse antes, o Igor está dando em cima de todo mundo e pelo visto a Laís está caindo na lábia dele. Sinto muito, mas acho que eles vão acabar se beijando. Não queria te contar isso assim, mas quem sabe um tratamento de choque abre seus olhos, né?

Magê: Mabel? Mabel, está aí ainda?

Laís

> **Mabel:** Laís, tenho que contar uma coisa, espero que você veja essa mensagem a tempo. Estou sabendo o que está rolando no sítio e vou ser direta: você NÃO pode ficar com o Igor. Eu nunca te contei porque não tive oportunidade, mas nós dois temos um rolo... E ele terminou com a namorada só por minha causa. Mas como não pudemos passar essa última semana de férias juntos, ele ficou muito triste e carente, e está te usando apenas como um estepe. Desculpa ter que te contar isso dessa forma, mas se alguém estivesse prestes a ficar comigo apenas como substituta, eu gostaria de saber. Tenho certeza que tem outros garotos aí que te querem como primeira opção, tipo o Pedro, o Miguel... Afinal, você é linda e fofa! Beijinhos!

> **Laís:** Uau, Mabel, obrigada por me avisar, eu realmente não imaginaria isso... Você também é linda e fofa, pena que não pôde vir pra cá com a gente! Pode ficar tranquila, não vou ficar com ele não. Beijos e aproveite muito o Chile!

Assim que guardei o celular, saí pisando com força na neve, novamente com raiva por estar naquele local. O mundo era muito injusto! *Eu* havia feito a Magê pedir para a mãe dela deixar chamar uns amigos para passar a última semana de férias no sítio! E havia planejado tudo, apenas na esperança de ficar perto do Igor, ainda que ele estivesse namorando... Sim, eu era patética a esse ponto, me conformava apenas em estar respirando o mesmo ar que ele. No fundo eu tinha a esperança de que, ao me conhecer cada vez melhor, ele descobrisse que eu era muito mais legal do que aquela namorada chata que ele tinha! E então recebi a melhor notícia do mundo ao saber que ele tinha terminado... para logo depois descobrir que eu não poderia mais ir para o sítio! Que era onde eu deveria estar naquele exato momento! Com certeza, se eu estivesse lá, o Igor estaria nadando, cantando e tomando sol... comigo! E não com aquela sonsa da Laís!

Chutei um montinho de neve que estava no meu caminho e em seguida senti que minha meia ficou um pouco molhada.

Eu não podia acreditar que além de tudo a minha nova bota estava furada! Eu teria que voltar na loja para trocar *de novo*! Desse jeito, quando eu chegasse ao local combinado, a minha mãe já estaria histérica pensando que eu havia me perdido! Mas se eu fosse com a bota daquele jeito, meu pé congelaria até chegar lá...

Eu ainda estava pensando no que fazer, quando percebi que eu poderia chegar à loja bem mais rápido. Eu estava andando pelo mesmo caminho que havia feito com a minha mãe, mas agora eu via que a gente tinha dado a maior volta! Eu só precisava andar em linha reta, em vez de passar ao lado da cerca vermelha, que provavelmente só estava ali para indicar a direção para os turistas não se perderem. Mas eu não tinha como me perder, eu estava avistando a loja dali. Então simplesmente fui andando até ela. Eu não havia dado dois passos, quando ouvi um grito de homem atrás de mim. Olhei a tempo de ver um cara esquiando a toda velocidade bem na minha direção! Tentei fugir para a esquerda, mas ele teve a mesma ideia e se desviou para o mesmo lado. No momento seguinte senti o maior baque, e tudo que vi foi neve.

"Você se machucou?", ele perguntou tentando me levantar, pois eu tinha caído de cara no chão. Eu estava me sentindo meio tonta, mas ainda assim percebi que era um brasileiro, pois falava português.

"Acho que cortei um pouco o lábio", respondi sentindo gosto de sangue na boca. "E minhas mãos estão estranhas, como se estivessem queimadas".

"Elas *estão* queimadas!", ele falou se agachando ao meu lado. "Você deve ter colocado as duas na neve para amortecer a queda. Que ideia maluca foi essa de atravessar a pista de esqui, menina? Vamos sair logo daqui, antes que mais gente te atropele."

Talvez o jeito dele de falar, como se estivesse me dando um sermão, fez com que eu levantasse o olhar pela primeira vez para olhá-lo. Ele estava com o rosto coberto pelos equipamentos de esquiar, mas assim que viu que eu o estava observando, tirou os óculos e o gorro e então tudo fez sentido... o garoto ruivo do ônibus, um dos que estavam jogando neve em mim no dia anterior. Claro que se alguém tinha que me atropelar naquele local, esse alguém seria ele.

Revirei os olhos e tentei me levantar, mas minhas mãos estavam realmente doloridas.

"Ei, o que você pensa que está fazendo?", ele falou me segurando. "Vai ter que fazer um curativo nessas mãos, se continuar com elas na neve assim pode até dar bolha..."

"Eu sei me cuidar", falei me apoiando dessa vez com o cotovelo. Mas a minha roupa deslizava, por isso acabei deitada novamente. Ele riu, o que me deixou ainda mais brava.

"Estou vendo que você sabe se cuidar!", ele disse praticamente me carregando. "Até atravessou a pista do avançado..."

Ele me puxou para fora da pista, e nesse exato momento minha mãe apareceu. Bem no instante em que eu me lembrei que ela havia dito que não era para eu ir na tal pista de esquiadores avançados de jeito nenhum. Mas até três segundos antes eu nem sabia que a tal pista era aquela ali!

"Mabel, o que aconteceu?", ela veio correndo assim que me viu. "Você caiu na neve? Se machucou?"

"Eu a atropelei, ela estava andando na área de esqui, não consegui desviar a tempo", o menino respondeu por mim, me fazendo lançar para ele mil facas com o olhar.

Minha mãe só balançou a cabeça, pedindo desculpas para o garoto!

"Ei, ele que tinha que me pedir desculpas!", reclamei. "A atropelada fui eu!"

"Acontece, querida, que é proibido andar nas pistas!", minha mãe falou brava. "Se você tivesse prestado atenção por um segundo nas instruções na hora em que fizemos o check-in, saberia que é proibido circular pelas rampas onde as pessoas esquiam! Você poderia ter provocado um acidente grave!"

Ela realmente precisava me repreender na frente daquele menino? Agora ele devia estar morrendo de rir internamente!

Porém, para minha surpresa, ele falou: "Mas essa área é meio mal sinalizada mesmo, eles precisam colocar mais placas, não é a primeira vez que isso acontece...".

Eu tinha a ligeira impressão de que a tal cerca vermelha era exatamente o alerta de entrada proibida. Era imaginação minha ou ele estava tentando livrar a minha barra?

"Mesmo assim", minha mãe continuou. "Se ela tivesse ido pelo caminho que eu ensinei, nada teria acontecido. Não entendo por que a Mabel tem sempre que fazer o oposto do que eu mando..."

Ele deu um risinho de lado e falou: "Ainda bem que a Mabel aprendeu a lição logo, não é? Aposto que não vai atravessar mais pista nenhuma...". Antes que eu pudesse assimilar o fato de ele ter guardado o meu nome, ele continuou: "Bem, tenho que dar uma aula agora".

"Você dá aula de quê?", minha mãe perguntou na sequência. "Não é muito novo pra isso?"

"Tenho 17 anos", ele falou parecendo meio tímido. "Meus pais são sócios de um dos hotéis, por isso eu venho aqui desde pequeno, praticamente nasci esquiando... Comecei a dar aulas para crianças quando eu tinha 15."

"Que gracinha!", minha mãe disse, me deixando envergonhada por elogiar daquela forma alguém que mal conhecia. "Olha, Mabel, ele tinha praticamente a sua idade e já dava aulas!"

Ela falou aquilo deixando claro que, nas entrelinhas, queria dizer: *"Tá vendo? Você deveria ser responsável assim..."*.

"Mãe, ele já falou que tem que dar aula agora, podemos ir?", perguntei, querendo acabar com aquilo depressa e sentindo o meu pé congelar cada vez mais por causa daquela meia molhada.

"É mesmo, desculpa!", ela respondeu. "Só mais uma coisa. Se os seus pais são daqui, como você fala português tão bem? Você tem apenas um leve sotaque... Eu poderia jurar que era brasileiro!"

"Sou brasileiro, minha mãe também. Só o meu pai é chileno, mas morou no Brasil por muitos anos. Conheceu a minha mãe, eles se casaram, eu nasci, e só quando eu já tinha 6 anos nós nos mudamos pra cá, exatamente porque meu pai recebeu a proposta para ser sócio do hotel. Mas nós moramos em Santiago, só ficamos aqui na época da temporada de neve, que coincide com as minhas férias."

"Que história interessante! Bom, não vamos tomar mais o seu tempo! Nem perguntei seu nome... Eu sou a Flávia, e essa aqui você já sabe que é a Mabel", ela disse tirando a luva e estendendo a mão para ele.

Ele então também tirou a luva e apertou a dela, dizendo: "Benjamín. É um nome comum no Chile... No Brasil costumavam me chamar apenas de Ben".

"Muito prazer, Ben! Nós adoramos te conhecer. Não é, Mabel?"

Eu apenas dei um sorriso forçado, e ele respondeu com um espontâneo, que eu tinha que admitir: era bem bonito... Ele tinha os dentes perfeitos. Em seguida ele recolocou a luva, o gorro e os óculos e, antes de impulsionar o esqui, falou: "Espero ver vocês de novo logo!".

Nós ainda o observamos esquiar por um tempo, até que aos poucos ele despareceu na neblina...

MMM

Mabel: Malu, Magê, tem alguém aí? Podem me dar notícias de como estão as coisas no sítio? Quer dizer, na verdade quero saber é como está o Igor no sítio! Com a Laís... Por favor, não me escondam nada, podem me contar seja o que for, prometo que não vou ficar muito chateada... Mas não demorem tanto pra responder, estou fingindo que estou tomando banho pra poder usar o celular! Mas se eu levar mais de 20 minutos, vão começar a achar estranho...

Malu: Oi, Mabel! Desculpa não ter respondido antes, o celular aqui não pega bem na área da piscina, você sabe. E é lá que a gente fica mais tempo. Agora mesmo estamos todos em volta de uma fogueira, tocando violão. Chegou mais gente aqui hoje, o irmão do Pedro com umas amigas. Está a maior festa! Realmente só falta você aqui...

Mabel: Oi, Malu!! Mas e o Igor com a Laís? A Magê me disse umas coisas...

Malu: Hum. Ele continua atrás dela, Mabel. Antes ela estava caindo totalmente na lábia dele e até jogando charme, mas de repente parou, do nada. Aliás, acho que ela está dando um gelo nele por alguma razão, deve ter sacado que ele é um cafajeste... Bem que eu queria que "outra pessoa" percebesse isso também, sabe...

Mabel: Então quer dizer que eles não vão ficar juntos?? Posso ficar tranquila?

Malu: Sei lá, Mabel! Não tenho bola de cristal. Olha só... Você está no CHILE! Por que está preocupada com coisas que estão acontecendo aqui? Aproveita, gata! Já conheceu algum chileno bonitinho por aí? Conta tudo! Estou morrendo de inveja de você, queria estar aí também! Sempre quis conhecer o Valle Nevado!

MMM

Mabel: Não conheci menino nenhum. Pelo menos nenhum que valesse a pena. Tudo que eu faço aqui é levar broncas e mais broncas dos meus pais, pra eles tudo que eu faço é errado! Não estou mais aguentando, não vejo a hora de voltar, sério mesmo!

Malu: Hahaha, aposto que você mereceu todas essas broncas, te conheço! E você já esquiou? É difícil?

Mabel: Eu tentei hoje à tarde... Mas a bota que o meu pai alugou pra mim veio furada. Quer dizer, a segunda bota. Bem, é uma longa história, mas, resumindo, eu ia trocar essa do furo, só que acabei ouvindo tanto sermão da minha mãe por outros motivos que não queria ter que ouvir mais um, caso ela percebesse que eu peguei uma bota um número acima, já que a primeira estava machucando o meu pé... Então acabei ficando com a do furo. E aí quando eu piso na neve ela encharca o meu pé inteiro. Aliás, os dois pés, parece que as duas estão furadas!

Malu: O quê? Não estou entendendo nada! Que história de bota é essa?

Mabel: Ah, deixa pra lá, depois te explico. Mas o fato é que esquiar não é nem de longe tão gostoso quanto parece. Dói tudo! A coxa, o braço, a bunda... Um horror!

Malu: Se dói é porque está trabalhando os músculos! Aproveita, porque pelo menos está malhando sem perceber! Mabel, tenho que voltar pra fogueira agora. Eu só vim aqui na cozinha pegar uns marshmallows para colocar no fogo e o pessoal já está gritando de lá, perguntando se eu comi tudo.

Mabel: Ok... Eu realmente gostaria de estar aí. Manda um beijo pra todo mundo, tá?

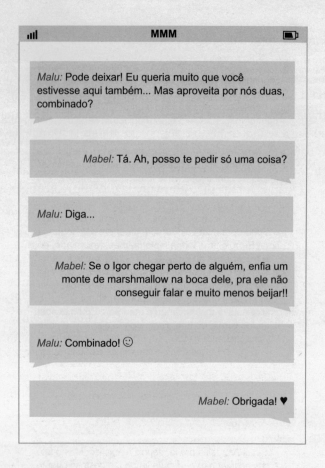

"Conta de novo como é que você foi atropelada, Mabel?", meu irmão perguntou pela vigésima vez desde que havíamos acordado em nossa segunda manhã no Valle Nevado. Para ele aquela história parecia engraçada, mas ao olhar para as minhas mãos com gaze e esparadrapo, eu não via graça nenhuma. Ainda mais ao me lembrar de tudo que tinha acontecido depois.

Assim que terminamos de conversar com o "responsável pelo meu atropelamento", minha mãe colocou a mão na cintura, estreitou os olhos e começou o discurso: "Eu não falei que era pra voltar pelo mesmo caminho que a gente veio? Por que você acha que eu não vim pelo outro lado? Pensa que eu estava a fim de ficar passeando na neve, sendo que estava atrasada pra ver a aula do seu irmão? Ah, já sei, você é mais esperta que todo mundo e achou que ninguém nunca havia notado que aquele caminho ali era menor, né? Por que será que todas as pessoas estavam indo pelo outro lado, Mabel?".

Quando minha mãe usava ironia para me repreender, eu tinha vontade de voar no pescoço dela e, ao mesmo tempo, de chorar... Como eu não podia atacar a minha própria mãe (e, no fundo, não queria fazer isso), acabava apenas chorando, por mais que tentasse segurar.

"Não adianta fazer essa cara!", ela continuou, mesmo vendo que eu estava vermelha por tentar conter as lágrimas. "Estou cansada da sua desobediência! Será que você não vê que quando eu falo pra você fazer algo é apenas pensando no seu bem? Estou realmente farta disso! Pensei que a nossa conversa hoje cedo tivesse te tocado de alguma forma, mas não adianta, você não me escuta mesmo. Pois, de agora em diante, vou te tratar como você merece. Já que age como uma menina malcriada e desobediente, vai ser repreendida assim também. Nós vamos subir agora, fazer um curativo nessas mãos e em seguida você vai tentar esquiar comigo, com seu pai e com seu irmão. E depois vai jantar em família, nada de ficar solta por aí! E se eu te vir novamente passando por alguma pista de esqui sem estar esquiando ou se desacatar alguma regra do hotel, vou te mandar de volta para o Brasil, mas pra ficar na casa da sua avó até eu e seu pai voltarmos!"

Aí não, né... A minha avó morava no interior, em uma casa que não tinha internet nem discada! Cada vez que eu a visitava me sentia em um livro de história do século passado! Era como se ela tivesse parado no tempo. Eu *odiava* ir pra lá!

Por isso, assim que minha mãe acabou de falar, eu apenas fiquei calada, engoli o choro e fiz tudo que ela mandou.

Tentei esquiar (e odiei!), jantei com todos eles no restaurante do hotel (ao contrário da noite anterior, quando eu havia pedido só um misto quente no quarto) e até dormi cedo (para esquecer e o tempo passar mais depressa).

Porém, logo que acordei, fiz as contas e vi que eu ainda teria que ficar quatro dias inteiros naquele lugar, além dos dois que passaríamos em Santiago, tive vontade de fingir que estava doente para ficar debaixo das cobertas e me esquecer da vida! Mas eu sabia que aquilo só faria com o que o tempo passasse ainda mais devagar. Por isso, troquei de roupa, tomei café com todo mundo e fui (tentar) esquiar, me preparando para contar para os meus pais que teria que trocar a bota novamente... Mas, quando finalmente contei, talvez por terem sentido que já tinham me repreendido o suficiente no dia anterior, eles não brigaram. Minha mãe falou que iria com o Dudu à aula dele, enquanto o meu pai me acompanhava até a loja.

Novamente o local estava lotado, por isso demoramos quase uma hora para conseguir fazer a troca. Acabei descobrindo que a bota anterior não estava furada, me disseram que ela estava apenas *larga*, por mais que eu explicasse que, se fosse um número abaixo, apertaria os meus dedos. Mas eles falaram que daquele jeito a neve continuaria a entrar por cima quando meu pé afundasse na neve, fazendo com que ele molhasse inteiro... Por isso, agora eu estava novamente com uma bota superapertada, que mais uma vez me fazia tropeçar ao andar. Mas pelo menos meus pés estavam secos. E, daquela vez, voltamos pelo caminho certo, então não sofri nenhum atropelamento ou qualquer outro tipo de acidente.

Quando finalmente chegamos à área dos principiantes, onde o Dudu estava fazendo aula, tive uma surpresa. Ao lado dele, ensinando-o a fazer curva com os esquis, estava exatamente o garoto que tinha me atropelado... o *Benjamín*, se eu me lembrava bem do nome dele.

Assim que olhei para a minha mãe, ela veio toda sorridente e já começou a explicar: "Olha que legal, Mabel!

Ontem o Dudu falou que não gostou da instrutora e que queria aprender com um homem. Segundo ele, se fosse uma mulher ela ficaria com medo de ele se machucar e não o ensinaria nada radical... Então nós pedimos para trocar, e olha quem é o substituto!"

"Vocês já o conheciam?", meu pai perguntou, olhando para nós e depois para o instrutor.

"Infelizmente sim...", respondi sem acreditar naquilo. Aquele garoto estava me perseguindo?

"Era ele que estava descendo de esqui quando a Mabel atravessou a pista ontem. Por sorte não se machucou, como daria aulas se alguma coisa tivesse acontecido?"

Ah, com *ele* a minha mãe se preocupava! Ótimo, por que ela não o adotava e me deixava em paz então?

"Que coincidência! O Dudu agora parece que está adorando a aula, os dois não param de rir..."

"Ele é um fofo!", minha mãe tornou a falar. "Contou pra gente que é brasileiro, mas mora no Chile há muitos anos, com os pais, que são sócios de um dos hotéis. Será que é o nosso?"

Cansada daquele papo, apenas falei: "Olha, eu vou ficar ali do lado tentando esquiar de novo, ok? Não se preocupem, não vou atravessar pista nenhuma nem sair da vista de vocês".

"É bom mesmo", meu pai disse. "Hoje está com muita neblina e até avisaram que, por causa disso, não é para as pessoas subirem para as pistas mais altas."

"Tem certeza que não quer fazer aula, Mabel?", minha mãe perguntou. "Aposto que o Ben te ensinaria com o maior prazer... Ele foi uma gracinha com você ontem, toda vez que eu te repreendia ele dava um jeito de livrar sua barra um pouco."

Argh, eu odiava quando minha mãe falava "gracinha". Não tinha *gracinha* nenhuma naquele menino. E ela estava totalmente enganada. Se ele quisesse ter livrado a minha barra, teria desviado a tempo e passado bem longe de mim!

Já que esquiava desde criança, como havia contado, ele devia saber fazer isso! No mínimo tinha me atropelado de propósito, só para eu aprender a lição.

"Já disse que posso aprender sozinha", falei me afastando. Os dois se entreolharam, mas não disseram mais nada.

Cheguei a um lugar bem plano e acoplei minha bota ao esqui. Ela realmente estava mais firme do que no dia anterior... Mas por que não podia também ser confortável? Ela era tão dura, era como se eu estivesse usando um sapato de boneca!

Fiquei em pé, me equilibrando, e, quando consegui, peguei os dois bastões que compunham o equipamento, um em cada mão. Eu já sabia que eles serviam para tomar impulso e deslizar na neve. Porém, no primeiro impulso que dei, foi como se o meu corpo tivesse se esquecido de seguir o esqui. Caí de bunda no chão, fazendo com que os bastões fossem um para cada lado. Sério, esquiar era muito chato! Como alguém podia gostar de fazer aquilo?

Eu ainda estava tentando me levantar quando dois garotos, também com esquis, pararam do meu lado. Pensei que eles fossem me oferecer ajuda, mas percebi que eram os amigos do Benjamín, os mesmos que estavam no ônibus e que jogaram neve em mim.

"Se vieram pra rir da minha cara, fiquem à vontade. Aproveitem que meus pais estão só a dez metros de distância e que nem xingar eu posso...", falei me levantando, mas tornando a cair em seguida.

Os dois me seguraram pelos braços, um de cada lado, me ajudando a ficar em pé de uma vez.

"Bem que você merecia, pois realmente está engraçado te ver levando todos esses tombos", um deles falou. "Mas nós passamos por isso uns anos atrás, quando começamos a esquiar. Todo mundo cai mesmo, é normal. Não quis passar pela escolinha? As noções de equilíbrio que dão lá ajudam bastante."

"Escolinha é pra bebês...", falei baixinho, tentando me manter em pé por mais que três segundos.

Um riu para o outro e então o mais alto deles falou: "Ok, senhora adulta, boa sorte aí aprendendo sozinha! Cuidado com as bolas de neve...". E em seguida jogou em mim um pouco de neve com o bastão, o que me fez desequilibrar mais uma vez.

Os dois então riram, tomando impulso e esquiando para longe de mim.

Aquilo me irritou a tal ponto que eu simplesmente desisti. Tirei os esquis e os carreguei até sair da neve.

Ao chegar perto de onde meus pais estavam, vi que eles estavam treinando com o Dudu, pois a aula dele já tinha acabado. Olhei em volta e não enxerguei o Benjamín em lugar algum. Ótimo.

"Mãe, posso ir para o quarto?", perguntei. "Acho que não levo mesmo jeito pra isso, estou louca pra tirar essa roupa desconfortável."

"Espera só um pouquinho, Mabel...", ela respondeu, enquanto deslizava em minha direção. Como ela podia fazer aquilo parecer tão fácil? "Daqui a pouco nós todos vamos trocar de roupa pra almoçar. Será que você se importa de ficar de olho no seu irmão por um tempo, só pra eu e seu pai descermos pela outra pista, que é mais íngreme? Até agora nós dois não descemos juntos... Prometo que vão ser no máximo 20 minutos, chegando lá embaixo a gente pega o teleférico e sobe de novo."

Mesmo desanimada, acabei concordando, apenas por ter esperança de que assim ela voltasse a me deixar sozinha por um segundo.

Os dois desceram e então avisei para o meu irmão que ficaria em um deque de madeira ao lado da pista, onde havia um lugar para eu me sentar.

"Estou de olho em você, pestinha", falei antes de sair.

"Pestinha é você", ele respondeu, pegando neve com o bastão e jogando em mim, exatamente como um dos meninos tinha feito poucos minutos antes. O que era isso, por acaso ensinavam aquela lição nas aulas?!

Meio revoltada, me sentei e fiquei olhando o Dudu, que já estava esquiando incrivelmente bem no segundo dia. Que gene era aquele que ele tinha herdado dos meus pais e que, pelo visto, havia ficado faltando no meu sistema?

Depois de uns dois minutos apenas assistindo, comecei a ficar entediada. Ao perceber que o Dudu estava todo entretido em suas manobras, puxei o meu celular de dentro da blusa, para dar uma olhada rápida, pois eu sabia que ele nem iria notar.

Porém, ao ver que tinha chegado uma mensagem do Igor, me esqueci do tempo e de onde estava. Cliquei rápido para ler. Eu tinha certeza de que ele havia escrito que estava sentindo a minha falta e que estava achando aquele sítio um saco sem mim... Mas ao abrir o WhatsApp, não foi bem isso que eu li...

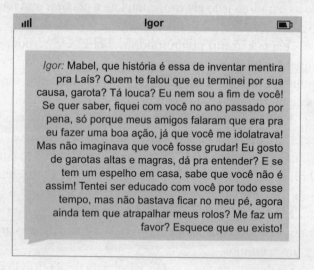

Igor: Mabel, que história é essa de inventar mentira pra Laís? Quem te falou que eu terminei por sua causa, garota? Tá louca? Eu nem sou a fim de você! Se quer saber, fiquei com você no ano passado por pena, só porque meus amigos falaram que era pra eu fazer uma boa ação, já que você me idolatrava! Mas não imaginava que você fosse grudar! Eu gosto de garotas altas e magras, dá pra entender? E se tem um espelho em casa, sabe que você não é assim! Tentei ser educado com você por todo esse tempo, mas não bastava ficar no meu pé, agora ainda tem que atrapalhar meus rolos? Me faz um favor? Esquece que eu existo!

Você sabia que no frio as lágrimas congelam? Pois é, eu também não tinha ideia. Só que, depois de ficar algum tempo olhando fixamente para a tela do celular, passei a mão pelo rosto e percebi que, no caminho que as lágrimas estavam percorrendo, tinha uma pequenina camada de gelo, que esfarelava ao meu toque.

Eu não podia acreditar que o Igor tinha escrito aquilo... Alguém devia ter roubado o celular e escrito pra ele. Porém, assim que pensei isso, outra mensagem chegou. Cliquei pra ler depressa, imaginando que pudesse ser o próprio Igor esclarecendo. Mas eram as minhas amigas.

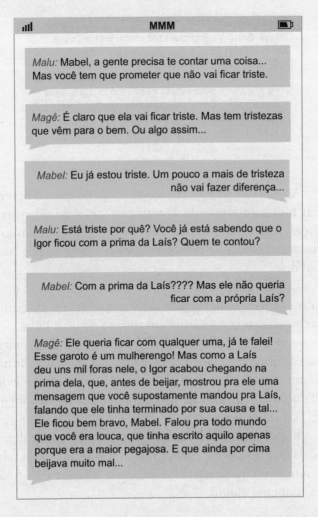

Malu: Mabel, a gente precisa te contar uma coisa... Mas você tem que prometer que não vai ficar triste.

Magê: É claro que ela vai ficar triste. Mas tem tristezas que vêm para o bem. Ou algo assim...

Mabel: Eu já estou triste. Um pouco a mais de tristeza não vai fazer diferença...

Malu: Está triste por quê? Você já está sabendo que o Igor ficou com a prima da Laís? Quem te contou?

Mabel: Com a prima da Laís???? Mas ele não queria ficar com a própria Laís?

Magê: Ele queria ficar com qualquer uma, já te falei! Esse garoto é um mulherengo! Mas como a Laís deu uns mil foras nele, o Igor acabou chegando na prima dela, que, antes de beijar, mostrou pra ele uma mensagem que você supostamente mandou pra Laís, falando que ele tinha terminado por sua causa e tal... Ele ficou bem bravo, Mabel. Falou pra todo mundo que você era louca, que tinha escrito aquilo apenas porque era a maior pegajosa. E que ainda por cima beijava muito mal...

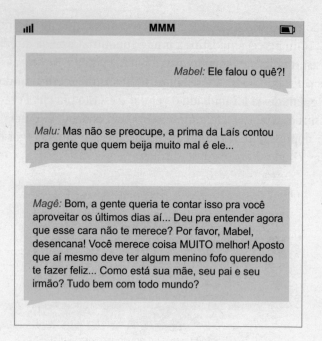

Aquela última mensagem me lembrou que eu deveria estar tomando conta do Dudu, mas, quando olhei para a frente, não o avistei. Levantei depressa, guardando o celular, e comecei a percorrer o local com o olhar. Nem sinal dele.

Larguei o meu equipamento no banco e fui para a neve, tentar encontrá-lo em algum lugar mais distante. Perguntei para as pessoas que estavam em volta se alguém tinha visto um menino de 7 anos com uma roupa de neve azul, mas as poucas que entenderam o meu "portunhol" falaram que não tinham visto. Passei a gritá-lo, correndo por todos os lados e levando alguns tombos no caminho, mas ele realmente não estava por perto.

Fiquei desesperada! E se ele tivesse inventado de descer aquelas pistas mais íngremes e tivesse caído e se machucado? Eu nunca iria me perdoar! Os meus pais também não. Aliás, eles iriam me *matar*!

Andei mais um pouco e resolvi passar para a pista de nível intermediário. Era a cara do meu irmão achar que ele já estava esquiando o suficiente para ir para lá. Aquela pista estava meio deserta, e o Dudu também não estava em nenhum lugar visível por ali.

De repente, alguém parou do meu lado.

"Nossa, você evoluiu rápido! Estava na área do básico sem conseguir nem se levantar e em menos de uma hora passou para o intermediário... Ah, claro. Sem os esquis é muito fácil."

Era novamente um dos meninos do ônibus, o que havia jogado neve em mim um pouco antes. Um segundo depois, o outro chegou.

"O que houve, seus esquis desceram sozinhos a ladeira? Cansaram de esperar você ficar em pé neles?"

Normalmente eu teria dado as respostas que eles mereciam, mas naquele momento eu estava desesperada a ponto de pedir ajuda para qualquer pessoa.

"Meu irmão sumiu, podem me ajudar a encontrá-lo? Estou com medo de ele ter tentado descer e caído... É aquele que estava no ônibus comigo. Ele está com uma roupa de neve azul."

Os dois ficaram sérios no mesmo instante e falaram que iam procurá-lo na rampa. Em seguida desceram depressa.

Continuei a olhar para todos os lados e, de repente, do outro lado das grades vermelhas que indicavam o começo da pista de nível avançado, eu avistei uma roupa azul. Eu mal podia acreditar que o Dudu estava lá! Se alguém o atropelasse, como haviam feito comigo no dia anterior, ele poderia se machucar muito, afinal era bem menor do que eu!

Saí correndo para aquele local, tentando me desviar das pessoas que desciam em seus esquis a toda velocidade. Quando finalmente cheguei à última pista, comecei a gritar o nome do meu irmão. Como ele não estava escutando, resolvi ir até lá. Eu sabia que não devia fazer isso, mas minha mãe ia ter que entender, era para salvar o Dudu! Porém, quando cheguei bem perto percebi que não era o meu irmão, aquela pessoa era bem mais alta... Ela se virou e eu vi que era uma mulher, e na roupa dela tinha um emblema do Valle Nevado.

Ela começou a falar alguma coisa comigo em espanhol e eu fiquei tentando explicar que estava procurando o meu irmão, mas nenhuma de nós duas estava entendendo o que a outra dizia. Ela então fez sinal para que eu a seguisse, apesar de eu continuar insistindo que precisava encontrar o Dudu antes. Vi que ela começou a ficar meio nervosa comigo, então resolvi segui-la e dar um jeito de avisar aos meus pais de uma vez. Eu estava tão preocupada que a repreensão que ia receber dos meus pais era o menor dos meus problemas...

Só que, ao voltar ao local onde eu tinha deixado meus esquis, fiquei surpresa ao ver que o Dudu estava sentado confortavelmente... bem ao lado do meu pai e da minha mãe.

"Onde você estava, Mabel?", minha mãe pulou do banco assim que me viu. "Você não prometeu que tomaria conta do seu irmão?"

"Su hija estaba en la región de esquiadores avanzados sin el equipo necesario. Ella tiene más de 16 años? En esta pista no se permite la entrada de niños, hay una pena para aquellos que desobedecen las reglas".[*]

Olhei para a mulher e comecei a falar que ela sabia que eu tinha ido lá apenas para procurar o meu irmão, mas ela ficava me olhando como se não estivesse entendendo uma palavra.

"Dudu, onde você estava?", gritei com ele. "Eu me distraí por um instante e quando olhei de volta você já tinha sumido!

---

[*] Sua filha estava na área de esquiadores avançados sem o equipamento necessário. Ela tem mais de 16 anos? Naquela pista não permitimos crianças, tem uma multa para aqueles que desobedecem as regras.

Eu só fui naquela pista pra te procurar, pensei que você tinha resolvido ir pra lá, pois não estava na dos principiantes nem na do intermediário!"

"Eu estava bem atrás de você...", ele falou, parecendo que ia chorar por eu ter me exaltado. "Eu vi que você estava aqui e, como tinha cansado de esquiar, vim ficar com você. Mas notei que você estava escrevendo no celular, aí eu resolvi te passar um susto, ia chegar por trás. Mas de repente você saiu correndo, eu te gritei, mas você não ouviu... Então fiquei aqui esperando você voltar."

"Mabel, que história de celular é essa? Eu não te proibi de viajar com ele?", meu pai falou, parecendo bem nervoso. "Me dá esse negócio agora!"

Eu entreguei para ele, mas a minha mãe não estava menos brava: "Você acha isso bonito, Mabel? Eu te deixo cuidando do seu irmão por 15 minutos e, em vez de fazer isso, você fica batendo papo com as suas amigas? Você passou dos limites! Só vai ter outro celular agora quando tiver maturidade suficiente para ter um emprego e comprar com seu próprio dinheiro!".

"Mas não foi minha culpa, eu só fui procurar o Dudu...", era tudo que eu falava, mas ninguém parecia me ouvir.

"Chega de desculpas, sua mãe está certa", meu pai falou. "Essa multa nós vamos descontar da sua mesada e você está de castigo pelo resto do dia. Vá para o quarto agora mesmo!"

"Mas eu não sou culpada, já falei...", tentei mais uma vez, mas eles começaram a conversar com a mulher, sem me dar ouvidos. Vi que ficar argumentando não ia adiantar nada, então saí revoltada em direção ao hotel, sentindo novas lágrimas congelarem no meu rosto.

De repente, me lembrei das mensagens do Igor e das meninas. Tive vontade de sair correndo para o *meu* quarto e trancar a porta, para não ter que ver mais ninguém... Mas eu estava a milhares de quilômetros de casa e não havia lugar nenhum ali onde eu pudesse ficar sozinha.

Olhei em volta e avistei o teleférico, que tinha umas cadeirinhas em que os esquiadores podiam se sentar para ir para as pistas mais altas ou voltarem para o lugar original, quando terminassem a descida. Me lembrei que o Dudu tinha dito que elas ficavam circulando pelas pistas e que iam e voltavam para o mesmo lugar. Ótimo, era só disso que eu precisava, fugir de tudo por um tempo. Eu daria uma volta completa, só pra me distanciar dos meus problemas. Claro que eu sabia que meus pais iam brigar mais ainda comigo se chegassem no quarto e não me encontrassem, mas e daí? Eles já tinham tirado tudo que eu possuía mesmo! Meu celular, minha mesada, minhas férias...

Então, por impulso, me sentei em uma das tais cadeiras e comecei a subir.

Assim que fiz isso e vi o hotel ficando para trás, senti um certo receio. Eu não tinha exatamente medo de altura, mas também não me sentia muito confortável. E quando pude ver o vale inteiro de cima, senti o maior frio na barriga. Era muito alto! E senti frio na pele também, pois quanto mais alto ficava, mais esfriava. Parecia que eu estava entrando nas nuvens.

Suspirei e comecei a pensar em tudo que estava acontecendo. Eu havia passado dois anos apaixonada pelo Igor, mas em todo aquele período eu sinceramente achei que ele também nutrisse uma paixão secreta por mim, que fosse uma questão de tempo para podermos ficar juntos... Ele dava sinais de que estava interessado, quando estávamos sozinhos ele até dizia que ia terminar novamente para ficar comigo... Ele estava apenas me iludindo? Lembrar de tudo que ele tinha escrito fazia com que meu coração se despedaçasse ainda mais...

Subitamente, percebi que as pessoas nas cadeiras na minha frente estavam descendo em um lugar que tinha uma certa estrutura, parecia um restaurante, não dava para ver direito por causa da neblina. Devia ser o tal que o Dudu havia mencionado. Comecei a pensar que descer apenas por um momento seria uma boa ideia, pois eu já estava com fome, e me lembrei que, por causa do castigo, teria que pedir comida no quarto novamente... Provar algo bem quentinho agora não seria nada mal. Além do mais, eu já estava congelando, apesar da roupa de neve! Certamente lá dentro tinha aquecimento.

Então, sem pensar muito, pulei da cadeira quando o teleférico passou pelo local e entrei no restaurante, desejando que o aquecedor descongelasse também o meu coração.

Assim que entrei no recinto, vi que não era bem um restaurante, e sim uma lanchonete. O meu irmão provavelmente havia entendido mal, por ter ouvido a informação em espanhol. O lugar tinha apenas esquiadores, todos com equipamentos, e pareciam estar ali só para usar o banheiro e em seguida já voltavam para a pista. Fui até o balcão e vi que serviam empanadas. Senti meu estômago roncar e por isso resolvi comer uma. Porém, quando coloquei a mão no bolso, lembrei que meu dinheiro havia ficado junto com os esquis, em uma bolsinha impermeável que eu havia enrolado nos bastões. A minha mãe a havia me dado por achar que o dinheiro acabaria se molhando se eu o deixasse no bolso e caísse na neve. Na pressa de procurar o Dudu, eu havia deixado tudo em cima do banco e, quando fui mandada para o quarto, fiz questão de deixar os equipamentos lá.

Eu achava que estava apenas com um pouco de fome, mas agora, só de ver a comida e saber que não poderia comprar nada, comecei a me sentir faminta! E aquele lugar não estava tão quente como eu pensava, o entrar e sair constante de pessoas fazia com que o vento circulasse, impedindo o aquecedor de funcionar plenamente.

Resolvi tornar a descer, aquele passeio não tinha amenizado nem um pouco a minha raiva, muito menos a tristeza, e agora eu também estava com fome e com frio.

Fui para o local do teleférico e me sentei na primeira cadeirinha que passou. Eu esperava que ela fizesse logo a curva para descer, porém, contrariando o meu desejo, ela estava indo cada vez mais para o alto. Comecei a sentir ainda mais frio e também certa dificuldade para respirar. Eu já tinha estudado que em grandes altitudes o ar rarefeito afeta a quantidade de oxigênio absorvido pelo nosso organismo. Mas eu achava que era a maior invenção, só para deixar a matéria mais interessante... Mas eu estava começando a perceber que aquilo podia ser real.

Esfreguei uma mão na outra, pois, apesar das luvas, elas estavam congeladas e começando a doer. A queimadura do dia anterior ainda não tinha cicatrizado completamente. Além disso, o meu nariz parecia que ia cair a qualquer momento, eu não estava mais sentindo a ponta dele ao tocá-lo.

Quando eu comecei a achar que aquele teleférico não ia retornar nunca mais, ele parou. Eu não estava enxergando quase nada, pois a neblina estava bem mais forte ali, mas consegui ver que no local não tinha nada, apenas uma espécie de tablado. Fiquei parada, esperando que o teleférico voltasse a circular, mas ele realmente estava estático.

"Tem alguém aí?", gritei, pra ver se alguma pessoa poderia me ajudar. A neblina estava muito densa e eu não conseguia ver nada, não dava nem para ter noção da altura em que eu estava. Não ouvi nada em resposta. Esperei mais uns minutos, mas como cada vez ficava mais frio, resolvi descer para tentar entender o que estava acontecendo. No mesmo segundo em que coloquei os pés no chão, o teleférico se moveu, fez uma curva e começou a descer. Comecei a gritar para que ele me esperasse, mas nesse momento vi um esquiador se aproximando. Fiz sinal com os braços e, por sorte, ele parou.

Apontei para o teleférico e expliquei que ele havia descido sem mim. Ele demorou um pouco para entender e então me disse, em espanhol, que aquele lugar era o fim da linha. Que o teleférico era controlado por computador e programado para não descer com muito peso a partir dali, por isso tinha parado enquanto eu ainda estava sentada e voltado a andar no momento em que eu desci. Segundo ele, com o peso das pessoas, as cadeirinhas bateriam nas montanhas, que eram bem altas naquela região.

"Ahora vas a tener que esquiar"[*], ele fez sinal para os próprios esquis, dizendo que eu teria que descer daquele jeito.

"Mas eu não tenho esqui nenhum aqui!", comecei a chorar. "E mesmo que tivesse, eu nem sei esquiar! O meu irmão me falou que o teleférico ia e voltava para o mesmo lugar!"

Bem feito para mim! Quem mandou acreditar no Dudu?! Eu deveria ter imaginado... Ele havia entendido que a lanchonete era um restaurante. Com certeza tinha confundido outras coisas também.

O esquiador fez sinal para eu ter calma e me explicou que existia um outro tipo de teleférico, que estava parado naquele dia por causa da neblina, e que isso havia sido avisado em todos os hotéis e inclusive na TV... Comecei a ficar arrependida de não ter prestado atenção naquele canal de que o Dudu gostava.

O esquiador em seguida disse que não podia me ajudar, pois só tinha os esquis que estava usando, mas que ele ia descer e avisar à equipe de resgate para me buscar.

Comecei a chorar mais ainda. Eu não queria ficar ali sozinha! Eu estava com medo e com muito, muito frio!

Ele disse que ia o mais rápido que pudesse e desceu a rampa a todo vapor.

Passei a olhar para todos os lados, tentando encontrar algum abrigo. Não havia nada e, pra completar, começou

---

[*] Agora você vai ter que esquiar.

a nevar muito. Coloquei os braços na frente do rosto, para protegê-lo, mas a minha mão estava doendo cada vez mais, eu podia sentir aquele frio todo penetrando nos meus ossos! Resolvi então me sentar no tablado e enfiei o rosto no meio das pernas. Me imaginei em uma praia bem quente, em uma tentativa de enganar a minha mente para não me sentir tão gelada... Não adiantou. Passei a tremer descontroladamente e agora as lágrimas nem caíam mais. Elas já estavam congelando antes, eu podia sentir os meus cílios ficando duros.

Não sei quanto tempo se passou, até que escutei, ou pensei ter escutado, alguém chamar o meu nome. Levantei a cabeça, mas aquela neblina não permitia que eu enxergasse um palmo na frente do nariz!

"Mabel!", tornei a ouvir aquela voz. Eu sabia que devia ser apenas a minha vontade de que alguém aparecesse, mas pouco depois ouvi mais uma vez, agora mais perto. "Mabel, onde você está?"

Me levantei depressa e comecei a pular mexendo os braços, para que a pessoa me visse. De repente alguém conhecido surgiu a poucos metros na minha frente, em uma das cadeirinhas do teleférico, carregando uma espécie de prancha na mão.

"Benjamín!", gritei para que ele visse exatamente onde eu estava, mesmo tendo certeza de que ele já sabia.

Ele pulou e veio depressa em minha direção.

"Você é completamente doida!", ele falou me segurando. "Seus pais estão desesperados atrás de você! Que ideia foi essa de subir para a pista dos experientes? E em pleno dia de neblina?"

Eu chorava tanto por estar vendo uma pessoa conhecida na minha frente, por mais que eu nem fosse com a cara daquele garoto, que nem conseguia responder.

"Vamos sair daqui!", ele falou me entregando a tal prancha. "Um esquiador te viu e foi avisar à equipe de salvamento, mas sua família está tão apavorada que eu resolvi vir na frente! Você está completamente gelada, se ficar parada aqui esperando até eles chegarem, pode sofrer uma hipotermia, tem que se mover."

"Mas eu não sei esquiar...", falei em meio às lágrimas. Na verdade eu nem sabia mais se era choro ou se era a neve que continuava a bater no meu rosto.

Ele então tirou os óculos e o gorro que estava usando e me entregou.

"Primeiro coloca isso, seu rosto está todo vermelho! Depois você vai sentar nessa prancha, mas não vai deslizar, quero que você coloque os pés pra fora e use a neve como se fosse um freio senão você vai descer rápido demais e pode acabar capotando, essa rampa é muito íngreme. Eu vou estar bem perto de você."

Segui as instruções dele e comecei a descer bem devagar, tentando segurar o máximo possível a neve com os pés. Vi quando ele passou por mim esquiando e parou um pouquinho na frente, para me esperar. Logo que cheguei perto ele falou que eu estava indo bem e que era pra continuar daquele jeito. Fomos descendo assim até que avistei de novo a lanchonete onde tinha parado na subida.

"Nós vamos até ali", ele apontou. "De lá vamos descer no teleférico."

"Mas o teleférico só sobe!", falei meio indignada. "Foi por isso que eu fui parar lá em cima..."

"Você deve ter pegado do lado errado...", ele explicou e, quando chegamos lá, vi que realmente havia um teleférico que subia, com as tais cadeirinhas individuais, e outro que descia, um pouco maior, que também tinha cadeiras para duas ou três pessoas. Influenciada pelo que o Dudu tinha me contado, eu pensei que só havia um, que ele apenas dava uma volta e retornava... Nunca iria imaginar que bastava ir para o outro lado da lanchonete para conseguir descer.

O Benjamín pediu para guardarem a prancha que tinha me emprestado, me ajudou a subir em uma cadeira dupla do teleférico e em seguida se sentou ao meu lado.

"Pode ficar tranquila agora", ele falou ao perceber que eu continuava chorando. "Em poucos minutos a gente vai estar lá embaixo".

"Minhas mãos estão doendo muito, acho que vai dar gangrena, elas vão cair...", expliquei, pois eu realmente achava que aquele quadro era irreversível. Eu nunca tinha sentido tanta dor.

Ele pegou nas minhas luvas e de repente falou: "Mas é lógico que está sentindo dor, essa luva é muito grande pra sua mão! Ela não consegue manter seu calor, pois o frio entra todo aqui dentro! Não te explicaram isso quando você alugou?".

Era exatamente o mesmo que tinha acontecido com a bota... Então aquele frio todo que eu estava sentindo era só por culpa da minha teimosia... Sim, o moço da loja tinha tentado me alertar, certamente era aquilo que ele havia dito sobre o calor!

Ele puxou as duas luvas da minha mão e em seguida tirou as dele e colocou no lugar, enquanto a minha consciência pesava cada vez mais. Ele ia acabar ficando doente, pois estava me dando todas as suas roupas de frio!

"Ben... obrigada. E desculpa por isso", falei morrendo de vergonha.

"Não se preocupe", foi tudo que ele respondeu.

Fomos calados o resto do percurso, e apenas quando avistamos os hotéis ele disse: "Tenho dois pedidos pra te fazer".

Apenas assenti com a cabeça e então ele explicou: "Primeiro quero que você prometa que vai fazer pelo menos *uma* aula de esqui, só para ter as noções básicas".

"E qual é o segundo pedido?", perguntei sem responder se ia atender ao primeiro.

"Quero que você me conte por que gosta de viver tão perigosamente assim... Descendo do ônibus no meio da estrada, atravessando pistas de esqui sem olhar, subindo no teleférico que vai mais alto em pleno dia de neblina..."

Pela primeira vez em muitas horas, dei um pequeno sorriso.

"Vou pensar a respeito...", foi tudo que eu falei. "Sobre os dois pedidos."

Ele pulou do teleférico primeiro, para me ajudar a descer, e então disse: "Vou estar bem aqui".

Ao contrário do que imaginei durante a minha aventura no teleférico, os meus pais não me despacharam diretamente para a casa da minha avó nem me matricularam em um colégio interno assim que me viram. Muito pelo contrário. Logo depois que descemos, o Ben me levou até o posto de resgate, não apenas para avisar que eu já estava em segurança, mas também porque era lá que a minha família estava me esperando. Assim que me viram, os três me abraçaram chorando (sim, o meu pai chorou também) e começaram a me apalpar, como se quisessem verificar se eu estava inteira.

Antes que eu pudesse me explicar, eles começaram a pedir desculpas, dizendo que tinham sido muito duros comigo. Depois que me mandaram para o quarto, dois garotos brasileiros se aproximaram para perguntar se o Dudu estava bem, já que alguns minutos antes eu estava completamente desesperada procurando por ele, a ponto de me arriscar nas pistas mais perigosas só para tentar encontrá-lo. Então meus pais perceberam que haviam sido injustos comigo, que eu realmente tinha falado a verdade e feito aquilo apenas pensando no meu irmão.

"Foram os meus primos", o Ben explicou. "Eles sabiam que eu estava na rampa do avançado dando aula e foram até lá pra me dizer que 'a maluquinha do ônibus' estava procurando o irmão. Eles queriam se certificar de que ele não estava comigo, pois tinham me visto com o Dudu mais cedo. Como eu falei que a aula dele já tinha acabado há muito tempo, eles voltaram para te avisar que não o haviam encontrado lá embaixo, mas aí o viram, já com seus pais. Foi quando contaram para eles que você tinha ido em todas as pistas apenas para procurar o irmão."

Minha mãe continuou a explicação: "Nessa hora nós percebemos que havíamos agido errado com você e fomos até o quarto, para te pedir desculpas e te chamar para almoçar. Porém, notamos que você nem mesmo havia estado lá. Foi quando resolvi olhar o seu celular, pois ele não parava de vibrar com mensagens da Magê e da Malu. Imaginei que elas talvez soubessem onde você teria ido, só que, quando li a primeira, vi que elas estavam apenas te consolando por alguma coisa ligada ao *Igor*... E comecei a ficar preocupada de verdade, pois esse garoto tem o poder de te deixar deprimida! Fiquei com medo de você se jogar do alto de alguma rampa ou algo assim!".

Completamente envergonhada pelo Ben estar escutando aquela conversa, falei: "Mãe! Até parece que eu me jogaria de algum lugar! Posso ter ficado triste, mas não sou louca...". E me virando para o Ben, completei: "Como os seus primos e você parecem pensar...".

Aliás, eu nem sabia que aqueles meninos eram primos dele até aquele momento...

"Bom, o fato é que nós começamos a te procurar em todos os lugares depois disso, e você não estava em nenhum deles!", meu pai falou. "Chegamos à conclusão de que devia estar perdida em alguma pista e então procuramos o Ben, para pedir ajuda. Ele subiu e desceu em todas as rampas do básico, do intermediário e até do avançado, e não te encontrou. Por isso veio com a gente até aqui, para notificar à equipe de resgate que você estava desaparecida. Porém, logo que chegamos, um esquiador apareceu dizendo que tinha uma garota no final da pista dos experientes, que ela estava sem equipamento nenhum e não conseguia descer. Na hora soubemos que era você..."

"Eles iam mandar um helicóptero te buscar!", o Dudu falou todo empolgado. "Mas ia demorar muito, porque ele estava procurando umas pessoas em outra estação de esqui, teria que esperar até ele voltar!"

"Foi quando o Ben se ofereceu para te resgatar...", minha mãe falou olhando para ele como se fosse um super-herói... "Ele falou que pelo menos faria companhia até conseguirem te buscar, caso você não conseguisse descer. Mas ainda bem que você conseguiu!"

Eles me abraçaram mais uma vez e em seguida me levaram para o quarto, para que eu pudesse tomar um banho quente e trocar de roupa, mas só depois de agradecerem ao Ben mais umas 50 vezes.

Passei o resto do dia debaixo das cobertas, ainda me recuperando do susto e do frio. Meus pais realmente deviam ter ficado muito assustados, pois ficaram me mimando como se fosse o dia do meu aniversário.

No dia seguinte, acordei completamente gripada. Minha garganta e meu ouvido estavam doendo e minha vontade era continuar deitada para sempre! Ainda por cima, minha mãe me deu vários remédios que me davam o maior sono, então acabei mesmo dormindo novamente. Acordei uma da tarde, me sentindo bem melhor, apesar de todos os meus músculos ainda estarem doloridos, não apenas pela gripe, mas também por ter feito tanto exercício involuntário no dia anterior.

Eu não queria nem pensar em esquiar, e nem poderia, por causa da gripe, por isso meu pai sugeriu que eu passasse a tarde no Bar Lounge, uma mistura de restaurante com café que fazia parte do complexo de um dos hotéis e que tinha vista para as pistas de esqui. Assim, em vez de ficar o dia todo presa no quarto, eu poderia ver a neve enquanto lia um livro, e ao mesmo tempo ficava perto deles, que passariam o dia esquiando novamente.

Concordei e fui até o tal lounge. Eu já tinha visto o local de longe, era um bar todo envidraçado, mas ao entrar lá fiquei surpresa. O lugar era muito aconchegante! Tinha uma lareira e alguns sofás perto dela, e também várias mesas que ficavam próximas às grandes janelas, que por sua vez ofereciam uma visão privilegiada das rampas de esqui. Olhei em volta e vi que havia famílias almoçando, casais tomando vinho enquanto namoravam, grupos de amigos conversando, algumas pessoas lendo revistas e outras apenas admirando a vista... Ao fundo pude escutar Boyce Avenue tocando nos alto-falantes. Definitivamente era o local mais agradável que eu tinha estado desde a minha chegada naquele vale!

Resolvi me sentar em uma poltrona vaga perto da lareira e peguei o livro que havia levado. No dia anterior o meu pai tinha devolvido o meu celular, mas eu não queria mais saber o que estava acontecendo naquele sítio. Eu sabia que minhas amigas iam continuar a me mandar mensagens me consolando, mas aquilo só me deixaria mais triste. Eu ia aproveitar os últimos dias de viagem para esquecer. E, ao olhar em volta, senti que aquele seria um ótimo lugar para começar uma nova fase. O lounge realmente tinha um astral leve, como se tivesse o poder de varrer todos os sentimentos negativos das pessoas...

Eu havia acabado de pedir um chocolate quente para o garçom e já tinha voltado para o meu livro, quando percebi que alguém se sentou no sofá do lado. Eu estava tão absorvida na leitura que nem levantei os olhos, afinal as pessoas se levantavam e sentavam todo o tempo ali. Por isso, só quando o garçom trouxe o meu pedido é que eu o vi, sorrindo para mim.

"Ben!", falei surpresa. "Faz tempo que você está aí?"

"Só alguns minutos", ele falou encolhendo os ombros. "Você estava tão entretida na história que não quis interromper. O livro é bom?"

Apenas afirmei com a cabeça, prestando atenção nele pela primeira vez. Digo, *realmente* prestando atenção. Até então, ele era apenas o menino metido do ônibus, que parecia ter vocação para me arrastar para encrencas, como na vez das bolas de neve e também no atropelamento. Porém, agora, depois de ter me "salvado" da pior situação que eu já havia passado na vida, de ter me ajudado a descer das montanhas, de ter se mostrado tão altruísta ao me ceder suas próprias roupas de frio, eu começava a enxergá-lo diferente... À primeira vista eu o havia considerado um daqueles esquiadores superpopulares e arrogantes, que achavam que tinham o mundo a seus pés e que podiam pisar em quem quisessem... Ele até havia me passado a impressão de ser mais velho. Mas, naquele momento, sem as roupas de neve e com o cabelo meio molhado, ele parecia apenas... um garoto.

"O livro é ótimo... é um romance", eu disse, depois de um tempo, me sentindo meio constrangida. Ele havia me visto completamente fragilizada no dia anterior, era difícil retornar à imagem que eu tinha me esforçado para passar desde o ônibus, de uma pessoa adulta, determinada, forte.

"Ah, você gosta de histórias de amor?", ele perguntou, levantando uma sobrancelha. "Não pensei que você fosse esse tipo de garota." Ufa, então talvez eu tenha conseguido passar aquela imagem no fim das contas... "Achei que garotas marrentas não fossem fãs de melodrama."

"Ei, eu não sou marrenta!", falei, indignada. Não era *essa* a imagem que eu queria que tivessem de mim...

Ele apenas riu e perguntou em seguida: "Você está melhor, Mabel? Sua mãe me contou que você acordou doente. Foi ela que me disse que você tinha vindo pra cá, por isso resolvi dar uma passada pra ver como você estava...".

Ele tinha ido lá só pra *me* ver?!

"Hum, eu estou bem, não precisava ter vindo, quer dizer... obrigada."

"Não foi trabalho nenhum, estou no intervalo de aulas", ele balançou os ombros. "Pena que você está gripada, hoje não tem neblina. Daria até pra pegar o teleférico e ir almoçar em um restaurante que tem no meio das pistas, a vista de lá é linda..."

"Eu não quero pegar esse teleférico nunca mais!", falei, sentindo as lembranças do dia anterior voltarem. Mas espera! Tinha mesmo um restaurante lá em cima? Não era aquela lanchonete onde eu tinha estado?

"Que pena que você ficou traumatizada...", ele tornou a falar. "Tenho a impressão de que você adoraria esquiar."

Fingi que não ouvi, pois não queria que ele perguntasse se eu já tinha pensado no pedido que ele havia feito, sobre eu fazer uma aula, e então indaguei: "Aquela lanchonete onde fomos ontem, sabe? Onde você deixou a prancha. O tal restaurante é lá?".

"Não... Aquele lugar é apenas um suporte para os esquiadores experientes, se quiserem ir ao banheiro ou comer algo rápido. Caso não saiba, quando eu te encontrei, você estava no lugar mais íngreme do vale, só os esquiadores muito experientes vão lá. Pra ser sincero, eu não gosto muito daquela pista. O restaurante que eu falei é bem mais embaixo. Depois vou falar para os seus pais, quem sabe eles não te convencem a ir lá? Dá pra subir de gôndola fechada, você nem precisa ir com roupa de neve se não quiser... Quer dizer, claro que faz frio, você está no meio da Cordilheira dos Andes, mas um bom agasalho resolve."

Fiquei sem saber o que dizer, mas em seguida ele ficou em pé e falou: "Bom, tenho que ir!".

Eu não podia dizer que estava gostando da companhia, pois desde o momento em que havia percebido que ele estava ali, a quietude que eu estava sentindo naquele lugar havia ido embora. Era como se ele tivesse o poder de me atormentar. Mas o vazio que senti de repente quando ele se levantou foi muito pior... Por isso, quando ele já estava caminhando para a saída, eu o chamei. Ele parou e se virou, e então me levantei e fui até ele.

"Olha, eu realmente acho que ainda não estou preparada pra pisar na neve de novo, por isso não quero fazer aula, mesmo", falei de uma vez só. "Mas sobre aquele seu outro pedido, de ontem..." Ele fez que sim com a cabeça, mostrando que sabia do que eu estava falando. "Eu acho que posso te contar por que eu fiz aquelas coisas todas. Quer dizer, não é que eu goste de *viver perigosamente,* como você definiu. Mas posso te explicar por que eu agi daquele jeito... Isso é, se você quiser mesmo saber."

Ele abriu um grande sorriso, assentiu mais uma vez e falou: "Quero. Quero sim".

Sorri também, e ele completou: "Só que é melhor mais tarde, porque desconfio que existe uma longa história por trás disso. Quero ouvir tudo de uma vez só, sem interrupções, e, como tenho que dar aula daqui a pouco, não vai dar. Mas marquei de encontrar uns amigos no pub do hotel dos meus pais hoje à noite. Quer ir também? Te garanto que não tem neve lá...".

Eu ri, mas, em seguida, apenas porque não tinha certeza se queria ir ao tal pub, com pessoas que eu nem conhecia, falei: "Não sei se meus pais vão deixar...".

"Ah, eu aposto que deixam!", ele disse como se tivesse certeza absoluta. "Eles me pediram pra tentar te animar, já que você não está gostando muito da viagem..."

Hummm. Quer dizer que era por *isso* que ele estava sendo tão legal comigo. Só porque os meus pais tinham pedido.

Como demorei um tempo pra responder, ele falou: "Ei, que cara é essa? Não pense que eu estou te chamando só porque seus pais me falaram isso! Eu realmente quero que você vá!".

Ótimo, agora ele também lia mentes. Como continuei calada, ele completou: "Sério, Mabel? Você acha também que eu subi meia montanha atrás de você só porque seus pais pediram?".

"E não foi?"

Ele pareceu pensar um pouco e então respondeu: "Em partes... Eu fiquei com pena dos seus pais, desesperados sem saber onde você estava, e do seu irmãozinho chorando. Mas eu podia ter dito pra outra pessoa ir, tenho certeza de que qualquer esquiador experiente faria isso, se a gente pedisse".

"Então, por que você foi?", cruzei os braços.

Ele deu um sorrisinho de lado e respondeu: "Eu não podia deixar uma menina tão marrenta naquele lugar! Iria assustar os ursos, eles acabariam descendo a montanha e assustariam todos os hóspedes!".

"Tinha ursos lá?!", perguntei assustada e, só então percebendo o que ele tinha dito antes, completei: "E já falei que eu não sou marrenta!"

Ele riu mais ainda e falou: "Só conto se tem ursos lá se você for ao pub comigo... Posso passar na recepção do seu hotel às sete pra te buscar?".

Fiquei olhando um instante pra ele, que continuava com aquele sorriso irritante, então respirei fundo e disse: "Tá bom! Mas só porque eu quero saber sobre os ursos...".

Ele deu uma piscadinha para mim, como aquela primeira que tinha dado no ônibus, e saiu do lounge em seguida, levando com ele toda a paz que eu estava sentindo.

O meu pai fez questão de ir comigo até a recepção do hotel, por mais que eu explicasse que só ia ao hotel ao lado e com o instrutor de esqui do meu irmão! Não adiantou nada. E ele ainda me fez passar a maior vergonha, pedindo para o Ben não me deixar *beber*! Como se eu fosse a maior alcoólatra! O máximo que eu já tinha bebido era champanhe no réveillon... E, mesmo assim, meia taça, pois aquilo me dava o maior sono e eu sempre dormia antes de terminar!

Por sorte, ele levou na brincadeira e falou para o meu pai que pediria para trancarem as bebidas no cofre, assim eu não teria acesso! Em seguida, ele ficou sério e disse que antes das 22h me traria de volta, o que eu achei meio cedo, se quer saber minha opinião. Mas eu nem estava muito a fim de ir mesmo, então tudo bem...

"E a gripe, como está?", ele perguntou assim que nos afastamos da recepção. Na verdade eu não estava tão bem. Durante o resto da tarde eu havia tido até um pouco de febre. Por isso, a minha mãe tinha me feito colocar gorro, cachecol, luvas, casaco e meia calça, o que estava fazendo com que eu me sentisse até meio sufocada. Porém, tudo que eu disse foi: "Estou melhor".

Nós fomos andando até um hotel perto do meu, o tal hotel do qual, pelo que eu tinha entendido, os pais dele eram sócios, e quando estávamos quase chegando, ele disse: "O pub é ali à esquerda, mas quero te mostrar uma coisa antes de irmos pra lá, tudo bem?".

Concordei. Passamos pela entrada e em seguida paramos em frente ao elevador. No caminho, ele cumprimentou algumas pessoas, que ficavam me olhando com curiosidade, mas, por sorte, as portas do elevador logo se abriram e nós entramos. Ele então apertou o botão do último andar e ficou assobiando uma música que eu não conhecia.

Saímos do elevador e ele fez sinal para que eu o seguisse, por um corredor que estava meio escuro. Fiquei um pouco tensa por estar em um lugar tão deserto com um cara que eu nem conhecia direito, mas, por outro lado, ele tinha me tirado de um lugar mais deserto ainda! Se fosse para me fazer algum mal, ele teria aproveitado antes...

Ele pegou uma chave e abriu uma porta no final do corredor, que dava em um terraço todo envidraçado, com vista para o Valle Nevado inteiro.

"Uau!", falei, olhando para todos os lados. "A paisagem de dia deve ser deslumbrante daqui!". Naquele momento só conseguíamos ver as luzes dos postes e a silhueta das montanhas. E já era bem lindo assim...

"Os hóspedes podem vir aqui durante o dia, é exatamente um observatório. Mas apenas até às sete da noite. Depois desse horário é só pra quem tem a chave...".

Ele deu um sorriso, mostrando um molho de chaves, e eu fiquei pensando de onde seriam todas as outras, se haviam mais locais secretos por ali...

"Mabel, além de te mostrar a vista, eu te trouxe aqui pra gente poder conversar um pouco antes de ir para o pub. Lá vai estar bem cheio e meio barulhento por causa da música..."

"Vai me contar se lá em cima tem ursos?", perguntei meio de brincadeira, mas realmente querendo saber. Eu não parava de imaginar se, além de tudo que eu havia passado naquela montanha, ainda tivesse aparecido um urso feroz... Acho que chegaria lá embaixo antes dos esquiadores...

Ele balançou a cabeça negativamente e disse que só depois que eu explicasse por que eu estava tão revoltada por estar passando as férias ali e o que tinha me feito pegar o teleférico sem nem saber para onde ele ia.

Normalmente eu não me abriria assim para um "quase" desconhecido. Mas depois do dia anterior, um certo laço tinha se formado entre nós. Eu estava totalmente grata por ele ter me tirado lá de cima, e ele parecia estar se sentindo responsável por mim.

Por isso, apesar de estar meio tímida, expliquei: "As duas perguntas têm a mesma resposta. Eu queria ter passado a última semana de férias com as minhas melhores amigas no sítio de uma delas. Só que meus pais me obrigaram a vir pra cá e, desde então, parece que tudo que eu faço é errado! Ontem foi a gota d'água. Eu recebi umas mensagens no celular contando umas coisas que me deixaram bem chateada... E, ainda por cima, meus pais me culparam por eu ter ido novamente na pista do nível avançado. Desde o dia em que você me atropelou, eu estava proibida de fazer algo parecido. Mas, você sabe, eu só fui lá pra procurar o Dudu. Eles não entenderam, brigaram pra valer comigo... Esses dois acontecimentos juntos me fizeram ter vontade de sumir! Aí eu vi aquele teleférico e resolvi subir nele, exatamente porque queria me distanciar de tudo".

"Desculpa se estou me intrometendo demais, mas essas mensagens tinham a ver com algo que seu namorado fez? Eu ouvi os seus pais falando algo assim..."

Em vez de responder, eu me virei novamente para admirar a vista e fiquei pensando... *Algo que meu namorado fez*... O Igor não havia chegado nem perto disso, apesar de eu ter criado uma história de amor completa com ele na minha imaginação.

"Melhor a gente mudar de assunto, não quero você triste de novo", ele disse, quando viu que eu fiquei calada.

"Não estou triste...", falei passando os dedos pela parede de vidro. "Ele não era meu namorado. Era só um menino de quem eu gostava. Ou de quem eu pensava que gostava. Ele me fez acreditar que também gostava de mim, ou talvez eu que pensei isso por querer demais que acontecesse. Mas ontem ele me mostrou quem ele era de verdade. Me fez perceber que nada do que eu pensava antes era real, mas uma fantasia. Apesar de ter ficado arrasada na hora, acho que estou bem agora... Ou talvez eu esteja só meio anestesiada nesse momento, mas acho que aquele susto que passei ontem me fez ver que minha vida é muito mais do que aquilo. Eu acho que nunca havia tido medo de morrer antes... Mas, de repente, no alto daquela montanha, sozinha, na neblina, com tanta dor e frio, fiquei pensando em tudo que tinha deixado de viver. Em como minha vida havia sido limitada, no quanto eu tinha dado importância para coisas que não valiam a pena... para *alguém* que não valia a pena. Cheguei à conclusão de que, se morresse naquele momento, tudo que eu tinha vivido até então não teria feito a menor diferença no mundo. Seria como se eu tivesse vivido em vão. Mas aí, quando te vi no meio daquela neblina, foi como se você tivesse me trazido uma segunda chance. Como se tivesse me dado de presente uma vida nova!"

"Mabel..."

Fiz sinal para ele esperar e continuei: "Desde ontem eu tenho dado valor para umas coisas que antes eu não percebia. O chuveiro quentinho. A comida deliciosa do hotel. O fato de não estar morrendo de frio. Os meus pais que, apesar de serem chatos muitas vezes, se preocupam tanto comigo. O meu irmãozinho... Eu sei que essa gratidão toda é provisória, exatamente por causa do susto de ontem. Não paro de imaginar o que teria acontecido se aquele esquiador não tivesse passado! Será que alguém chegaria a descobrir que eu estava lá em cima? Será que me encontrariam antes de eu morrer de frio? Sei que daqui a alguns dias eu nem vou me lembrar mais disso e vou voltar a brigar com minha família, a me preocupar com coisas sem importância e a me importar com pessoas que não valem a pena. Mas agora eu só posso dizer que aquele susto me apresentou a uma felicidade que eu não sentia antes... apenas por estar viva".

Então sorri pra ele, que sorriu de volta, se aproximou e colocou a mão no meu ombro.

"Mabel, presta atenção. Você não morreria lá em cima, ok? Com certeza nós te encontraríamos antes, não fica pensando nisso. Mas que bom que você está se sentindo assim. Eu já li relatos de muitas pessoas que, depois que passam por algum trauma, repensam completamente a vida. Acho que você é muito nova, não tem que se preocupar com o que fez ou deixou de fazer até agora. Fico feliz que o acontecimento de ontem tenha feito você esquecer esse cara, que, pelo que entendi, não fazia nada bem pra você."

"Não fazia mesmo...", falei, me lembrando de toda aquela mágoa que ele havia feito com que eu sentisse.

Percebendo que eu estava voltando a me sentir melancólica, ele falou: "Mas, como você disse, agora é vida nova, né? Então vamos lá pra baixo escutar música e conhecer umas pessoas diferentes?".

Eu concordei, sorrindo pra ele e, em seguida, voltamos para o elevador.

Acordei no dia seguinte me sentindo bem mais animada. Eu ainda estava com a garganta meio dolorida, mas a gripe tinha passado quase totalmente. Olhei para a cama ao lado e vi que o Dudu não estava lá, provavelmente tinha ido para o quarto dos meus pais, então me espreguicei e comecei a me lembrar dos acontecimentos da noite anterior.

    Depois de descermos do terraço, fomos direto para o pub, que realmente estava bem cheio. A maioria das pessoas era mais velha, mas o Ben me levou direto para uma mesa onde estavam algumas da nossa idade. Quer dizer, da idade dele. Eu certamente era a mais nova ali.

    Logo notei que o grupo era todo de brasileiros. Os primos dele estavam lá, além de alguns garotos que eu já tinha visto no café da manhã do meu hotel e também algumas meninas. Assim que viram o Ben, começaram a falar alto, vibrando por ele ter chegado e perguntando por que tinha demorado tanto. Percebi que ele era muito querido por ali. Ele me apresentou rapidamente para todos, que pelo visto já sabiam sobre a minha peripécia na neve... Algumas meninas vieram me perguntar como eu havia tido coragem de ir tão alto, outras me alertaram para nunca subir em um teleférico sem saber para onde ele ia... Aos poucos fui entendendo que aquele era um grupo de amigos que passava todas as férias ali. Os pais da maioria deles esquiava – profissionalmente ou por hobby – então todos os anos eles se reencontravam. Fiquei sabendo também que, no dia em que eu tinha chegado, o Ben havia ido a Santiago apenas para encontrar os primos no aeroporto, pois ele já estava ali desde o começo do mês.

    "Nós estávamos no mesmo voo que você", o Glauco, um dos primos, me contou. "Aliás, te vimos no aeroporto em São Paulo e até comentamos que, com aquele vestido curtinho você devia estar indo para o hemisfério norte, onde agora é verão... Ficamos surpresos quando entrou no mesmo avião que a gente!"

"Ahhhh, Glauco... Quer dizer que notou a menina ainda no aeroporto...", uma das garotas, de quem eu não lembrava o nome, brincou.

Fiquei envergonhada, mas o outro primo, que se chamava Adriano, explicou: "O irmão dela inventou de jogar futebol em plena sala de embarque, ela estava tentando ler e toda hora ele jogava a bola em cima dela, querendo atenção. Os pais deles estavam resolvendo alguma coisa no guichê da companhia aérea, então foi a Mabel que tomou a bola do menino. Nós até brincamos que ela era uma santa, pois eu estava vendo a hora que aquela bola ia voar no café que estávamos tomando! Mas acho que irmão dela deve ter aprontado mais depois, porque tanto no avião quanto ônibus ela ficou com a maior cara de emburrada!".

"Por isso, quando chegamos aqui e vimos que ela estava naquela área de recreação que tem entre os hotéis, digitando alguma coisa no celular, resolvemos jogar umas bolinhas de neve nela, só pra descontrair, pra ver se ela ia tomá-las da gente também! Era só uma brincadeira, mas ela apelou total, começou a xingar...", o Glauco esclareceu. "A Mabel é muito brava, já estou avisando pra ninguém deixá-la nervosa, viu?"

Todo mundo achou graça, mas eu fingi estar realmente brava e falei: "Ah, então foi por isso que vocês ficaram jogando neve em mim! Fiquei de castigo por causa disso, sabia?".

Uma das meninas, que até aquele momento estava apenas ouvindo a conversa, falou: "Nossa, você ainda fica de castigo... Quantos anos tem?".

Ela falou aquilo com tanto desdém que eu enrubesci no mesmo instante. Não queria que me achassem criança, mas eu também não achava certo mentir a minha idade.

"Tenho 14...", confessei. "Mas faço 15 daqui a um mês, no final de agosto!", completei depressa. "E sim, meus pais dizem que vão me deixar de castigo enquanto eu merecer, até depois que eu for maior de idade."

Vários deles riram, dizendo que os pais de alguns ali deviam fazer o mesmo. Umas meninas falaram que eu parecia mais nova, outras disseram que eu parecia mais velha... Apenas a garota que fez a pergunta ficou calada, me olhando como se eu a tivesse ofendido por alguma razão.

O resto da noite passou rápido, pois a conversa estava muito animada e eu acabei me enturmando com facilidade. Descobri que todos ali eram muito diferentes, mas tinham uma paixão em comum: a neve. Quando faltava pouco para as dez da noite, o Ben disse que ia me levar ao meu hotel, então todos perguntaram se eu ia me juntar a eles para esquiar na manhã seguinte. Totalmente sem graça, expliquei que eu não era boa no esqui, e por causa disso o Adriano falou: "Ela acha que a escolinha é só para crianças...", lembrando o que eu havia dito a eles na pista. Isso fez com que todos discordassem, me dizendo que era muito importante ter pelo menos uma iniciação, pois se tentasse esquiar sozinha, sem a menor base teórica, eu poderia até me machucar.

"Todo mundo aqui passou pela escola de esqui...", uma das meninas, a Renata, acrescentou. E em seguida se virou para o Ben, dizendo: "Se ela não quer praticar lá, por que você não dá umas aulas particulares pra ela? É até bom, porque individualmente dá pra aprender mais rápido".

Ele, que havia ficado meio calado a noite toda, apenas balançou os ombros, dizendo: "Se ela topar, eu ensino com o maior prazer...".

Todos insistiram para que eu fizesse isso, então no fim das contas acabei prometendo que ia tentar fazer uma aula com ele, apenas como experiência. Mas se eu não gostasse, encerraria minha carreira de esquiadora ali mesmo.

Por isso, agora, deitada na cama e olhando as montanhas branquinhas lá fora, eu estava sentindo uma mistura de expectativa e ansiedade. Eu realmente achava que não tinha nascido para aquilo, e também ainda não tinha superado o trauma do dia do teleférico. Mas eu havia gostado muito do pessoal na noite anterior, não queria que eles pensassem que eu era uma medrosa, que desistia sem nem tentar...

Sendo assim, me levantei e avisei para os meus pais que eu ia fazer uma aula particular com o Ben naquele dia. Eles adoraram a notícia e falaram que tinham certeza de que eu acabaria amando aquele esporte.

No horário marcado, encontrei com ele na frente do lounge. Como combinado, eu não ia ter aulas no lugar da escola de esqui, por isso ele me levou até uma área plana que ficava um pouco abaixo dos hotéis.

"Primeiro sem os esquis", ele começou a explicar. "Vamos apenas treinar os movimentos dos bastões, pois quero que você observe a posição do seu corpo. Finja que você vai começar a esquiar... Como você faria?"

Eu mostrei para ele, que na mesma hora disse que eu estava com a postura muito ereta. Ele me fez flexionar os joelhos e inclinar o corpo para a frente.

"Agora vamos tentar com os esquis", ele falou, quando achou que eu já estava com o porte adequado. Ele então os acoplou às minhas botas e me ajudou a ficar em pé. Em seguida falou para eu ficar na mesma posição que ele tinha me mostrado antes.

"Ótimo", ele disse, assim que fiz o que ele pediu. "Agora você vai dar um pequeno impulso usando os bastões, mas sem muita força, mantendo o corpo inclinado."

Novamente obedeci e fiquei surpresa ao ver que eu estava deslizando. Porém, minha alegria durou pouco. Eu não havia esquiado nem três metros quando me desequilibrei, caindo na neve.

"Calma, isso é normal", ele disse me levantando. "Pelo menos você conseguiu um pouquinho. Vamos tentar de novo?"

E eu tentei. Por duas horas. Durante esse tempo, ele me ensinou como frear, como fazer curvas, como desviar de pedras... Ao final eu estava muito cansada, mas feliz. Para quem não conseguia nem ficar em pé em cima dos esquis, até que eu tinha evoluído depressa.

"Vamos tentar hoje à tarde de novo?", ele perguntou, já se direcionando para a escola de esqui, pois teria que dar outra aula na sequência. "Inclusive, o pessoal vai encontrar no lounge hoje no fim da tarde, por volta das seis. Podemos ir pra lá depois. Topa?"

Concordei e disse que ia ficar treinando ali mais um pouco. Ele achou ótimo, mas me pediu para tomar cuidado.

Fiquei olhando até ele se distanciar, desejando que aquela aula tivesse durado ainda mais... Não apenas pelo esqui, mas porque eu começava a perceber que realmente estava gostando da companhia do Ben. Ele sempre dava um jeito de me animar, como se sua missão na vida fosse fazer com que eu me sentisse feliz.

Fiquei praticando por mais algum tempo, pois eu queria que, à tarde, quando nos encontrássemos novamente, ele notasse o meu progresso. Funcionou. Ele me pediu para fazer uma manobra que de manhã eu havia tido a maior dificuldade e, quando viu que eu consegui facilmente, disse que estava com o maior orgulho de mim! Senti o meu coração bater contente. Ele estava orgulhoso de mim...

Como eu fui progredindo rápido, ele começou a me ensinar umas coisas mais complicadas e acabei levando muitos tombos. Por isso, avisei que eu gostaria de tomar um banho antes de encontrar o pessoal no lounge. Eu estava suada e toda molhada de neve.

"Tudo bem, mas não demora muito...", ele falou, me olhando de um jeito que me fez correr para o hotel, para reencontrá-lo o mais rápido possível.

Consegui me arrumar em meia hora e, quando entrei no lounge, vi que todo mundo já estava lá, em uma mesa grande, perto da janela. Havia apenas um lugar vago, bem ao lado do Ben... Assim que me sentei, todos começaram a dizer que o meu "instrutor" estava admirado com a minha evolução, que tinha contado para eles que nunca havia tido uma aluna que aprendesse tão rápido, e que em pouco tempo eu já seria esquiadora profissional...

"Exagerado!", dei um empurrãozinho nele. "Eu nem desci rampa nenhuma ainda. Só estou andando no plano!"

"Mas o mais difícil são essas noções de base, conseguir o equilíbrio...", a Raquel, uma das meninas, explicou. "Agora que você já conseguiu isso, vai desenvolver super-rápido, você vai ver! O Ben realmente chegou aqui admirado... Acho que você causou uma boa impressão esquiando."

Fiquei vermelha ao ouvir isso, mas consegui dizer: "É o instrutor que é muito bom, faz milagres...".

Ele negou, disse que a aluna é que era aplicada, e então o pessoal começou a dizer "hmmmm...", como se notassem um clima entre nós, que na verdade não existia! Fiquei negando, ainda mais sem graça, com receio de que estivessem achando que eu estava a fim do Ben, sendo que eu nem estava... Quer dizer, ele era bem bonitinho, e na hora que pegou na minha cintura para me ajudar a encontrar a postura correta no esqui eu meio que arrepiei... E tinha também aquela sensação boa que eu experimentava ao lado dele. Mas eu sabia que era apenas amizade... O meu coração ainda estava muito machucado e eu verdadeiramente achava que não estava preparada para gostar de outra pessoa.

Felizmente o assunto no lounge acabou indo para outro tema, e as horas com aquela turma, novamente, passaram bem depressa. Quando percebi, já eram quase dez da noite, e o Ben mais uma vez me levou à porta do hotel.

"Que tal às oito amanhã?", ele perguntou, assim que chegamos à recepção. "Sei que é cedo, mas assim podemos treinar por mais tempo. À tarde eu já tenho outras aulas marcadas, inclusive para o seu irmão."

Concordei sem reclamar. Era até bom que fosse mais cedo, assim eu não ficava muito ansiosa para o horário chegar logo. Eu estava gostando muito daquelas aulas...

"Combinado então", ele disse, se abaixando e me dando um beijinho na bochecha, que eu não estava esperando. Fiquei olhando enquanto ele ia embora, sentindo o meu rosto pegando fogo no local onde ele tinha beijado...

Assim que ele sumiu na escuridão, fui em direção ao elevador, com uma vontade súbita de dançar no meio da neve... Porém, antes que eu entrasse, senti uma mão segurando meu braço.

"Posso falar com você, Mabel?"

Eu me virei depressa e vi que era a Isadora, a amiga do Ben, que na noite anterior havia me feito passar vergonha ao me ridicularizar por causa do castigo dos meus pais.

"Pode, claro...", respondi sem entender o que ela teria para falar comigo.

Ela fez sinal para nos sentarmos em uns sofás da recepção e, assim que fizemos isso, disse sem rodeios: "Olha, eu estou vendo o que está acontecendo. Sei que você e o Ben estão se aproximando, e só quem é cego não percebe que vai rolar. Mas eu queria te contar que ele só está dando em cima de você pra me esquecer. Ele ficou atrás de mim um tempão, nós acabamos namorando por uns meses, mas como eu o desprezei, agora ele resolveu ficar com a primeira que apareceu só pra me atingir, pra mostrar que não está na pior, pra tentar me conquistar de novo... Bem, infelizmente a 'primeira que apareceu' foi você. E como você é novinha e pouco experiente, queria te contar o que está rolando, pra você não cair na lábia dele. Acho que você não merece. Só te aviso para não comentar com ele que eu te falei isso, pois sei que ele vai negar... Com certeza não vai querer ficar por baixo".

A primeira coisa que senti ao ouvir as palavras dela foi surpresa. Em primeiro lugar, por ela ter dito que todo mundo estava vendo que alguma coisa ia rolar entre o Ben e eu. Sim, eu tinha que admitir que estava gostando muito da companhia dele e que estava até meio... *encantada* pelo jeitinho como ele me tratava. Mas eu achava que ainda estávamos a léguas de "rolar" alguma coisa. Quando comecei a gostar do Igor, demorou pelo menos um ano até ele chegar em mim!

Mas então percebi que também estava sentindo outra coisa: desconfiança. Eu já tinha visto algo parecido em algum lugar e rapidamente lembrei onde... No meu próprio celular. Eu havia escrito para a Laís umas mentirinhas para ela se afastar do Igor. E eu podia estar enganada, mas parecia que aquela menina ali na minha frente estava tentando fazer exatamente o mesmo. Só que, no meu caso, tinha um fundo de verdade. Só escrevi aquilo porque realmente tinha ficado com o Igor, e ele vivia me dizendo que era questão de tempo para terminar com a namorada. Agora eu sabia que tinha sido tudo falsidade, que ele tinha falado aquilo só para me manter apaixonada por ele. Mas e se o que a Isadora tivesse dito também fosse baseado em fatos reais?

E, exatamente por isso, o último sentimento que me atingiu, depois da revelação dela, foi um certo ciúme... Desde que eu havia começado a conhecer melhor o Ben, ele tinha me passado a impressão de ser sozinho, de não ter nenhuma namorada nem rolo... Quer dizer, nós não havíamos conversado sobre isso, mas alguma coisa no jeito que ele agia e na maneira como me tratava tinha me passado aquela impressão. Porém, agora, uma decepção começava a cavar espaço no meu peito. Será que eu havia tido a impressão errada? E por que eu estava tão chateada com isso?

Sentindo todos esses pensamentos rodarem cada vez mais na minha cabeça e sem conseguir chegar à nenhuma conclusão, eu apenas falei: "Hum, ok. Obrigada por avisar".

Ela então se levantou, parecendo muito feliz, e disse: "Disponha! Você é muito engraçadinha pra ser enganada".

Engraçadinha... Fiquei olhando para ela sem achar nada engraçado e, assim que ela saiu do hotel, me virei e entrei no elevador.

❄

Durante boa parte da noite fiquei pensando nas palavras da Isadora. E, por incrível que pareça, quem me mostrou o que fazer foi o *Igor*! Eu me lembrei que, quando ficou sabendo da minha mensagem para a Laís, ele veio tirar satisfação comigo no mesmo instante. Eu resolvi que ia fazer o mesmo, por mais que a Isadora tivesse me alertado que o Ben negaria. Mas ainda assim, eu queria ouvir a versão dele.

Por isso, logo que o encontrei na pista, na manhã seguinte, falei: "Ben, eu recebi uma visita ontem depois que você me deixou no hotel". Ele franziu as sobrancelhas, parecendo não conseguir imaginar quem poderia ter ido me ver e também por não entender a razão de eu estar contando aquilo para ele, mas então completei: "A *Isadora* foi lá especialmente para me revelar umas coisas".

Ele estava carregando os meus esquis e, assim que eu disse isso, respirou fundo, os colocou no chão e falou: "Estava demorando... O que ela disse?".

Fiquei meio sem graça de começar, afinal, teria que falar da suposição dela... Mas criei coragem e fui em frente: "Ela acha que você está dando em cima de mim ou algo assim, apesar de eu saber que não tem nada a ver... Mas ela disse que você está fazendo isso apenas por vingança, por gostar dela e ela não querer nada com você". Ele ficou calado só me olhando, e então eu completei: "Eu não sabia que vocês tinham namorado...".

Ele balançou a cabeça, parecendo meio bravo, e em seguida falou: "Mabel, eu realmente não gostaria de falar nesse assunto. Pelo menos não agora. Esse é o horário da sua aula, eu prefiro não misturar o trabalho com assuntos pessoais. Amanhã você já vai embora, por isso eu quero te ensinar o máximo possível, porque assim, quando você voltar – quer dizer, eu espero que você volte –, já vai poder curtir desde o primeiro dia".

Eu concordei. Ele então chegou um pouco mais perto e falou olhando bem nos meus olhos: "Mas tem uma coisa que você tem que saber de uma vez... Eu estou te dando aulas, te convidando para encontrar o pessoal e passando mais tempo com você porque eu *quero*. Porque eu gosto da sua companhia. Não é porque seus pais me pediram e muito menos por causa da Isadora. Isso que ela falou é a maior mentira, ok? Você pode confiar em mim?".

Ele ficou me olhando esperando uma resposta, enquanto eu tentava pensar depressa. Em quem eu preferia acreditar, em um garoto que tinha me tirado do alto da montanha, que estava fazendo tudo para que eu aprendesse a esquiar, que havia deixado minhas férias muito mais coloridas; ou em uma garota que eu nem conhecia e que parecia querer me diminuir o tempo todo?

Então eu só fiz que sim lentamente com a cabeça e falei: "Posso...".

Ele ainda ficou me olhando um tempinho e aos poucos abriu um sorriso, dizendo: "Ótimo, porque na aula hoje você vai ter que confiar mesmo. Preparada pra descer sua primeira rampa?".

Não, eu não estava preparada. Mas não adiantou reclamar nem dizer que eu não ia. Ele me fez descer enquanto ficava bem ao meu lado gritando as instruções: "Incline o corpo, coloque os esquis pra dentro pra frear, use os bastões como apoio...".

Depois de vários tombos, consegui chegar ao fim da ladeira. A sensação de deslizar na descida era algo que eu nunca tinha sentido, o meu coração nunca tinha batido tão forte.

"Muito bem!", ele falou sorrindo. "Viu como é fácil? Agora nós vamos de novo, depois de três vezes aposto que você não vai cair nunca mais!".

"Eu não quero ir de novo..."

"Quer sim!", ele disse segurando os meus ombros. "Tenho certeza que você está doida pra disputar as olimpíadas de inverno, temos que praticar!"

Eu ri, mas de repente fiquei séria. "Espera, como nós vamos voltar lá pra cima?"

Ele me olhou como se fosse óbvio: "Ué, pelo teleférico".

Senti meu coração disparar e, apesar do frio, comecei a suar.

"Mabel, não tem perigo, a gente vai parar bem na frente dos hotéis, não vamos lá pra cima..."

O problema não era o lugar, eu realmente não queria sentar naquela cadeirinha maldita nunca mais!

"Vou tirar os esquis e subir a pé", falei para ele, apesar de saber que aquilo seria uma loucura. A encosta era muito alta, e a neve totalmente escorregadia. Eu demoraria praticamente o dia inteiro pra conseguir chegar lá em cima de novo.

"Eu não vou deixar você fazer isso...", ele falou, rindo. "Mabel, sério, eu juro que não vai acontecer nada com você. Se quiser, podemos pegar a cadeira dupla... Lembra quando eu desci com você naquele dia? Eu vou bem do seu lado."

Ainda fiquei meio resistente, mas acabei concordando, afinal, sabia que ele tinha que dar outras aulas depois e que não subiria enquanto eu não fizesse o mesmo.

Porém, assim que me sentei no teleférico, comecei a chorar de nervoso.

"Mabel, desse jeito você me deixa preocupado...", ele falou quando começamos a subir. "Olha, vamos conversar, assim você esquece onde está. Me conta do... Igor? É esse o nome daquele seu namorado?"

"Já falei que ele não é meu namorado!", respondi brava. "É apenas um imbecil de quem eu gostei por muito tempo e que me enganou, me fazendo pensar que ele também gostava de mim!"

"Mas me lembro de que, no dia em que você ficou perdida, sua mãe falou que você costumava ficar deprimida por causa desse menino...", ele observou.

"Sim, eu passei *dois* anos sofrendo por causa dele depois que nós ficamos uma única vez e ele voltou pra namorada em seguida. Quer dizer, hoje eu sei que ele nunca terminou, apenas mentiu porque eu disse que só ficaria com ele se terminasse. Mas toda vez que eu resolvia que ia esquecê-lo, parecia que ele pressentia e me falava que eles estavam em crise e que em breve ia terminar, e me fazia acreditar que a principal razão do término seria eu. Mas então eu via os dois se beijando e ia pra casa arrasada, chorava o dia inteiro... Meus pais ficavam preocupados e até chegaram a falar que iam me mudar de escola, só pra eu não ter que ficar encontrando com ele todo dia. Então eu menti, falei que tinha superado e nunca mais chorei na frente deles, eu segurava ou aproveitava a hora do banho pra chorar à vontade... Por isso eles ficaram tão preocupados naquele dia, quando leram o nome do Igor nas minhas mensagens. Mas agora já passou, eu entendi o que ele estava fazendo comigo. Não quero pensar naquele menino nunca mais. Aliás, por que você puxou esse assunto horroroso?"

"Porque sabia que te distrairia. Olha só, estamos chegando!"

Olhei para a frente e vi os hotéis cada vez mais perto, então me virei para o Ben e perguntei: "Isso é alguma espécie de técnica que você usa nas aulas?".

Ele riu e respondeu: "Não, mas deu tão certo que eu acho que vou incorporar no meu método. Vamos descer?".

Completamente admirada, pulei da cadeirinha, e ele fez o mesmo logo depois.

"Viu como nem a descida nem a subida são tão difíceis assim? Agora vamos fazer tudo de novo!"

"Nem pensar, preciso de um tempo pra me recuperar...", falei me abanando.

Ele pensou um pouco e disse: "Mabel, hoje é o seu último dia aqui... Eu tenho um aluno daqui a pouco, mas acho que vou desmarcar minhas últimas aulas pra esquiar com você mais tarde. Só agora que você começou a parte boa, merece praticar mais... Porque depois eu sei que vai até ficar com saudade do esqui". Eu ia começar a dizer que ele não precisava desmarcar as aulas por minha causa, mas ele completou: "E eu vou ficar com saudade de você...".

Então aquelas palavras morreram na minha boca e eu apenas falei: "Eu também vou ficar com saudade de você".

Ele deu um sorriso e disse: "Passo na recepção do seu hotel às quatro". Em seguida me deu outro beijinho, como o da noite anterior, e esquiou para o outro lado.

Cheguei ao quarto me sentindo ao mesmo tempo eufórica e triste. Esquiar na descida realmente tinha feito meu coração disparar. Ou talvez tenha sido a subida... Ou o que aconteceu *depois* da subida. E exatamente por isso, eu me sentia melancólica, pois agora que eu estava começando a gostar daquele lugar, teria que ir embora...

Então, quando abri a porta e vi minha mãe arrumando as malas, fiquei ainda mais abatida.

"Por onde você andou, Mabel?", ela perguntou enquanto dobrava uma blusa do meu irmão. "A gente agora nem te encontra mais... Deitei ontem à noite e você ainda não tinha chegado. Acordei hoje cedo e você já tinha saído... O que está acontecendo?"

"Não está acontecendo nada...", falei olhando para o chão. "Eu só estou aprendendo a esquiar, não é isso que vocês queriam? E também fiz amigos. Vocês são engraçados, insistem pra eu fazer algo e, quando eu resolvo, reclamam!"

Ela continuou dobrando as roupas, mas de repente vi que deu um sorrisinho e falou: "Fez amigos ou fez *um* amigo? Ou talvez... *mais* que um amigo?".

"Para, mãe...", falei entrando no banheiro. "Não tem nada disso!"

"Sei...", ela disse, rindo ainda mais. "Bom, avise para o seu amigo que hoje você não vai pra lounge nem pra pub nenhum, vai jantar com sua família no restaurante do hotel, pois é a nossa última noite aqui. Se ele quiser, é bem-vindo para vir junto...".

Aquilo me deixou meio chateada. Eu realmente queria me despedir do pessoal... e, especialmente, ficar mais tempo com o Ben.

Por isso, meia hora antes do horário marcado, eu já estava na recepção do hotel, na esperança de que ele chegasse um pouco antes, para que eu pudesse ficar perto dele por mais tempo. Ele chegou às 15h48. Sei disso porque eu estava olhando os ponteiros do meu relógio bem na hora em que ouvi a voz dele dizendo o meu nome atrás de mim.

Eu me virei e ele estava sorrindo, com as bochechas coradas de frio, e, por ter acabado de tirar o gorro, seu cabelo estava meio bagunçado. Tive vontade de arrumar, mas ele poderia ficar com uma impressão errada... Por isso, tudo que eu disse foi: "Oi".

Ele ficou um tempinho me olhando e então falou de volta: "Oi".

Em seguida, nós fomos andando devagar para a saída do hotel, sem trocar uma palavra, e, só quando chegamos lá fora e colocamos nossos gorros e luvas, ele disse que me ajudaria a carregar os esquis, pois iríamos para um pouquinho mais longe.

"Quero te levar para outra pista, lá é mais vazio, mas não se preocupe, é de principiante também." Concordei, mas então ele disse: "Vamos ter que pegar um teleférico pra chegar lá".

Parei onde eu estava.

"Ah, Mabel, para com isso...", disse, me puxando. "Você já superou! Hoje é o último dia, lembra? Vai deixar de aproveitar por causa de um trauma bobo?"

Não tinha nada de bobo no meu trauma, eu queria ver se ele ficasse preso em cima de uma montanha com neve por causa de um teleférico! Bem, na verdade ele não ficaria preso, pois sabia esquiar e conseguiria sair de lá numa boa. E também conhecia muito bem os teleféricos.

Como não respondi nada, ele continuou: "Olha, prometo que não falo do Igor e deixo você escolher o assunto na subida. Que tal?".

Concordei meio relutante, apenas porque eu havia tido uma ideia. Por isso, assim que entramos no teleférico, ele começou a subir e o Ben me perguntou sobre o que conversaríamos, eu falei, tentando não olhar para baixo: "Nós vamos brincar de entrevista".

"Brincar de entrevista?", ele franziu as sobrancelhas. "O que significa isso?"

"Eu te pergunto umas coisas e você me responde", expliquei.

"Que jogo mais sem graça! Não posso perguntar também? Eu topo só se a cada vez um for o entrevistador..."

Fiquei meio apreensiva com o que ele poderia me perguntar, mas como estava bem curiosa para saber mais sobre ele, resolvi aceitar: "Tudo bem, mas eu começo!".

O Ben concordou com a cabeça e aí perguntei: "Quero saber se tem mesmo ursos no alto da montanha!".

Ele ficou me olhando com um olhar divertido e respondeu: "Existem ursos na Cordilheira dos Andes. Mas, nesse frio, só se fossem ursos polares... E esses não moram na América do Sul".

Ufa! Pelo menos esse risco eu não tinha corrido.

"Agora sou eu", ele disse. "De que você mais gostou desde que chegou aqui?"

A primeira resposta que veio à minha cabeça foi exatamente *ele*! Mas eu não podia falar isso... Afinal, ele tinha perguntando "de que", e não "de *quem*". Por isso, apenas respondi: "Do Bar Lounge. Eu poderia passar todos os meus dias lá!".

Ele pareceu satisfeito com a resposta e então falei que era a minha vez de novo.

"No dia em que nós chegamos aqui... Você e seus primos ficaram brincando de jogar bolas de neve em mim. Eles já explicaram que estavam imitando o meu irmão no aeroporto de São Paulo, onde meu voo fez conexão. Mas você nem estava lá com eles e os acompanhou nisso. Por quê?"

Ele riu, coçou a cabeça e falou: "Na verdade, a primeira foi sem querer, eu tinha jogado neles... Só que você ficou tão brava que eu achei engraçado te provocar. Mas era uma brincadeira, pensei que você ia entrar no jogo e também arremessar neve na gente. Não imaginaria que você fosse se estressar de verdade, xingar e tal. E, quando sua mãe chegou, fiquei preocupado e até meio arrependido... Na verdade, nunca te pedi desculpas por aquilo, espero que você não tenha se encrencado muito".

"*Muito* não...", respondi, me sentindo mais feliz de repente. Era bom ouvir um pedido de desculpas, eu não estava muito acostumada a isso, geralmente era eu que sempre tinha que me desculpar.

"Minha vez!", ele disse. "No ônibus de Santiago pra cá, logo que entrou... Você ficou me olhando. Por quê?".

Ah, aquilo. O primeiro momento constrangedor que ele tinha me feito passar, ao piscar e me mandar um beijo. Enrubesci novamente, só de lembrar.

"Foi só pela cor do seu cabelo", admiti. "Ela chama a atenção, apesar de não ser vermelho vivo, mas um tom acobreado, no Brasil não tem muitos ruivos... Eu achei diferente."

"No Chile também não tem muitos ruivos", ele explicou. "Mas a minha avó paterna era irlandesa. E ruiva. Eu fui o único da família a herdar isso."

Assenti, gostando de saber mais sobre ele. Então disse: "A próxima pergunta é minha. Quais são seus planos para o futuro? Onde você se vê daqui a cinco anos?".

Ele balançou os ombros. "Não faço muitos planos, prefiro viver o presente. Acredito que, se vivermos bem cada momento, o futuro vai ser bom também. E eu adoro o que faço agora. Estudo, dou aulas no inverno, ajudo meus pais com o hotel... Acredito que vou continuar fazendo exatamente isso. Assim que terminar a escola, no fim desse ano, devo fazer faculdade de Administração ou de Educação Física, em Santiago mesmo. E, enquanto o hotel estiver indo bem, vou passando os meus invernos aqui no Valle..."

A vida dele era tão tranquila, sem cobranças e regras... Senti vontade de que a minha fosse um pouco assim também.

Desde pequena eu sofria pressão dos meus pais e da escola para escolher uma profissão e planejar os meus próximos passos. Atualmente eu estava na dúvida entre fazer vestibular para Odontologia ou Direito. Mas a verdade é que eu não enxergava onde gostaria de estar em cinco anos.

"Agora sou eu", ele falou, interrompendo meu devaneio. "Se alguém te perguntasse como eu sou e você fosse me descrever para essa pessoa, como seria essa descrição? O que você diria pra ela?"

"Nossa, você faz cada pergunta elaborada... Geralmente o maior nível de criatividade que as pessoas chegam nesse jogo é perguntar o tipo de comida preferida..."

Ele riu, mas disse: "Não mude de assunto... Já sei pelo menos a sua bebida preferida, você toma chocolate quente o tempo todo...".

Ri também e em seguida respirei fundo, antes de começar a descrevê-lo: "O Ben é alto. Uns 15 cm mais alto que eu, pelo menos, o que o deixa com aproximadamente... 1,74 m de altura?".

"Tenho 1,77 m", ele corrigiu.

"Ok, corrigindo então: o Ben é alto, forte, tem 1,77 m de altura. Uma pele bem branquinha e, apesar de ser meio ruivo, não tem nenhuma sarda. Tem o cabelo ondulado, curto... Em alguns momentos, parece um pouco com aquele menino do YouTube, o Tanner Patrick."

"Quem é esse cara?", ele quis saber.

"Um cara. Procura no Google: Tanner Patrick, cover de "Stereo Hearts". Vai aparecer um sósia seu... Apesar de o seu cabelo ser um pouquinho mais ruivo."

"Ok, vou procurar... Mas aposto que eu sou mais bonito."

Na verdade, eu achava que o Ben era *muito* mais bonito... Mas eu não ia falar isso para ele.

"Convencido! Minha vez... E vou devolver sua pergunta. Me descreva fisicamente."

Eu tinha certeza de que ele ia me descrever na maior zoeira, só para me deixar com raiva. Mas, para minha surpresa, a descrição dele parecia muito... comigo.

"A Mabel é o tipo de menina que a gente nota de primeira. Não pela aparência, pois ela se parece com várias outras garotas que existem por aí... É morena clara, de olhos castanhos. Baixinha, mais pra magra, mas não exageradamente magra, digamos que ela tem onde a gente pegar..." Levantei as sobrancelhas surpresa, mas ele continuou: "Os cabelos dela são castanhos, meio ondulados, cortados um pouco acima dos ombros, com uma franja meio de lado. Apesar de parecer comum, ela tem um brilho nos olhos e um jeito atrevido, que marca presença logo no primeiro instante. E é por isso que a gente tem vontade de olhar de novo... E, quando olhamos, percebemos que ela não é *nada* como as outras. Ela tem um sorriso sapeca e uma risada que faz a gente querer rir também... E, quando ela ri, os olhos dela riem junto e se tornam pequenas linhas, como se ela fosse japonesa. Mas, quando os abre novamente, a gente percebe que, na verdade, seus olhos são enormes e parecem saber todos os segredos do mundo..."

Ele estava falando coisas reais sobre mim, mas, nas palavras dele, era como se eu fosse diferente... Como se pela sua visão eu fosse uma pessoa melhor. Uma Mabel que eu não havia percebido que estava aqui.

"Mas o melhor é a cara que ela faz quando está brava, o que acontece com frequência...", ele continuou. "Parece que vira outra pessoa e fica até mais alta, pois cresce pra cima de quem a desagrada! Ela não é do tipo que leva desaforo pra casa... e eu gosto disso. Porém, quando retoma a calma, parece que nada aconteceu, e volta a ter aquele ar de boneca de porcelana... mas que não tem nada de frágil. Ah, e ela não se parece com nenhuma atriz ou personalidade do YouTube! Ela é única."

Ele terminou de falar e continuou me olhando, como se estivesse conferindo se tinha me descrito com precisão. Foi quando eu percebi um detalhe.

"Acho que faltou uma coisa quando te descrevi", falei baixinho, depois de um tempo. "Esqueci de falar dos seus olhos. São castanhos esverdeados... e os mais penetrantes que já vi."

Ele me olhou ainda mais intensamente e eu comecei a sentir alguma coisa no estômago, uma mistura de vertigem com falta de ar. Provavelmente era só pela altura de onde a gente estava...

"Mabel, eu...", ele começou a falar novamente, mas bem nesse momento o teleférico parou e vimos que havíamos chegado ao final da subida. Ele me ajudou a descer e eu fiquei olhando para ele, esperando que terminasse de falar, mas foi como se ele tivesse se esquecido, pois apenas pegou os esquis da minha mão e indicou o caminho que eu deveria seguir.

"Meus pais te convidaram pra jantar no hotel em que estamos hospedados", falei, quando estávamos nos preparando para descer aquela colina. "Era pra ter te falado isso logo que você chegou pra me buscar, mas me distraí com alguma coisa e acabei me esquecendo... Não é nada demais, é só porque essa é a nossa última noite aqui. O Dudu vai adorar se você puder ir..."

E eu também... Tive vontade de completar.

"Não sei...", ele falou, pouco depois. "Fico meio sem graça. Não é um jantar em família? Eu vou atrapalhar."

"De jeito nenhum!", falei com veemência. "Muito pelo contrário... Você fez parte dos nossos dias aqui, então faz o maior sentido que vá também!"

Ele ficou meio indeciso, mas disse que ia pensar. Em seguida, perguntou: "Eles reservaram a mesa pra que horas? É bom saber, pra gente não atrasar aqui...".

"Sete e meia", respondi.

Ele olhou para o relógio e disse que teríamos uma hora e meia para esquiar, pois seria bom me levar ao hotel uma hora antes do horário marcado, para que eu tivesse um tempinho para me arrumar para o jantar.

"Então não vamos perder tempo", ele completou. "Quero que você faça exatamente como fez hoje cedo, na outra rampa. Nessa vai ser bem mais fácil, porque tem menos gente. Não precisa ter medo, eu vou te acompanhar."

Dessa forma, me lembrei de tudo que ele havia dito. Reclinei o corpo, flexionei os joelhos e dei o impulso. Comecei a descer devagar, mas aos poucos fui pegando velocidade. Dali de cima a vista era tão bonita e a montanha era tão silenciosa... Senti o vento batendo no meu rosto e, por um momento, entendi a razão de as pessoas gostarem tanto de esquiar... A sensação de plenitude misturada com liberdade que nos invadia ao fazer aquilo era meio viciante.

De repente, quando achei que estava correndo tudo bem, avistei uma árvore no meu caminho. Tentei desviar, como ele havia me ensinado, mas eu estava indo muito rápido e os esquis se recusaram a me obedecer.

Em um instante, o Ben apareceu do meu lado. "Freia!", ele gritou. "Coloque a ponta dos esquis pra dentro!"

Eu tentei fazer o que ele disse, mas aquilo só me fez desequilibrar. Era como se os esquis tivessem se rebelado!

Quando percebi que a árvore estava cada vez mais perto e que eu ia trombar bem de frente com ela, resolvi forçar uma queda – pelo menos assim eu me esborracharia na neve macia, e não na madeira dura! Assim, pendi o corpo para a esquerda e senti o baque no chão logo em seguida. Porém, por causa da velocidade em que eu estava, continuei deslizando e acabei batendo na árvore do mesmo jeito, embora não tão forte. Mas os óculos e o gorro até saíram da minha cabeça.

"Mabel, você se machucou?", o Ben veio depressa em minha direção e começou a apalpar meus braços e minhas pernas, para se certificar de que eu não tinha quebrado nada. "Dói alguma coisa?"

Comecei a rir da preocupação dele: "Sim, estou completamente dolorida, acho que fraturei todos os ossos, você vai ter que me carregar até lá embaixo!".

Ele parou de tentar encontrar algum machucado e apenas colocou a mão na cintura dizendo: "Engraçadinha...".

Nesse momento, eu me lembrei que tinha sido exatamente daquilo que a Isadora tinha me chamado na noite anterior, quando me contou aquelas coisas sobre ele...

"Falei alguma coisa errada?", ele perguntou, pois provavelmente a minha expressão tinha entregado meus pensamentos.

"Não...", tentei disfarçar. "Só me lembrei de uma coisa chata, mas já passou."

"Alguma coisa que eu tenha feito?", ele perguntou, preocupado.

Hum. Eu não sabia responder aquilo. De certa forma, sim. Alguma coisa que me disseram que ele tinha feito...

Resolvi dizer a verdade: "Aquela sua amiga ontem, quando foi no meu hotel, falou que eu era muito *engraçadinha* para ser enganada por você. Eu me lembrei disso porque você acabou de repetir a mesma palavra".

Ele fez uma cara desanimada e se sentou na neve ao meu lado.

"Mabel, eu odeio falar sobre isso, mas quero que você saiba direito o que aconteceu. Sim, eu gostei da Isadora por um tempo. Como você sabe, eu venho aqui desde pequeno e devia ter uns 13 anos quando ela começou a vir também, com os pais. Ela é dois anos mais velha que eu, e fiquei meio hipnotizado. Ela era bem bonita e tinha um corpo estonteante... Para um menino entrando na adolescência, parecia até uma deusa. Mas ela logo percebeu e começou a me tratar como se eu fosse um cachorrinho. Eu era muito novo, tudo que ela pedia eu fazia... Foi assim por dois invernos. Até que, dois anos atrás, eu me cansei, comecei a perceber que, enquanto eu queria uma namorada, ela queria um escravo. Na verdade, nós nunca namoramos. Ficamos juntos algumas vezes, mas fui percebendo que ela não era quem eu pensava, por isso resolvi me distanciar. Comecei a ficar com outras meninas, não para atingi-la, como ela pensa, mas porque eu queria conhecer outras pessoas, diferentes dela. Então, ao perceber que eu não estava mais completamente à sua disposição, ela ficou meio com raiva e cismou que me queria de volta. E aí começou a espalhar essa história que te contou. Antes mesmo de eu me aproximar de alguém, ela já avisa que eu sou 'louco por ela', como se quisesse colocar um letreiro na minha cabeça alertando que eu tenho *dona*. Eu já pedi pra ela parar, já falei que eu não gosto mais dela dessa maneira... Mas não adianta. Ela continua me cercando de todas as formas. Só me resta torcer para que ela arrume algum namorado no Brasil e pare de vir passar os invernos aqui..."

"Nossa, que história!", falei, realmente impressionada.

"Eu me identifiquei ontem, quando você contou do menino que gostava. Acho que a Isadora tem muito a ver com ele... Quando percebeu que estava me perdendo, ficou toda interessada. E posso estar enganado, mas acho que esse seu Igor ainda vai ficar muito no seu pé, depois que perceber que você não quer mais saber dele. Isso se você tiver mesmo superado."

"Superei sim!", falei depressa. "Por mim, ele pode até se casar com quem quiser! Não estou nem aí... E ele não é o *meu* Igor!"

Ele riu, se recostou na neve e ficou um tempo olhando para o céu. Eu o imitei. Então ele se virou pra mim e disse: "Eu acredito em você. Às vezes a gente pensa que está gostando de alguém, e não passa de uma ideia fixa. Veja esse meu caso com a Isadora... Eu acho que na verdade só queria alguém de quem gostar e acabei confundindo as coisas. Porque, assim que eu vi quem ela era de verdade, como tratava as pessoas e o jeito como pensava, percebi que a beleza dela era só por fora. Eu queria que ela fosse a menina que eu sonhava, dá pra entender?" Eu concordei com a cabeça e ele continuou. "Uma garota mais humana. Que não tem medo de se apaixonar e correr atrás desse amor... e de quebrar a cara se for preciso. Uma garota que chora, que comete erros, mas que admite que errou e aprende com a própria experiência. Uma garota que não tem vergonha de dizer o que pensa nem para pessoas que ela acabou de conhecer, tipo três folgados que resolvem fazer guerra de neve em cima dela..."

Ei, ele estava falando de mim?! Comecei a perceber que aquela descrição se parecia à beça comigo...

"Acima de tudo, eu queria uma garota ao lado de quem eu me sentisse feliz. Uma garota que me fizesse ter vontade de conversar por muito tempo. Uma garota de quem eu tivesse vontade de cuidar, de proteger, de colocar no colo em alguns momentos. Uma garota que eu achasse linda e que, mesmo a vendo espatifada na neve e com o cabelo todo cheio de galhos de árvore, me deixasse com a maior vontade de beijá-la por horas e horas..."

Ele falou aquela última frase olhando fixamente para a minha boca. Então passei a mão involuntariamente pelo meu cabelo e senti vários galhinhos presos... o que fez com que o meu coração disparasse ainda mais do que quando desci a rampa de esqui pela primeira vez. E aí eu pensei em tudo que ele disse e concluí que também queria alguém exatamente assim. Alguém de quem estar perto fosse fácil, natural. Alguém para quem eu tivesse vontade de contar a minha vida inteira.

Criando coragem, me virei para ele e disse: "Acho que por horas e horas a gente acabaria congelando aqui...".

Ele levantou as sobrancelhas, com um ar de surpresa, e então sorriu, tirou a luva e passou a mão direita por trás do meu pescoço, o que me fez arrepiar inteira, mas não de frio.

"E por minutos e minutos... você acha que aguentamos, antes de virarmos picolé?"

Não precisei responder. Ele se aproximou e me deu um longo beijo, gelado a princípio, mas que aos poucos foi ficando tão quente que até comecei a sentir calor! Não seria nada mal me livrar de todas aquelas roupas naquele momento...

Alguns minutos depois, mas que realmente pareceram horas, ele se afastou um pouco e, passando a mão pelo meu rosto, respirou fundo e falou: "Por mim eu ficaria aqui por muito mais tempo, estou adorando te ter nos meus braços... Mas já vai começar a escurecer e tem o jantar da sua família...".

"Você vai?", perguntei com esperança.

Ele encolheu os ombros e falou: "Acho que não posso desperdiçar o tempo que ainda tenho com você... mesmo que seja em um programa junto com seus pais".

Eu o abracei e ele me deu mais vários beijos... Porém, depois de um tempo, disse: "Nós temos mesmo que ir, senão vamos atrasar".

Relutante, concordei. Ele se levantou e me ajudou a me levantar também, e perguntou se eu estava preparada para mais uma lição.

"Agora?", indaguei meio sem entender, já que ele havia dito que era melhor a gente voltar.

Ele apenas sorriu, recolocou a luva e respondeu: "Sim, agora mesmo. Acho que você vai gostar de aprender a esquiar a dois".

Ele pegou a minha mão e, me amparando, começou a me guiar, para que esquiássemos bem devagar.

Ele só errou em uma coisinha... Eu não havia gostado, e sim *amado* aquela lição.

"Acho que vou te contratar, Benjamín. Já pensou em dar aulas de algum esporte que tenha no Brasil? Surf, skate? Eu realmente não me incomodaria de ter você mais tempo por perto! Nunca vi a Mabel tão centrada e contente quanto nos últimos dias. Até largou o celular! Acho que a sua companhia fez muito bem pra ela..."

Estávamos no restaurante do hotel e a minha família não parava de me envergonhar. Já haviam contado para o Ben desde histórias de quando eu era criança até casos atuais. Por sorte os pratos chegaram, e a partir daí o assunto foi só a comida.

Quando terminamos, o Ben perguntou para os meus pais se eu podia ir com ele encontrar com alguns amigos que queriam se despedir de mim. Eles concordaram, mas me pediram para não demorar muito, pois eu não podia dormir tarde, já que íamos embora bem cedo na manhã seguinte.

Assim que saímos do hotel, ele me abraçou. Estava nevando e ventando, mas o abraço dele era tão quentinho que eu nem estava sentindo frio.

"Nem acredito que você já vai embora amanhã...", ele disse, passando a mão no meu cabelo.

Eu também não podia acreditar. Minha vontade era de me mudar para ali. Pelo menos até o inverno acabar...

"Ainda bem que vocês ainda vão ficar dois dias em Santiago", ele completou. "Acho que você vai gostar de lá também."

Eu estava ansiosa para conhecer a cidade onde ele morava durante as outras estações do ano, mas sem ele lá, acho que não teria tanta graça...

De repente pensei em uma coisa. "Ben, você disse que sua família materna é do Brasil, e seus primos até me falaram que moram em São Paulo. Você costuma ir para lá em alguma ocasião?"

"Tem muitos anos que eu não vou", ele explicou. "Os meus avós já morreram, e a irmã da minha mãe, que é a mãe do Glauco e do Adriano, vem pra Santiago pelo menos uma vez por ano. E os dois sempre vêm no inverno. Então acaba que não viajamos tanto pra lá... Mas de uns dias pra cá eu me peguei com muita vontade de voltar a ir, sabe..."

"Verdade?", perguntei sorrindo. "Algum motivo especial para essa vontade súbita?"

Em vez de responder, ele segurou meu rosto com as duas mãos e me deu mais um longo beijo. A neve caía à nossa volta, e quando ele se afastou e eu o olhei, tendo ao fundo aquele cenário de montanhas nevadas que nos últimos dias eu tinha aprendido a gostar, percebi que meu pai estava certo. Eu nunca tinha me sentindo tão feliz e tranquila. Como se tudo que eu havia experimentado antes fosse mera imitação de sentimentos. Como se apenas agora eu estivesse realmente conhecendo o amor.

Senti lágrimas molhando meu rosto de repente. Eu não queria que aquela sensação passasse. Não queria ir embora. Não queria ficar sem ele.

"O que foi, lindinha?", ele perguntou, enxugando meu rosto e me olhando preocupado.

Eu só balancei a cabeça e o abracei. Ele respirou fundo e falou no meu ouvido: "Eu vou dar um jeito de a gente se reencontrar... Quem sabe eu não te visito em breve?".

Eu o abracei mais forte e falei que adoraria que ele fizesse isso.

Em seguida fomos andando de mãos dadas para o pub. Pensei, que, quando chegássemos lá, o Ben soltaria a minha mão, mas ele nem cogitou essa possibilidade... Só me largou quando foi cumprimentar os amigos. Assim que nos sentamos, colocou o braço por cima dos meus ombros e em alguns momentos me abraçava e beijava o meu rosto, como se fôssemos namorados de muitos anos... Em vez de ficar feliz, me sentia cada vez mais triste. Eu não queria que aquilo durasse apenas uma noite. Eu tinha passado tanto tempo me contentando em gostar de alguém que nunca havia gostado de mim, que agora, sentindo o carinho do Ben e percebendo que estávamos na mesma sintonia, que ele também estava sentindo o mesmo, fiquei arrasada por aquela sensação boa ter hora marcada para terminar.

Os amigos dele, no começo, pegaram um pouco no nosso pé, dizendo que desde o primeiro dia tinham notado que aquilo entre nós era mais do que amizade, e as meninas ficaram falando que nós fazíamos um casal lindo. Só mesmo a Isadora não parava de nos fuzilar com os olhos. Até que saí para ir ao banheiro, e pouco depois ela também apareceu lá.

"Acho que você não deu ouvidos ao que eu falei, né...", ela disse, retocando o batom. "Tudo bem, eu só queria ajudar. Sei que ele só ficou com você porque sabe que sua partida é amanhã e que não precisaria se comprometer. Já vi isso acontecer várias vezes, as garotas vão e vêm... Mas eu sou a única que fica. Te garanto que em dois dias ele já vai estar no meu pé novamente. Aposto que ele te fez várias promessas, não é? Sinto te avisar, mas é tudo da boca pra fora... Isso só vai durar enquanto a neve cair."

Eu ia ficar calada, mas aquela menina já estava me irritando. Uma parte de mim estava meio balançada com o que ela tinha falado, mas a minha intuição não parava de me dizer que tudo aquilo não passava de ciúme, inveja e ressentimento da parte dela. E então me lembrei do Ben perguntando se eu confiava nele... Sim, eu confiava.

Por isso, apenas disse: "Por que você não vai cuidar da sua própria vida?", e fui em direção à porta.

Ela foi atrás e, antes que eu pudesse abrir, gritou: "Tudo bem, os fatos vão falar por si! Depois de amanhã ele nem vai lembrar mais da sua existência... Pra ele você não passa de mais uma ficante de inverno".

Ela saiu antes de mim, me deixando com o coração meio apertado. Eu não queria ser apenas uma *ficante*... Mas eu tinha prometido para mim mesma que não ia me iludir nunca mais, por isso sabia que ela tinha um pouco de razão... Eu ia embora no dia seguinte, ele morava no Chile e eu no Brasil! Como aquilo poderia virar algo mais sério? Eu tinha noção de que depois daquela noite dificilmente voltaria a ver o Ben...

Por isso, pouco depois de me sentar novamente à mesa, ele perguntou: "Está tudo bem? Você ficou diferente de uma hora pra outra...".

"Está sim... Só estou meio cansada e ainda tenho que arrumar minha mala."

Ele imediatamente falou que ia me levar ao hotel. Me despedi do pessoal, todos me abraçaram (inclusive a Isadora), dizendo para eu voltar no próximo ano. Eu falei que ia tentar...

Fomos calados durante o caminho. Apenas quando chegamos, criei coragem para dizer: "Então é isso, né... Hora de despedir".

Ele franziu as sobrancelhas e falou: "Ficou louca? Vou me despedir de você só quando você estiver entrando naquele ônibus...".

Olhei para ele, surpresa. "Mas vai ser às seis da manhã!", expliquei.

Ali naquele horário, em pleno inverno, ainda era praticamente noite.

"E daí? Acha que umas horas de sono valem mais do que passar alguns minutinhos a mais com você?"

Então eu sorri e dei o maior abraço nele. Não importava se aquilo ia acabar em um dia. Eu queria viver cada segundo que ainda tínhamos juntos.

Por isso, falei: "Acho que eu havia esquecido que minha mala já está quase pronta... E meus pais não vão se importar se eu demorar mais uns minutos, ainda não são nem dez horas. Ouvi dizer que aqui no hotel tem uma piscina aquecida com vista para as montanhas, mas eu nem conheci. Vamos lá comigo?".

"Quer dar um mergulho agora?", ele perguntou, espantado.

"Não, só quero ficar mais um pouquinho com você..."

Ele então deu um sorriso lindo e nós fomos abraçados até a área da piscina.

Quando o Dudu me contou daquele lugar, eu achei loucura as pessoas nadarem no meio de tanta neve, mesmo que a piscina fosse aquecida. Mas agora ali com ele, eu só podia pensar que era uma pena não ter trazido roupa de banho... Eu nadaria com ele mesmo se a piscina não tivesse aquecedor.

Nos sentamos em uma área coberta e ficamos agarrados, olhando a vista, apenas curtindo a companhia um do outro. Durante meia hora, pude conhecer ainda mais sobre ele. Descobri que, além de esquiar, ele era bom no jet-ski, gostava de escalada e que era campeão de xadrez! Ele era filho único, apesar de considerar os primos como irmãos. Ele me contou que já tinha ido esquiar também no sul do Chile e falou que um dia queria me levar lá...

Eu contei para ele que minhas melhores amigas tinham crescido comigo, pois estudávamos juntas desde o maternal, mas que, mesmo nos encontrando todos os dias, tínhamos um grupo chamado MMM no WhatsApp, onde falávamos de tudo, trocávamos conselhos, novidades e confidências. Ele perguntou se eu tinha falado dele para elas, e eu expliquei que desde o dia do teleférico o meu celular estava esquecido no fundo da mala, mas que com certeza elas ainda iam ouvir falar muito sobre ele. Contei que eu tinha um cachorro chamado Lulu, de quem eu estava morrendo de saudade. E contei também que eu adorava músicas, seriados, filmes, livros... E invernos.

Sim, agora eu podia incluir aquela estação do ano entre as minhas paixões.

Acordei sem ter dormido praticamente nada. Eu havia passado a noite em claro, relembrando cada dia daquela semana e desejando começar tudo de novo... Olhei pela janela, vi que ainda estava escuro lá fora e praguejei mais uma vez pelo fato do meu pai ter marcado de viajarmos tão cedo assim. Ele alegou que era para aproveitarmos bem o dia em Santiago, já que ficaríamos lá por pouco tempo... No dia seguinte à noite já seria a nossa volta para o Brasil.

Porém, ao me lembrar que o Ben estaria me esperando para se despedir, pulei da cama e entrei no chuveiro depressa.

"Mabel, por que você está se arrumando tanto?", minha mãe perguntou quando me viu me maquiando na frente do espelho. "Nós vamos acabar perdendo o ônibus!"

Eu adoraria perder o ônibus e ter que ficar mais tempo naquele lugar, mas eles reclamaram tanto que tive que me apressar e descer com todo mundo. Assim que chegamos à recepção e os meus pais foram fazer o check-out, comecei a olhar para todos os lados. Faltavam 15 minutos para as seis. O ônibus já estava na frente do hotel. O Ben já deveria estar por ali também, não é?

Fui até a porta e percorri o ambiente com os olhos. Estava amanhecendo, e a névoa já apontava que aquele seria mais um dia de neblina.

Apesar de o lugar estar silencioso, alguns esquiadores já começavam a ir para as pistas. Fiquei tentando reconhecer o Ben em cada um que passava, e, a cada vez que eu constatava que não era ele, meu coração congelava um pouquinho.

"Mabel, você não vai tomar café da manhã?", meu pai perguntou, colocando as nossas malas no ônibus. "Sua mãe e seu irmão já devem estar até acabando! Não pode viajar sem comer nada, vamos demorar umas duas horas até chegar a Santiago!"

Eu não queria sair dali, mas resolvi ir logo, pelo menos assim distraía a minha ansiedade um pouco. Peguei apenas um *croissant* e voltei para a frente do hotel. Mas ele ainda não estava lá...

Mais pessoas chegaram e entraram no ônibus. Minha família apareceu e perguntou por que eu não tinha subido ainda, pois estava muito frio e agora eu não estava mais usando a roupa de neve.

Tive que explicar que eu estava esperando o Ben, pois ele tinha ficado de passar para se despedir.

"Filha, ainda é muito cedo, claro que ele está dormindo!", minha mãe falou. "Vocês não se despediram ontem? Estou te achando muito ansiosa pra quem está esperando apenas um *amigo*..."

"Mas ele falou que vinha se despedir de novo...", falei, olhando mais uma vez para todos os lados.

"Mabel...", minha mãe passou a mão na minha cabeça como se eu fosse uma menininha que tivesse descoberto que o Papai Noel não existe.

Nesse momento o motorista perguntou se não íamos entrar, pois ele precisava partir, já tinha passado do horário. Olhei uma última vez para aquele vale cheio de neve, para os hotéis, para as pistas, para o teleférico... e constatei que ele realmente não estava em lugar nenhum.

Entrei no ônibus arrasada e me sentei ao lado do meu irmão, que já tinha pegado o assento da janela. Eu não me importava mais. O colorido que tinha tomado conta da paisagem nos últimos dias havia empalidecido novamente.

O fim de semana em Santiago custou a passar. Olhando as ruas da cidade, fiquei imaginando o Ben andando por ali... Como ele seria nas outras estações do ano? Me peguei com vontade de saber as roupas que ele usaria, se ficava bronzeado, se o tom de seu cabelo se tornava ainda mais vivo.

No fundo, eu ainda esperava que ele fosse aparecer de repente, mas com o passar das horas percebi que aquilo havia sido apenas outra ilusão. E não é como se mais uma vez eu não tivesse sido avisada. Se tivesse dado ouvidos à Isadora, certamente não estaria agora com o coração partido, desejando reviver todos os momentos, mesmo sabendo que para ele aquilo não havia tido o menor significado.

Quando o momento de voltar para casa chegou, eu mal podia esperar. Já no aeroporto, enquanto meus pais terminavam de fazer nosso check-in, até coloquei meu fone de ouvido para me desligar do mundo e o tempo passar mais depressa. Nos últimos dias, eu vinha ouvindo continuamente "Winter Song", da Sara Beirelles, mas sabia que aquela seria a última vez que eu escutaria aquela canção. Ela me lembrava daquele inverno, que era algo que eu faria questão de esquecer.

De repente o Dudu puxou meu braço, me falando alguma coisa que eu não estava com a menor vontade de ouvir. Como continuou insistindo, tirei o fone, apenas para ele parar de me perturbar. Porém, quando perguntei o que era, vi que ele estava sorrindo e apontando para a frente.

Foi quando eu o avistei.

O aeroporto estava lotado, mas de repente todas as pessoas congelaram. Apenas uma continuava em movimento, caminhando exatamente em minha direção.

"Não acredito...", falei assim que o Ben parou na minha frente. "Eu pensei que não ia te ver nunca mais..."

"Claro que ia!", ele falou, olhando meu rosto com cuidado, como se estivesse matando a saudade de cada detalhe. "Desculpa, Mabel, aconteceu a maior confusão... Depois que eu me despedi de você no seu hotel, duas noites atrás, voltei para o pub só para pedir a um amigo para me substituir nas aulas da manhã, pois eu tinha decidido descer pra Santiago, apenas pra ficar um pouquinho a mais com você, no ônibus. Assim que chegássemos lá embaixo, eu subiria de volta. Como meu amigo disse que poderia, eu telefonei lá do pub mesmo para reservar minha passagem. Porém, quando acordei de manhã, tinha uma mensagem no meu celular, avisando que a compra havia sido cancelada.

Eu liguei na hora para a central de reservas, e eles disseram que a minha irmã havia ligado no mesmo dia, um pouco depois, e dito que eu não iria mais. Expliquei que eu não tinha irmã nenhuma, já sabendo *quem* estava por trás disso, mas disseram que infelizmente o ônibus já estava cheio àquela altura. Eu ainda insisti, disse que poderia até ir em pé, mas eles não permitiram de jeito nenhum. Então vi que teria que realmente me despedir de você na porta do hotel. Só que, com isso tudo, acabei perdendo muito tempo e, quando cheguei lá, o seu ônibus tinha acabado de sair! Eu ainda o vi descendo, mas não tinha mais nada que eu pudesse fazer..."

Então tinha sido tudo culpa daquela mulherzinha... Certamente ela tinha escutado o Ben reservando a passagem e se encarregado de atrapalhar! Ah, se eu a encontrasse de novo! Iria enfiá-la em um teleférico e largá-la lá no alto da montanha! E importaria ursos polares para deixar a experiência dela ainda mais emocionante!

"Como eu não tinha anotado nem seu telefone nem dado nenhum, fiquei sem ter como te avisar... Eu até tentei descobrir o hotel em que vocês iam ficar, pra pelo menos te dar uma explicação. Mas não teve jeito, a companhia de ônibus explicou que todos os passageiros desembarcam no mesmo local e depois vão para os seus destinos por conta própria. Como a parte de Santiago vocês tinham marcado separadamente, a única informação que consegui, no hotel em que vocês ficaram no Valle, foi o horário do seu voo de volta para o Brasil, pois isso constava no pacote que seu pai comprou da agência de turismo. Bom, o resto você deve imaginar. Peguei o ônibus hoje mais cedo e vim direto pra cá, te esperar..."

Ele não precisou dizer mais nem uma palavra. Eu me joguei nos braços dele e só parei de beijá-lo quando meu pai apareceu ao nosso lado.

"Ei, ei! Espera um pouco, rapaz... Eu já desconfiava que estava acontecendo alguma coisa entre vocês, mas pensei que era apenas uma paquera... Só que, ao contrário dos amores de verão, parece que os de inverno sobem a serra... Ou melhor, descem a montanha. Sei que não estamos no século passado, mas, como pai, preciso perguntar. Quais são as suas intenções com a minha filha?"

O Ben estava meio tímido, mas continuou segurando a minha mão e respondeu: "Bom... Sei que 'não estamos no século passado', mas queria pedir a mão dela em namoro... Tenho a intenção de passar todos os invernos junto com a Mabel. E, sempre que possível, as outras estações também".

Não sei quem ficou mais surpreso, eu ou meu pai. Porém, acho que eu me recuperei mais rápido, pois falei: "Sim!".

"Ei, ele perguntou pra mim", meu pai falou pouco depois, mas eu já não estava mais escutando, pois estava muito ocupada dando vários beijos no meu *namorado*... Só que acho que a resposta dele também seria positiva, pois apenas se afastou balançando a cabeça e ficou o resto do tempo conversando com a minha mãe, sem prestar muita atenção ao nosso romance.

Quando chegou a hora do embarque, o Ben me abraçou e falou que, antes, precisava anotar o meu telefone e todas as redes sociais possíveis!

"Vou ficar com saudade... Promete que me avisa assim que chegar ao Brasil?", ele disse, segurando o meu queixo, para olhar bem nos meus olhos.

Eu assenti, desejando colocá-lo escondido na minha mala.

"Garanto que vou cumprir o que falei", ele completou. "Vou tentar te visitar assim que possível, tá? Quem sabe no próximo verão?"

Fiquei desejando que aquilo realmente acontecesse e que o tempo passasse bem depressa.

Porque eu tinha certeza de que, com ele, qualquer estação do ano seria inesquecível...

Um ano depois...

Férias no sítio da Magê

Magê: Olá, galera! Como todo mundo gostou no ano passado, resolvi convidá-los para passar novamente a última semana de férias no meu sítio! Mesmo esquema: barracas, fogueira, violão e muita alegria! Quem topa?

Malu: Tô dentro!

Laís: Posso levar minha prima?

Magê: Claro, quanto mais gente melhor!

Miguel: Eu e meu violão estamos confirmados!

Pedro: Já que todo mundo está indo, eu é que não vou ficar de fora! Mas... cadê o Igor e a Mabel que não se manifestaram?

Igor

Igor: Mabel, você vai para o sítio da Magê? É que arrumei uma barraca que cabe exatamente duas pessoas e eu gostaria muito que você dividisse comigo. Como você sabe, terminei pra valer com a minha namorada, por sua causa, e desde então só penso em você. Sei que já te pedi mil desculpas pelo que te escrevi um ano atrás, mas mesmo assim você continua me ignorando... Quem sabe esse frio não te deixa com vontade de ter alguém pra te aquecer? Eu adoraria fazer isso... Um beijo bem gostoso nessa sua boca linda! Aliás, sabia que até hoje tenho saudade do seu beijo?

| ıɪl | MMM | ▇ |

Magê: Já chegou em Santiago, Mabel? Você não vai acreditar! O Igor me mandou uma mensagem dizendo que está apaixonado por você... Eu falei que nessas alturas você já estava no Chile, agarrada com seu namorado!!! Hahaha! Aproveita muito aí! E fala para o Ben que, da próxima vez que ele vier ao Brasil, quero conhecer um daqueles primos bonitinhos dele! ☺

Malu: O Igor me mandou uma mensagem também! Disse que só vai para o sítio se você for, pois nenhum lugar tem graça sem você... Que cara patético! Curte muito aí, amiga! Seu namorado é um fofo! E pode falar com ele que o outro primo é meu! ☺

Mabel: Acabei de chegar e me conectei no Wi-Fi do aeroporto enquanto estamos esperando as malas. O Igor me mandou uma mensagem também e eu deletei sem ler! Como esse mundo dá voltas, não é? Olha só: no ano passado, meus pais me obrigaram a vir pra cá. Neste ano, eu é que os obriguei a vir comigo! ☺

Ben

Ben: Não estou em uma pista de nível avançado nesse momento, mas acho que fui atropelado por uma esquiadora que está ainda mais linda do que eu me lembrava... Pronta pra mais algumas lições de esqui?

Mabel: Só se for com meu instrutor particular...

Ben: Acho que pensei em um jeito melhor de te distrair no teleférico e estou louco pra testar!

Mabel: Como?

Ben: Te enchendo de beijos...

Mabel: Eu toparia mesmo se lá no alto tivesse ursos polares! ♥

BABI
DEWET

UM OUTONO ♥ INESQUECÍVEL

O som dos sentimentos

João Paulo tirou a mochila preta dos ombros e a colocou no chão, perto dos pés, e, ao lado dela, apoiou a caixa dura e surrada de couro onde trazia seu violão. Respirou fundo, afastou os cabelos loiros da testa, desgrudando-os um pouco do suor que escorria, e olhou para os lados analisando o lugar que tinha escolhido para apresentar-se nos próximos meses. Era tão movimentado, que muita gente passava sem nem notar o garoto de 19 anos alto, magro e desengonçado plantado no meio da calçada, já que não era o único músico lá. Enquanto retirava seu instrumento da caixa, uma ou duas pessoas esbarraram na sua mochila, mas João continuou focado em preparar-se, passando a correia do violão pelo ombro e afinando as cordas.

Apesar de todo o barulho daquele espaço aberto e da quantidade de gente que passava apressada por ali por causa do horário de almoço, sabia que seria um enorme desafio, mas seu plano era seguir em frente. Não haveria público melhor que aquelas pessoas, que nem desconfiavam que eram consideradas um público. Para João, aquele era um ritual de passagem, como havia sido para muitos outros estudantes do Conservatório Musical, que ficava ali perto, na avenida 9 de Julho.

Atrás e acima do garoto, imponente, erguia-se o Museu de Arte de São Paulo, o famoso MASP. Bonito e moderno, estava situado na avenida que tinha feito João se apaixonar pela capital paulistana desde o primeiro dia em que chegou à cidade para estudar música, dois anos antes, vindo de Belo Horizonte. A fachada do museu parecia cenário de filme, e o enorme vão que existia entre suas duas gigantescas pilastras vermelhas estava sempre cheio de gente. Era um ótimo lugar para o rapaz passar suas tardes tocando, quando saía do Conservatório, depois das aulas da manhã.

Ele achava triste ver que tantas pessoas corriam do metrô para os prédios comerciais, e dos prédios para os ônibus ou para as ruas transversais, sem nem notar toda a beleza que a avenida Paulista tinha em seu concreto e seriedade. Mas João era apaixonado pelas pequenas coisas, pela beleza sutil dos detalhes, e por isso mesmo gostava tanto de música. Os acordes, os sons, as notas e a maneira incrível como a melodia exercia um poder imenso sobre as pessoas, não importando se músico ou ouvinte, fascinavam o rapaz. Para ele, sons eram universais, e ele tinha certeza de que conseguiria mostrar isso ao mundo, estudando muito e fazendo um ótimo trabalho no Conservatório.

Naquele início de tarde de um outono recém-chegado, no dia 22 de março, o primeiro acorde no violão de madeira clara soou na grande avenida pelas mãos de João Paulo. Diante dele e de seu instrumento, um pequeno pote para moedas era um convite para os passantes depositarem sua contribuição. Ele estava decidido a arrecadar qualquer quantia em dinheiro, não para ele, mas para doar para outras pessoas e, quem sabe, mudar suas vidas, por mais poético e impossível que isso pudesse parecer.

Deixando-se levar por um sentimento maior de idealismo, pensando nas contribuições que viriam e em sua paixão pela música, João Paulo começou a entoar "Blackbird", dos Beatles. Sua voz não era suave nem bonita, mas grave e até um pouco desafinada, porém ele conseguia emitir as notas e cantar sem esforço. Ainda tentando se concentrar naquele novo "trabalho", ficou mais calmo quando conseguiu arrancar sorrisos de dois senhores engravatados que passavam e de uma moça que empurrava um carrinho de bebê, e parou para ouvir. Foram poucos em sua plateia, mas quem sabe não seria mais fácil depois de alguns dias?

Anna Julia saiu do metrô suando, com a roupa grudada no corpo, por causa da aglomeração de gente que vinha junto no trem. Seus óculos de grau até deslizavam no nariz, pois seu rosto estava molhado. Sentia-se uma ameba gosmenta e nojenta ao sair da estação pela escada rolante na avenida Paulista, junto com centenas de pessoas anônimas, todas mergulhadas em barulhos de motores e buzinas de veículos de vários tamanhos. Enganou-se ao pensar que todos estavam caminhando no mesmo ritmo e trombou com uma senhora que vinha em fluxo contrário. Ouviu um xingamento como resposta, mas ignorou porque estava com fones de ouvido, prestando atenção em um *podcast*. *Podcasts* eram seu vício, ela podia passar horas distraída ouvindo conversas sobre temas diferentes e inusitados.

Apesar de tudo, o caminho do colégio até a Paulista não tinha sido tão ruim quanto pensou que seria. Era a primeira vez que fazia o trajeto até o local do estágio que seu pai havia conseguido (e a obrigado a fazer) no escritório de advocacia de um amigo dele. Aquilo ainda iria se repetir muito nas próximas semanas, e ela imaginou que na verdade seria apenas uma questão de tempo até que começasse a detestar aquele caminho, o metrô, as pessoas, o movimento e aqueles quarteirões ao redor do MASP.

Depois de atravessar uma multidão digna de um apocalipse zumbi, de receber cotoveladas e de quase cair em um bueiro, a garota desvencilhou-se do aperto e respirou fundo, prendendo os cabelos castanhos com mechas azuis em um rabo de cavalo alto. Sentia tanto calor que achou que a tinta que coloria sua cabeleira logo escorreria na sua blusa, e o que ela menos queria era chegar para seu primeiro dia de "trabalho" toda pintada de azul. Ainda bem que o verão tinha acabado! Seja bem-vindo, outono!

Além do vestibular no final do ano, havia a prova do Enem, e tudo o que Anna precisava era entrar em uma boa faculdade. *Boa* para sua família significava convencional e de prestígio. Seus pais sonhavam com o diploma de Direito e acharam melhor ela passar algum tempo assistindo profissionais de verdade no escritório de um amigo, mesmo ela tendo estudado a vida toda em um colégio conceituado e puxado. "Nada como a experiência da vida real", eles diziam. Seus pais adoravam a palavra "conceituado". Apesar de ela ter se oposto o quanto pôde a fazer estágio (afinal, quem quer viver o último ano do ensino médio indo da escola para um trabalho não remunerado?), a rebeldia tinha limites e ela precisaria passar suas tardes, depois do colégio, dentro de um escritório silencioso e gelado em um prédio na Paulista.

Seu pai disse que seria fácil encontrar o local. Era só descer na estação Trianon-MASP do metrô, passar em frente ao museu e seguir em frente, subindo a avenida Paulista na direção da Consolação. Mas ela estava se sentindo exausta demais para pensar com clareza. Em meio à multidão, estava confusa, não tinha prestado atenção em que lado da Paulista havia descido e não sabia direito se deveria ir para a direita ou para a esquerda, então decidiu parar e perguntar para alguém.

Entrou em uma banca de jornal, tirou os fones de ouvido, e encarou uma moça que estava sentada em um banquinho.

– Boa tarde! Sabe me informar onde fica o MASP? – perguntou. A senhora levantou os olhos de uma revista que estava lendo e sorriu, irônica. Anna reparou que a revista era meio pornográfica e disfarçou, mas riu discretamente.

– Você está fazendo algum tipo de pegadinha? – a mulher perguntou, irritada.

Anna Julia não entendeu o tom dela. Por que diabos ela iria sacanear uma pessoa aleatória que nem conhecia? Tinha crescido em uma família rígida em questão de educação, embora sua mãe fizesse o gênero "adolescente sonhadora". Anna ia dizer que só estava cansada e confusa, mas a moça respondeu meio ríspida.

– Você por acaso olhou para o outro lado da rua?
– Ah! Claro! Obrigada!

Anna olhou o enorme prédio logo à sua esquerda, do outro lado da avenida, e se assustou ao ver que nem tinha percebido a enorme construção. Meio constrangida, disfarçou, colocou os fones nos ouvidos novamente e foi para a esquina atravessar para o lado do museu e seguir seu caminho até o prédio do estágio.

João Paulo tocava e cantava, acenando com a cabeça quando alguém parava para escutá-lo por alguns segundos, e sorria em agradecimento quando colocavam moedas em seu pote. Depois de uma hora de músicas variadas, de Rolling Stones a Raul Seixas, o rapaz percebeu que alguém parado perto dele começava a filmá-lo. João se sentiu bem e achou aquilo muito positivo, já que não fariam isso com qualquer porcaria, certo? Sem encarar a câmera diretamente, usou seu carisma, deu seu melhor sorriso, e fez seu show. A pessoa parecia se divertir com aquilo, o que o deixou contente.

De repente, reparou que, em meio ao grupo que o ouvia, passou uma garota com a expressão confusa, mas incrivelmente linda. Tinha uma mecha azul no cabelo castanho, usava óculos de grau e carregava uma mochila bem parecida com a sua. Andava meio alienada, olhando para a frente, sem prestar atenção às pessoas em volta, que desviavam dela com pressa. Ele estava tocando uma balada do Bruno Mars naquele momento e pensou em chamar a atenção da garota, mas não sabia como fazer isso em meio a tanta gente. Saindo do tom da música, começou a cantar um pouco mais alto. Será que ao menos ela olharia para o lado? Quem sabe ela poderia dar uma chance a ele e enxergar todo o seu esforço para dizer, em forma de música, que ela andava de um jeito bonito, que fazia seu coração pulsar mais forte. Ou aquilo era tão brega que ninguém pensava assim?

De repente, a garota diminuiu o passo e o encarou, e o coração de João Paulo realmente bateu fora do ritmo, junto com a melodia. Então, ele percebeu que estava dando pulos, balançando as pernas e a cabeça de um modo exagerado. Parou de repente, meio envergonhado, reparando que a garota andava bem devagar e olhava para ele. O garoto loiro e desengonçado ajeitou a postura e deu seu melhor sorriso, com os lábios carnudos e rosados, o que ele considerava sua arma secreta e sabia que faria sucesso com o público.

Então, a garota retribuiu, meio sem jeito, e ele podia jurar que o céu havia se aberto e jogado um facho de luz em cima dela. O sol refletia em seu rosto e, mesmo com os óculos, ele percebeu que ela tinha olhos inspiradores. Fez um gesto que não sabia se ela entenderia como uma pergunta, indicando que ela tirasse os fones de ouvido e escutasse o que ele cantava, mas a garota apenas deu de ombros. Ele sorriu de forma triste, acompanhando com o olhar a garota continuar seu caminho sem se virar para trás. Se ela estava escutando outra música, tudo bem por ele. Música era algo sagrado, e ele não queria atrapalhar a conexão dela com o que quer que estivesse ouvindo.

Depois que a garota sumiu em meio às pessoas na rua, João Paulo voltou sua atenção para uma senhora que passava com um cachorrinho e sorria abertamente enquanto ele cantava "Eu sou terrível", um clássico de Roberto Carlos. Isso fez com que recebesse algumas notas em vez de moedas em seu pote. Felizmente, o dia havia sido produtivo.

Que o resto do outono fosse assim.

Anna Julia chegou finalmente diante do prédio que era seu destino final, um quarteirão depois do MASP no sentido da Consolação. Olhou para trás e ainda conseguia ver o grande monumento cinza e vermelho. Não gostava de museus, mas seria legal visitá-lo, já que aquele seria seu caminho todos os dias. Como alguém tinha nascido e crescido em São Paulo sem nem sequer conhecer o museu mais famoso da cidade? Anna pausou o *podcast* que estava ouvindo, guardou o celular e entrou no edifício comercial, torcendo para que a tarde passasse depressa naquele escritório. Apesar de o ano ainda não ter chegado nem na metade, parecia que ia durar uma eternidade. A ideia de estudar de manhã e ainda fazer estágio à tarde a deixava, antecipadamente, com dor de cabeça. E, no segundo semestre, haveria ainda o cursinho, que ela faria em vez do estágio, no período da tarde. Que os meses, pelo menos, passassem rápido aquele ano!

Eram 5 horas da tarde quando João resolveu ir embora. Não que realmente quisesse parar de tocar ou que estivesse cansado, mas porque suas aulas extras de canto aconteciam durante a noite em alguns dias da semana e ele já estava em cima da hora para uma delas.

Tinha aprendido a tocar diversos instrumentos sozinho e conseguia tirar de ouvido qualquer música que quisesse. Seu talento era meio infinito para esse tipo de coisa. Ainda pretendia aprender violoncelo, mas até flauta doce ele arranhava. Só que o que sobrava de talento para instrumentos musicais faltava no vocal, e ele tinha certeza de que poderia melhorar muito com estudo e dedicação. Então, naquela noite, João só chegaria ao albergue que chamava de casa por volta das 10 horas da noite. Era cansativo, mas ele não se arrependia de nada. Afinal, havia saído sozinho de Belo Horizonte, aos 17 anos, para estudar em São Paulo e não perderia nenhuma chance. Agora, aos 19, ele sabia da importância de se esforçar e tinha certeza de que um dia seria muito bem recompensado por toda a sua dedicação.

No final da sua primeira semana de estágio, já habituada com a nova rotina, Anna Julia passou todo o trajeto do metrô entre a estação que ficava perto do colégio e a estação Trianon-MASP lendo um livro que tinha pegado na biblioteca. A autora era incrível, ela não conseguia desgrudar das páginas. Como a mulher conseguia escrever tão bem? Na verdade, Anna precisava mesmo ler um texto enorme para uma prova, só que ela não queria abandonar aquele livro sensacional e que era muito mais interessante. O texto da prova ia esperar mais um pouquinho.

Sem nem prestar muita atenção em volta, saiu do metrô andando devagar, ainda compenetrada no livro. Roendo as unhas com a trama, fez o caminho automaticamente, pois já tinha se acostumado com ele. A escada rolante a despejou na calçada da avenida Paulista e ela seguiu andando sem parar de ler. Mal olhava para a frente, mesmo enquanto atravessava a enorme avenida, e não se importava muito de as pessoas esbarrarem nela com frequência.

Foi despertada daquele transe de leitura somente quando passou em frente ao MASP e ouviu uma voz grave e rouca cantando uma música que ela conhecia, do Elvis Presley. Sabia disso porque sua mãe a escutava com frequência, e achava tanto a música quanto o cantor incrivelmente chatos. Não sabia se a música em si era insuportável ou se o fato de ouvi-la tanto a tinha feito criar uma antipatia pelo rei do rock.

Anna abaixou o livro e passou a prestar atenção no movimento da rua. Avistou um pequeno círculo de pessoas em volta do músico. Todos estavam tirando fotos e cantarolando baixinho. Ela percebeu de longe que o cantor era o tal garoto loiro desengonçado que ela havia visto nos dias anteriores.

Todos os dias, Anna passava apressada e o via no vão do MASP tocando e cantando. Mas ele não tinha olhado para ela nem um dia sequer desde a primeira vez que ela havia passado por ali. Nem mesmo virado o rosto, porque estava encarnando o personagem e tentando dançar de forma engraçadinha para os espectadores. Anna continuou então seu caminho, voltou a abrir o livro e seguiu em frente, focando em terminar pelo menos mais uma página até chegar à portaria do prédio do estágio.

João Paulo havia conseguido arrecadar, em cinco dias úteis, mais dinheiro do que imaginou que faria durante todo o mês de março, e já começava a segunda semana da sua missão de tocar nas ruas de São Paulo. No início daquela tarde, foi sorrindo em direção ao banco depositar o dinheiro obtido com seu projeto. Com ele, pretendia ajudar uma senhora que morava em um bairro humilde da periferia e que dedicava seu tempo em cuidar de vários animais de rua abandonados.

João se sentiu bem ao sair da agência bancária, ainda mais animado pelo dia cansativo que viria. Ficar em pé durante horas, no sol ou na chuva, com a garganta seca e com o estômago roncando de vez em quando não era um problema se ele conseguisse, no final, ajudar quem precisava. Na verdade, adorava aquele desafio e amava ver a reação de pessoas tão diferentes ao ouvir sua música. Tudo era gratificante.

Voltou ao vão do MASP, seu ponto de sempre, e começou a se preparar para mais uma tarde de canções. O vento frio soprava, a temperatura estava um pouco mais baixa que nos dias anteriores, e ele fechou o casaco. Em alguns minutos, seria hora do almoço, o horário mais movimentado da Paulista, e ele precisava estar com tudo pronto.

Ainda com frio, mas explodindo de animação, João começou a tocar uma música que adorava ouvir repetidamente e que fazia parte de sua *playlist* favorita. Dedilhando o violão, com os olhos fechados, começou a tocar "Thinking Out Loud", do Ed Sheeran, e sentiu seu corpo aquecer-se por dentro. Já não sentia mais frio. Aquele era o tipo de música que ele gostaria de ter escrito. Aquele era o tipo de amor que gostaria de poder viver todos os dias. Era uma enorme inspiração. Ainda de olhos fechados, deu tudo de si para mostrar às pessoas que a música poderia ser assim: um retrato do que diz o coração.

    João sorria, pois se sentia imensamente feliz. Acontecia sempre que cantava uma canção que parecia perfeita para sua vida, que o descrevia, que o fazia se sentir parte do mundo. Abriu os olhos vagarosamente e percebeu que havia uma pequena plateia diante dele. Um grupo de estudantes dava risadinhas e tirava fotos, fazendo com que o rapaz corasse envergonhado. Uma adolescente levantou o polegar, em sinal de aprovação. João agradeceu com a cabeça e continuou o que sabia fazer de melhor. Cada vez mais pessoas paravam para ouvir o jovem e deixavam algum dinheiro. Naquele dia, mais garotas que o habitual pararam para ouvi-lo cantar, e até o assediaram.

    – Como ele é lindo! – uma delas disse baixinho para a amiga, que estava ao lado tirando fotos.
    – Ele canta tão bem!
    – Essa é a minha música favorita!
    – Vou postar o vídeo na internet!

    Enquanto andava pela Paulista, Anna Julia gargalhava sozinha com a história que estava ouvindo no *podcast* sobre um filme que tinha acabado de estrear. Suas amigas não curtiam tanto aquilo e preferiam colecionar pôsteres do One Direction, fazer petição na internet pelo álbum novo do McFly ou sair para noitadas e chopadas de faculdade, e não davam muita atenção a coisas que eram muito legais na opinião dela.

Passando em frente ao MASP, reparou em um grupo de gente aglomerada. Apertou os olhos e chegou mais perto, parando de prestar atenção ao *podcast* sem perceber. Viu que várias garotas davam pulinhos, animadas, como se alguma celebridade estivesse ali no meio. Aquilo não era tão incomum de acontecer na região, ela até já havia visto uma vez um grupo de música pop coreana andando por ali, como se não quisesse nada (mas rodeado de câmeras!). O mundo havia se tornado realmente pequeno, e aquela avenida era como uma passarela.

Anna chegou mais perto do tumulto e, olhando entre as pessoas, viu que a animação de todos tinha um motivo bem real: o músico de rua, aquele mesmo garoto loiro que tinha chamado a atenção dela no outro dia. Parada em frente a ele, notou como o garoto parecia envergonhado e desconfortável com tantas meninas em volta o assediando. Quem o visse pela primeira vez, daquela maneira, até poderia pensar que ele, bonito daquele jeito, não estava acostumado com a atenção de tantas garotas! Anna percebeu que ele notou sua presença, pois o rapaz tirou os olhos da multidão e a encarou, e depois sorriu. Era como se ele estivesse lendo sua mente. Ela não desviou o olhar e sorriu de volta, embora não estivesse ouvindo uma palavra do que ele cantava. O som de vozes e risadas nos seus fones de ouvido continuava bem alto, mas ela não se importava. E aparentemente nem ele, já que parecia feliz com sua presença, mesmo que ela não ouvisse sua música. Ficaram alguns segundos assim, apenas se encarando e trocando sorrisos.

De repente, Anna olhou para o celular, depois de ter seu braço quase arrancado por um senhor estressado que passou esbarrando nela, e percebeu que estava atrasada para o estágio. Arregalou os olhos e viu que o garoto fez o mesmo, sem perceber, imitando sua expressão. Ela sorriu novamente, tirou do bolso o dinheiro que tinha para o almoço, e colocou no pote à frente do músico. Virou-se para ir embora, mas olhou para trás, rapidamente, acenando para ele. Logo depois, correu o último quarteirão de seu caminho e entrou apressada no prédio, torcendo para a secretária não anotar seu atraso na ficha de relatório. Seu pai acabaria sabendo, e ela iria tomar bronca, na certa.

Vendo a garota dos seus sonhos dar adeus e sair correndo depois de deixar um pouco de dinheiro no pote, João sentiu seu coração bater mais rápido, e um nervosismo que não estava ali antes começou a surgir. Seu dia, de repente, tinha ficado melhor. Ele não tinha visto aquela menina nos últimos dias e, se isso era possível com alguém que ainda nem conhecia, notou que estava com saudades. Saudades de um rosto que tinha visto só de passagem e que ainda não tinha um nome e nem voz. Saudades de alguém que ele nem sabia se era real ou não. Era algo estranho, mas, como Ed Sheeran dizia, *people fall in love in mysterious ways* (as pessoas se apaixonam de maneiras misteriosas).

No fim da sua segunda semana como aprendiz de advogada, enquanto se trocava no banheiro da escola depois da aula (ninguém merece ir para o estágio de uniforme, como se fosse uma criança de maternal) e prendia os cabelos em uma trança desgrenhada, Anna Julia parecia distraída. Sua mente divagava, como acontecia o tempo todo, e ela pensou no garoto que tocava música na rua. Acabou sorrindo sozinha, chamando atenção de Fernanda, sua melhor amiga, que passava um gloss meio melecado na boca. Anna realmente não entendia como as pessoas usavam esse tipo de maquiagem, e nem como os garotos achavam isso atraente. Para ela aquilo era só nojento. Mas é claro que não falaria isso, não dessa maneira, para a amiga. Sua (com certeza) única amiga.

Anna Julia era muito inteligente e agitada, mas o que seu cérebro fazia de melhor era ignorar as pessoas (e coisas) à sua volta, e isso acontecia com uma enorme frequência na escola, onde gente esquisita e sem perspectiva de vida se encontrava e tentava interagir, em uma realidade bem diferente da maioria da sociedade. Não tinha coisa mais irritante do que ter contato com quem não fazia ideia do que estava falando, e Anna tinha certeza de que, com o tempo, havia se tornado introspectiva e rabugenta.

– Por que você está sorrindo assim, do nada? – Fernanda perguntou, mexendo a boca grudenta e brilhante.

Anna franziu a testa, pois tinha sido pega de surpresa. Balançou a cabeça e pensou um pouco, ponderando se valia a pena conversar sobre o assunto. Mas ela precisava desabafar.

– Algumas vezes, quando estou indo para o estágio depois da aula, cruzo na rua com um garoto que fica em frente ao MASP... – Anna começou, mas Fernanda logo interrompeu com um gritinho alterado, em uma frequência tão aguda que certamente todos os morcegos da redondeza captaram.

– UM GAROTO? Como ele é? Bonito? Forte? Vocês se beijaram?

– Fernanda, cai na real! – Anna riu alto, tentando esconder a vergonha. – Eu nem sei quem ele é, não o conheço ainda. Ele só fica lá... parado, tocando violão e aparentemente cantando alguma música chata. Mas o rosto dele não sai da minha cabeça...

– Mas ele é bonito?

– Não é exatamente feio – Anna pegou a mochila e saiu do banheiro.

Fernanda juntou rapidamente as coisas dela que estavam espalhadas na pia e correu atrás da amiga.

– Mas ele falou com você? Seja mais descritiva e completa aqui, por favor! Estou louca por uma boa história de amor! Você sabe que preciso de uma para terminar a redação de Português e, além disso, é bom viver um pouco por conta das minhas amigas! – Fernanda choramingou.

127

– Vá ler um livro! Eu te falei daquele que eu estava lendo e você ignorou, mas é a sua cara! Ou escreva sobre como o seu ex-namorado era um babaca e hoje te manda aquelas cartinhas ridículas de 5º ano. Com ortografia de 5º ano!

Anna Julia desceu as escadas do colégio em direção à rua. Fernanda torceu o nariz negando veementemente, sem nem se lembrar de ter ouvido a amiga falar nada sobre livro nenhum.

– Mas você ainda não trocou nenhuma palavra com o cara?

– Não falei com ele porque não sou esquisita. Ninguém sai falando com alguém que não conhece, né?

– Mas, se você não fala, não tem como conhecer alguém novo! Quem sabe se você esbarrar nele quando passar? Joga seu charme... Ou então...

– Sem chance! Sem nenhuma chance. – Anna olhou as horas no celular e se apavorou. – Droga, estou atrasada de novo, te vejo amanhã!

Acenou e saiu correndo pela rua, torcendo para que o metrô não estivesse muito lotado, e Fernanda ficou na calçada do colégio, de braços cruzados, esperando a carona de sua mãe como sempre fazia. Anna colocou os fones de ouvido, ligando no *podcast* do dia e tentando tirar um pouco o músico de rua da cabeça. Que tipo de masoquista ela era? Justo ela, que mal tinha saído de uma decepção amorosa, já se dispondo a entrar numa fria de novo? Um absurdo!

Dentro do metrô, mordiscando o sanduíche de atum que sua mãe havia preparado para seu almoço, Anna se desligou do que estava ouvindo nos fones e, embalada pelo movimento do trem, mergulhou em lembranças. Sem motivo aparente, se lembrou de que estava no 3º ano do ensino médio e nunca havia namorado ninguém. Namorado, tipo oficialmente e com *status* no Facebook. Tinha beijado três garotos na vida (um deles ela nunca mais olhou na cara porque o garoto começou a cantar Los Hermanos depois do primeiro encontro) e nem tinha gostado muito, mas ela não queria ser a última da sua turma a fazer isso (ser BV no ensino médio era motivo para ser ridicularizado, ainda bem que as coisas pareciam estar mudando).

A verdade é que beijar e sair com garotos nunca tinha sido sua prioridade. Ela, no fundo, até achava bem ridículo quando parava para pensar. Nem tinha realmente se apaixonado por nenhum deles! Anna Julia ouvia de seu pai o tempo todo que relacionamentos eram complicados e que isso deveria estar no final da lista de objetivos dela. O primeiro item da lista, claro, era se formar em Direito. Anna acreditou, durante muitos anos, que ser advogada ou juíza (e, quem sabe, até desembargadora) era seu maior sonho. Assistia a diversos seriados de escritórios de advocacia e, aos 13 anos, já tinha decorado mais do Código Civil e Penal que muitos formandos em Direito, que estudavam para o exame da OAB (Ordem dos Advogados do Brasil) por um longo período, tendo até que dormir em bibliotecas. Mas, aos 17, já não sabia mais se o sonho era dela mesma ou de seus pais. Não sabia onde o limite do que ouvia e repetia em casa coincidia com o que realmente queria. E isso estava sendo bem difícil, na real.

Quando entrou para o ensino médio, já não era mais BV e era uma das primeiras da classe em quase todas as matérias. Mas Anna se apaixonou por um garoto do 3º ano, baixinho e de nariz comprido, que sempre a fazia rir quando conversavam. Ele também queria estudar Direito e logo se tornaram amigos. Anna sonhava em poder ser sua namorada. Seria perfeito, certo? Eles tinham tudo a ver e eram muito parecidos! Foi descobrindo, aos poucos, que as coisas não eram assim tão fáceis, e teve seu coração partido antes do que imaginava.

O garoto, cujo nome ela prefere esquecer, chamando-o de INCONSTITUCIONAL (que é algo contra a Constituição e, portanto, um *idiota*), ficou com ela em uma social na casa de uma amiga e, no dia seguinte, fingiu que não a conhecia na escola. Foi o maior choque que Anna já teve na vida. E, antes, ela achava que o maior tinha sido descobrir (aos 13 anos, porque sua inteligência acima da média tinha permitido) que sua mãe já não estava tão apaixonada por seu pai como quando se casou com ele (sua mãe sempre falava em todos os caras que ela queria ter namorado e o quanto o pai dela era um "canalha"). Mas nem descobrir isso foi tão difícil quanto cumprimentar o INCONSTITUCIONAL no meio de todo mundo, e ele simplesmente olhar para o lado e fingir que ela era um cocô de cachorro. Anna perguntou o motivo, enviou mensagens, tentou descobrir o que estava acontecendo e, depois de vários dias chorando e sem conseguir dormir, recebeu um "pode parar de me perseguir? Eu não te prometi nada". Ele realmente não tinha prometido nada a ela. Anna só tinha sido burra o suficiente por pensar que, indo para a faculdade e sendo tão inteligente e bonito, o INCONSTITUCIONAL (aquele imbecil!) iria querer ficar com ela, uma criança sem experiência.

Daquele dia em diante, deletando as mensagens dele e seu contato do celular, e o bloqueando nas redes sociais, Anna Julia prometeu a si mesma que nunca mais colocaria seu coração à disposição. E todas as músicas de amor que sua mãe ouvia em casa, que cantava enquanto fazia as unhas e se arrumava, só afirmavam ainda mais o que ela pensava sobre coisas que mexiam com seus sentimentos: elas não valiam nada.

Anna Julia saiu do metrô e foi andando em direção ao MASP. Ao avistar o músico de rua, parou a uma distância segura o suficiente para que não fosse percebida. Ele começou a tocar algo irritante que ela não conseguia e nem tinha necessidade de ouvir, mas queria observar um pouco aquele rosto que não saía da sua cabeça e que a deixava confusa. O som do *podcast* estava alto, como sempre, e ela mal ouvia as buzinas dos carros que passavam na avenida.

Foi pega de surpresa, pois ele a localizou, mesmo de longe, e a encarou, sorrindo. Sentiu seus lábios se transformarem em resposta ao imitar a expressão do garoto, que achava bonito, sim, mas totalmente esquisito e desengonçado. Pensou que ele era quase estranho e certamente maluco por querer chamar tanto a atenção dela. Ou, então, talvez ele só precisasse mesmo de dinheiro e quisesse conquistar seus poucos trocados para o lanche da tarde.

Anna viu que ele mexeu os lábios de forma significativa, como se estivesse perguntando algo que não tinha a ver com a música que tocava. Então se aproximou dele e prestou atenção, mostrando com gestos que não tinha entendido ainda a pergunta. Ele repetiu apenas mexendo os lábios, sem emitir som: "Como é o seu nome?".

"Anna Julia", a garota respondeu, formando as palavras de forma exagerada como se falasse em câmera lenta. Ele sorriu, como se tivesse entendido, mordendo o lábio inferior em contentamento e olhando para os pés.

Anna balançou a cabeça, encarando o relógio do celular e vendo que chegaria atrasada de novo se não andasse logo. Não queria que os atrasos se transformassem em hábito! Ótimo feito para uma futura e eterna praticante da lei. Então, apressou o passo, andando na direção do garoto (que era a direção do estágio), mas desviando dele sem olhar para seu rosto. Não poderia encará-lo, seria estranho demais trocar olhares demorados com alguém que não conhecia. E ele agora tinha certa vantagem sobre ela pois sabia seu nome! Deixou o MASP para trás rapidamente, mas, antes de se distanciar muito, em uma parada brusca das vozes do seu *podcast*, conseguiu ouvir a música que ele tocava, ao longe.

– *Quem te vê passar assim por mim, não sabe o que é sofrer. Ter que ver você assim... sempre tão linda. Contemplar o sol do teu olhar, perder você no ar, na certeza de um amooor...*

Anna parou sua caminhada bruscamente e se virou para trás, tendo certeza de que a música saía da boca do garoto e não direto do diabo no inferno. Era possível que alguém, durante toda a sua vida, não cantasse aquela música dos Los

Hermanos quando ela contava qual era seu nome? Aquilo era extremamente irritante! Por que foi logo dizer seu nome composto para ele? Ela sabia que isso poderia acontecer, sempre acontecia. Coçou a cabeça, parada, tentando decidir se abordava o músico com uma bronca fenomenal ou se o ignorava e nunca mais passava por lá daquele dia em diante. Decidiu pela primeira opção, já que o MASP e a Paulista, palco do garoto (agora) irritante (demais), era um caminho necessário e o mais curto para o estágio. Deu meia volta, tirou os fones do ouvido e marchou em direção a ele, sem pensar direito.

– Não é muito óbvio cantar "Anna Julia", do Los Hermanos, depois que sabe meu nome? – ela perguntou, interrompendo a música que ele cantava.

João parou de tocar assim que percebeu que a garota falava com ele, de forma irritada, sendo seguido por olhares de reprovação dos ouvintes da rua. Na verdade, ele levou um susto enorme, porque a tinha visto se distanciar e não imaginou que ela voltaria para falar qualquer coisa. Seu coração disparou de repente ao ouvir a voz aguda dela, mas tentou se recompor.

– Não é pretensioso achar que estou tocando essa música pra você? – ele sorriu, tentando parecer confiante, se recompondo. Ela apertou os olhos, sem entender aonde ele queria chegar, analisando a expressão do seu rosto. A voz dele, ao falar, era mais grave e sexy do que quando cantava, e Anna subitamente ficou obcecada por seus lábios grossos e vermelhos. – Achei que você não estivesse me ouvindo.

– E não estava mesmo! – a garota disse com raiva, soltando os cabelos, que estavam presos em um rabo de cavalo, e os amarrando em um coque desgrenhado. Em seguida, escondeu os fones de ouvido no bolso, envergonhada. Não sabia bem o que dizer ou sentir. – É só que... é sempre assim. É frustrante. Eu digo meu nome e não tem uma alma viva, jovem ou adulto, que não comece a cantar essa música pra mim! E eu nem gosto dela nem de música nenhuma, então não tinha como ser mais irritante. Recitar Shakespeare ou citar um livro, pra quê? "Ô, Anna Juliaaa" é tão mais fácil!

João ficou confuso com a maneira como ela reagiu, demonstrando estar tão chateada, e sentiu uma pontada no peito sem saber bem por quê. Não queria deixá-la triste, já que para ele era uma canção bonita, que adorava!

— Mas é uma música tão poética! – ele insistiu, docemente.

Anna ficou um pouco vermelha, ainda mais envergonhada, sem entender por alguns segundos por que estava atacando um estranho por causa de uma insegurança tão pessoal. E ele tinha um sorriso tão encantador! Definitivamente, precisava parar de encarar sua boca. O garoto continuou:

— Prometo que não vou tocar mais essa música na sua presença, Anna. Posso te chamar só de Anna?

— Se não for mesmo começar a cantar de novo...

— Eu vivo pra cantar. – Ele colocou a palheta que usava entre os dentes e dedilhou algo rápido no violão. Anna não sabia o que era, mas, mesmo com o barulho da avenida ao redor, conseguiu ouvir algumas notas. O som era agradável, mas não fazia muito sentido. Nunca tinha ouvido antes. – *I am the eggman, they are the eggmen, I am the walrus, goo, goo, g'joob...* – ele murmurou, sorrindo, ainda com a palheta na boca. Anna franziu a testa, vendo que ele estava transpirando, e que aqueles cabelos loiros, ligeiramente sem corte, grudavam em sua testa. O dia estava curiosamente quente demais. O outono de São Paulo tinha esse dom estranho de fazer as pessoas saírem de casa sem saber o que esperar do clima.

— Que música é essa?

— Todo mundo tem uma música irritante com seu próprio nome ou algo interessante pra contar sobre ele. Alguns dão sorte, como "Anna Julia", que tem um ritmo legal e a letra que parece com você. É bonita. – Enquanto ele falava, Anna sentia as bochechas ficarem vermelhas. Seria um elogio para ela? Tinha ouvido direito? – Meu nome foi uma homenagem dos meus pais *hippies* a dois ídolos que escreveram essa música específica que cantei, "I Am the Walrus", que é literalmente a mais esquisita do mundo. John Lennon e Paul McCartney, dos Beatles. E ridiculamente eu me chamo João Paulo.

Ele riu, desconfortável, colocando a palheta novamente entre os dentes. A forma como fazia aquilo era quase sensual, e desconcertou Anna por alguns segundos. Ela precisava mesmo parar de olhar para aquela boca? Era muito difícil!

– Nunca ouvi falar dessa música antes... João. E não é a mesma coisa. Eu acho.

– Você deveria ouvir, é um clássico. Um clássico estranho, porém um clássico.

Anna bufou levemente, vendo que algumas pessoas estavam observando os dois à sua volta, embora a maioria simplesmente passasse alheia à discussão em plena avenida Paulista. A garota, ainda envergonhada, olhou para João Paulo.

Ele ajeitou o cabelo, com a palheta na boca, observando-a pelo canto dos olhos. Queria pedir para que ela ficasse ali, porque estava se sentindo bem com a presença dela. De alguma maneira, o encontro deles parecia obra do destino, mas achou que seria presunçoso e muito, muito esquisito. O que fazer? Ele não sabia lidar com essas situações. Tinha medo de abrir a boca, como nos filmes ruins de comédia, e soltar uma piada sem graça ou simplesmente gritar algo como "eu gosto de batata", porque era assim que se sentia com ela ali ao seu lado. Sentia-se nervoso, incerto, ridículo.

– Eu disse que não vou mais cantar sua música perto de você, não precisa insistir. – Ele bateu com a palheta nas cordas do violão, sem olhar diretamente para ela. A mão estava tremendo um pouco, e João viu que a menina tinha ficado sem saber o que dizer ou fazer, só roendo as unhas. – Se quiser ficar para o show, minha *setlist* descolada inclui Michael Bublé, Beatles, Charlie Brown Jr., e uma música horrível do Johnny Cash, que as pessoas gostam muito do ritmo e não fazem ideia do que significa de verdade.

– Não, obrigada. Eu tenho estágio, *felizmente* – ela enfatizou a última palavra, rolando os olhos e fazendo o garoto rir. – Mas espero que tenha um bom show! E que fique muito rico! – falou de forma irônica, colocando a língua para fora, enfiando os fones nos ouvidos novamente e correndo para a esquina da próxima rua.

Quando seu coração parou de bater de forma ensurdecedora, Anna sentiu que estava corada de vergonha e que teria de arrumar um jeito de nunca mais passar por aquele lugar. Pelo resto da sua vida.

João, sorrindo sozinho de forma quase boba, buscou na memória uma música que poderia representar o que estava sentindo naquele momento. Olhando na direção para onde Anna havia corrido e sumido, sentiu que nada no mundo seria impossível, como se ele fosse um personagem de filme ou de um clipe musical. Seu coração estava disparado e a adrenalina ainda corria pelo corpo, jogando inspiração e animação por todas as suas veias.

Ele sempre foi muito tímido, e coisas que aconteciam de repente, como a maneira como Anna Julia tinha ido em sua direção e começado uma conversa (ou melhor, uma discussão), o deixavam nervoso e desconcentrado, com as mãos ligeiramente suadas. Normalmente, isso seria algo ruim, mas ele usava essa sensação de susto e emoção para se expressar pela música, para falar com o coração e expor seus sentimentos ao mundo. Fazia isso havia muitos anos, desde que havia descoberto os instrumentos, os sons, as melodias e os ritmos, que faziam a música ser mais eficiente do que a fala para expressar o que sentia. Para ele, a música atingia a alma, o corpo inteiro, e não tinha como ser ignorada. Anna Julia, aquele dia, tinha sido prova disso.

Ainda sorridente, sentindo o som do coração pulsar pelo corpo inteiro, fechou os olhos e respirou fundo. Havia muitas músicas que expressavam como ele se sentia naquele momento, porque para ele era assim que funcionava. Ele cantava e sentia, e isso tornava a música ainda mais especial. Nada feito com o coração passava despercebido! Pensou em "Haven't Met You Yet", do Michael Bublé, que era um músico incrível. Pigarreou, torceu para não desafinar muito, bateu os pés para marcar o ritmo, e começou a cantar.

Já tocando há pelo menos uma hora, João reparava em todas as pessoas que passavam, para saber se Anna Julia calhava de querer vê-lo de novo, como no dia anterior. Mal tinha conseguido dormir, de tanta ansiedade, sentindo a cabeça viajar em inspiração e músicas diversas. Não sabia como pessoas comuns faziam para lidar com isso, porque tinha noção de que ser ansioso não tornaria ninguém mais produtivo, muito pelo contrário. Mas ele, como músico e sonhador, sim. Ele cantava. E a busca por Anna Julia naquele início de tarde não estava saindo como o esperado.

Mas depois de alguns trocados, um empurrão e o som de um trovão ao longe, viu os cabelos azuis e castanhos passarem a uma certa distância, rapidamente. Ele sorriu, se sentindo bobo. Ou ela realmente não se importava e não se lembrava dele, ou definitivamente não queria encontrar com ele de novo. A primeira opção era muito dolorosa, preferiu pensar que era o caso da segunda. Tentou chamar a sua atenção, mas foi ignorado enquanto multidões passavam na sua frente e bloqueavam sua visão, sem que ele pudesse fazer nada. E isso aconteceu por mais alguns dolorosos dias.

João tinha essa ideia de que o mundo era feito de sons. Que até as cores e formas que as pessoas enxergavam todos os dias eram apenas realizações do que escutavam ou colocavam para fora. O silêncio também criava momentos, sentimentos e uma outra realidade. Ele sabia que não tinha nada de científico nisso, mas gostava de pensar que tudo era energia e que toda onda provocava algum som. Ouviu a vida inteira seu pai falando sobre aura, energias diversas e como tudo isso afetava o ser humano, no subconsciente. Vir de uma família *hippie* e progressista talvez explicasse a forma como tinha se tornado alguém pensativo e sem muitos amigos, que vivia bem sozinho. João achava que a música era a matéria principal desse mundo energético e que, como vibração, mexia com o inconsciente e com a vida das pessoas.

Anna Julia, pelo visto, não conseguia entender como sons interferiam na vida dela, o que deixou João Paulo extremamente curioso pelas próximas duas semanas, enquanto prestava atenção nos diferentes horários do dia, procurando a garota pela multidão.

Abril tinha começado ensolarado, mas, no final do mês, os dias já estavam ficando mais frios. Se o outono já era uma estação com um clima inconstante, em São Paulo isso não tinha limites. Anna Julia nunca sabia se colocava um casaco na mochila, se levava guarda-chuva ou apenas um gorro para evitar que os ventos fortes bagunçassem totalmente seu cabelo. Como a manhã tinha sido clara, decidiu deixar o guarda-chuva com a sua amiga, Fernanda, depois da aula, e rumar para o estágio apenas com uma blusa de manga comprida, mas logo no metrô soube que aquela tinha sido uma ideia errada.

As pessoas comentavam sobre como tinha chovido de manhã na Paulista e que provavelmente não iria parar tão cedo e, em vez de se preocupar em como poderia ficar completamente molhada, Anna logo pensou no músico de rua, João Paulo, o cara com o nome em homenagem a dois Beatles, o esquisito que normalmente estava ali naquele horário. Será que em dias de chuva ele ficava em casa?

Ficou um pouco irritada por estar preocupada com um garoto que nem conhecia. Ele não teria ficado preocupado com ela, certo? Não tinha por que pensar nisso. Lembrou do

INCONSTITUCIONAL. Sentimentos como aqueles não tinham a mínima utilidade naquele momento. Respirou fundo quando o metrô anunciou a parada na estação Trianon-MASP, guardou no bolso o celular com o *podcast* pausado e foi junto com a multidão em direção à rua. Chovia forte, mas não havia nada que pudesse fazer já que estava sem o guarda-chuva. Enfiou as mãos nos bolsos da calça jeans e saiu com o passo apressado, seguindo o fluxo de pessoas.

João Paulo sacudiu um pouco o casaco verde pesado, que era quase maior que ele, antes de entrar no Starbucks que ficava do outro lado de onde costumava passar as tardes na Paulista. A chuva tinha engrossado de repente, e ele precisava de um café forte para esperar pacientemente a hora de poder voltar a tocar. Dias chuvosos não eram muito lucrativos, mas ele não podia desistir. A meta de arrecadação de abril para ajudar a associação de resgate a animais de rua era maior do que a do mês anterior, e João tinha certeza de que, com muito trabalho, ele iria conseguir, embora faltasse pouco para a data final. Um dia chuvoso não estragaria isso.

Com o café quente nas mãos, debaixo da marquise da loja, junto a algumas pessoas molhadas que também estavam se protegendo das gotas geladas, viu um rosto conhecido chegar. Anna Julia sacudia os cabelos e espantou-se quando o olhar dos dois se cruzou. Ela parecia ter saído de uma piscina, pois estava totalmente encharcada, abraçada a si mesma. Provavelmente estava com frio, pois seus lábios tremiam, e aparentava estar extremamente irritada. João deu um leve sorriso ao pensar que a garota sempre parecia mal-humorada, como se lutasse contra o mundo o tempo todo. Ele achava aquilo adorável.

Anna desviou o olhar e ficou parada ao lado do rapaz. João sorriu mais ainda, enquanto bebericava seu café, percebendo o desconforto dela ao encontrá-lo ali. Era muito fofo.

– Que ótimo dia para um encontro – João disse, tentando puxar papo. Anna olhou para ele, precisando levantar um pouco a cabeça, o que a fez se surpreender com o tamanho do rapaz. Ela não tinha percebido como ele era alto.

– Ótimo dia para passear na Paulista sem precisar ouvir músicas irritantes – sorriu, debochada. Voltou a encarar o chão, tremendo. João fez uma careta, concordando com ela, e estendeu o copo de café. A garota negou.

– Não estou oferecendo. Só pedindo pra segurar por alguns segundos.

Anna franziu a testa e segurou o copo, sem saber como responder àquilo. Viu João apoiar o *case* do violão no chão, ao lado de seus pés molhados, tirar o casaco pesado, que parecia bem quentinho, e colocá-lo nos ombros dela, pegando o café de volta. Anna ia dizer algo grosseiro, mas sentiu uma onda de calor tão boa trazendo conforto ao seu corpo, que decidiu ficar calada. João voltou a bebericar sua bebida em silêncio.

– Obrigada... – disse baixinho, depois de alguns segundos. Ele sorriu, concordando.

– Você não gosta de música.

– Não gosto. Fico irritada, acho – Anna mordeu os lábios. – Mas você gosta muito pelo jeito!

Ele fez sinal de positivo com a cabeça, quase desesperado por atenção, e a garota se sentiu idiota por fazer uma constatação tão boba. *Anna Julia, sua besta, é por isso que relacionamentos não servem para você!*

– Eu vivo disso. Estudo no Conservatório ali na 9 de Julho e vou compor tantas músicas famosas que você vai precisar aprender a gostar de cada uma delas no futuro.

– Ah, duvido! – ela riu alto e arregalou os olhos, tentando se corrigir. – Quer dizer, não que eu duvide da sua capacidade, errr..., de criar músicas fantásticas e famosas e tudo mais. É só da minha capacidade de gostar delas, entende? Eu não acho que entenda, eu...

– Eu entendo – João sorriu, achando divertida a forma como ela estava se enrolando para manter uma conversa.

Anna apenas passou as mãos pelos cabelos molhados e voltou a encarar o chão. João sentia que tinha encontrado alguém mais estranho que ele e continuou:

– O que você tanto ouve com os fones de ouvido, todos os dias?

– São *podcasts*! Como a maioria é semanal, preciso ouvir vários diferentes, e com o tempo acabei conhecendo muitos pela internet! – a garota pareceu animada ao falar daquilo, e João só concordou. Nunca tinha ouvido um *podcast* na vida, mas não era importante no momento. E ela começou a descrever vários dos quais gostava. De repente, percebeu que estava se excedendo. – Ai, isso é chato pra você, né? Desculpa, eu não sei a hora de parar de falar!

– Não, não! – João mexeu as mãos porque queria continuar ouvindo-a falar sobre qualquer coisa de que gostasse. Estava descobrindo os sons da voz dela e estava encantado. – Eu nunca ouvi um, mas deve ser interessante, já que você gosta tanto.

– É realmente muito legal. É basicamente ouvir pessoas conversando o tempo todo sobre um tema específico, mas sinto como se fossem meus amigos e eu estivesse participando daquilo. Parece meio ridículo...

– Não é ridículo, mas... não parece inspirador só ouvir pessoas conversando ou falando por horas a fio sobre assuntos parecidos – ele ponderou, bebendo um gole do café, pensativo. Não queria dizer, mas a ideia o lembrava de jantares em família, e aquilo era sempre chato demais.

– É hipócrita falar isso, porque é exatamente o que a música faz. Quer dizer, são vozes de pessoas falando sobre amor e coisas que todo mundo fala.

– Mas música tem melodia!

– Conversas também! – Anna retrucou mais alto que ele.

João cerrou os olhos encarando o rosto da garota. Como ele ficou alguns segundos calado, mordendo os lábios, Anna sabia que tinha ganhado a discussão. Sorriu, vitoriosa, puxando o celular do bolso e entregando um dos fones de ouvido para ele. João aceitou, ainda desconfiado, mas achando aquela uma ótima desculpa para chegar um pouco mais perto dela, já que o fio do fone era curto.

Sem mais nem menos, e sem que ele pudesse pensar, três pessoas começaram a falar depressa. Uma voz masculina começou a rir e a outra pessoa continuou contando uma história que parecia estar pela metade. Anna riu junto e João pensou que deveria ter prestado atenção ao assunto, então tentou se concentrar. Depois de poucos minutos, ele notou o que Anna tinha dito sobre conversas serem melódicas, algo que nunca tinha percebido antes. Apesar de três pessoas estarem falando ao mesmo tempo, comentando e indagando sobre um jogo que ele não conhecia, João conseguia distinguir as vozes, entender o assunto, e realmente sentir que fazia parte da conversa. Tinha melodia e ritmo e não era a bagunça que ele estava esperando. Foi uma descoberta animadora e positiva.

Anna reparou que a chuva havia diminuído e sentiu João cutucando seu braço, devolvendo o fone de ouvido. Foi como acordar de um sonho, já que ela tinha se distraído em poucos minutos. O garoto bonito e desengonçado estava perto demais, encarando seu rosto e sorrindo. Anna conseguia ouvir seu coração batendo muito mais forte que o usual, e torcia para que ele não ouvisse também. A impressão era que todo mundo podia ouvir, o que era assustador.

– Acho que você vai chegar atrasada se não correr – João disse, apontando para o celular. Anna encarou as horas e soltou um palavrão, batendo os pés de forma infantil. Voltou a olhar o garoto, dando um pequeno passo para trás, para tentar não ficar tão perto dele. LEMBRA DO INCONST... ah, que se dane!

— Se seus pais são *hippies*, os meus são o oposto disso. Se descobrem que eu me atrasei para o estágio por ficar ouvindo *podcasts* com um garoto, vão me mandar para um colégio interno! — Anna riu, sentindo as bochechas vermelhas.

João sorriu também, achando engraçado o jeito como ela falava, quase se desculpando. Viu a garota dar de ombros e acenar, colocando as mãos nos bolsos, correndo para fora do Starbucks e desaparecendo na esquina da Paulista. Ele tentou beber mais do seu café, mas o copo estava vazio. Sorriu sozinho, de repente, ao lembrar que ela tinha ido embora com o seu casaco.

Anna Julia correu o máximo que pôde, atravessando a avenida Paulista e parando ofegante em frente ao edifício do escritório. Fez uma trança rápida nos cabelos molhados de chuva, enquanto subia as escadas correndo, desengonçada e esperando não estar muito atrasada. Só na entrada da sala, quando precisou tirar o casaco, é que ela notou que não o tinha devolvido ao garoto! Ela estava com o casaco do João! Pensou em voltar correndo para a rua para tentar encontrá-lo no Starbucks novamente, mas acabou perdendo a motivação quando olhou para o relógio e viu a secretária abrir a porta para ela. Não daria tempo.

Ansiosa e sem saber como agir, esperou e torceu para que pudesse encontrá-lo depois, talvez em frente ao MASP. Ele certamente estaria desesperado, achando que ela tinha roubado algo seu. Anna não conseguia acreditar em como era sem noção!

Já eram 6 horas da tarde quando o advogado que a garota seguia o dia todo, como um cão sem dono, decidiu ir embora e liberá-la da sua árdua e tediosa tarefa de tirar fotocópias, carregar pastas e papéis e arquivar processos. Anna Julia, distraída, desceu as escadas do prédio correndo. Sabia que tinha de ter prestado atenção em tudo que o Doutor Côrrea explicava, já que era algo que realmente importava para o seu futuro, mas só conseguia pensar se João ainda estaria no MASP, esperando por ela, e acusando-a injustamente de ter ficado com seu casaco.

A tarde demorou muito mais que o normal para passar, e Anna não sabia como isso era possível física e cientificamente. Ela queria encontrar João Paulo não só para devolver o que era dele, mas porque realmente queria vê-lo. O sentimento de que ele era especial só crescia dentro dela, e isso a assustava. Não é normal pensar tanto em alguém que mal se conhece. Ela não sabia nada sobre ele, exceto que seus pais eram *hippies*, e supunha que ele era de Minas Gerais (o leve sotaque em sua voz grave era superfofo e denunciava), e que seu nome vinha do gosto estranho pelo rock britânico de seus progenitores. E que, bem, ele gostava muito de música.

Tentou andar um quarteirão segurando o casaco nos braços, como se fosse feito de ouro, em respeito por não ser dela. A chuva tinha parado, mas o vento frio e cortante do fim da tarde a fazia tremer. As pessoas caminhavam apressadas em direção ao metrô e aos pontos de ônibus, agasalhadas e cansadas por mais um dia de trabalho que chegava ao fim. Anna usava shorts, meia calça, camiseta de manga comprida e tênis All Star de cano longo, tentando encontrar um meio termo de roupas para a indecisão climática do outono, mas o frio repentino daquela tarde a surpreendeu.

Aguardando o semáforo fechar, batia o queixo de frio. Encarou mais uma vez o casaco em seus braços. Era tão quentinho e confortável! Decidiu vesti-lo e pedir mais desculpas quando pudesse devolvê-lo. Como da primeira vez, uma onda de calor gostoso percorreu seu corpo e ela se sentiu protegida. Apertou a gola perto do pescoço e pôde sentir o cheiro do garoto, um perfume forte e cítrico. Anna sorriu, de repente se sentindo bem idiota por isso. Sem perceber, o vento do outono, o frio nas pernas, o barulho da cidade, o calor do casaco e o cheiro do rapaz a fizeram fechar os olhos e se sentir tão segura, que ela desejou poder parar o tempo e ficar ali pelo resto da noite.

Antes de voltar a andar, após levar um esbarrão de algum apressado que atravessava a Paulista, enfiou as mãos nos bolsos do casaco e sentiu que tinha algo ali dentro. O bolso era fundo e ela demorou para encontrar um iPod antigo branco. Segurou-o firme nas mãos, como se fosse um tesouro, e andou bem depressa até a frente do MASP, repetindo um mantra para que João Paulo estivesse ali, esperando por ela e pelo que era seu de direito.

Em frente ao museu, parecia haver mais pessoas do que na hora do almoço. O céu já estava praticamente escuro. Andou de um lado para o outro, entrando no meio dos grupos, quase tropeçando em um skatista, procurando desesperadamente por algum indício de João. Não ouviu sua voz cantando, nem identificou nenhum garoto alto e loiro com seu *case* de violão. Nada. Decepcionada, ficou imóvel por um momento, encarando os carros e o outro lado da avenida. Anna pensou que ele poderia, então, ter voltado ao Starbucks, esperando que ela fosse até lá para devolver o casaco, exatamente onde o tinha roubado, e saiu correndo até o semáforo mais próximo. Continuou correndo até o outro lado, esbarrando nas pessoas e tropeçando nas coisas. Com certeza, parecia uma maluca, mas aquela era a graça da Paulista: ali todo mundo era diferente.

Parou e respirou fundo na porta da cafeteria, que estava apinhada de gente. Seu coração batia forte. Estava confusa por se sentir tão desesperada atrás de um garoto, e aquilo não era normal e talvez nem saudável. Mas logo o sorriso dele emoldurado por grossos lábios surgiu em sua mente e suas pernas tremeram. Ele também havia sido muito gentil ao oferecer o casaco sem ela nem pedir. Mostrava algum caráter da parte dele, e Anna precisava admitir que aquilo fez seu coração disparar. As pessoas não faziam mais isso, certo? Aquela simpatia toda, de graça, por alguém de quem não se é próximo.

Estava apoiada na vitrine do Starbucks, tentando reconhecer João na multidão aglomerada dentro da loja, quando seu celular tocou, e ela viu que era seu pai. Como iria explicar que estava usando o casaco de um garoto que não conhecia assim que chegasse em casa?

— Estou perto da Paulista e consigo te buscar. Já saiu do escritório? — o pai perguntou. Anna pensou bem, olhou mais para o Starbucks e percebeu que João não estava mesmo lá.

— Oi, pai, sim, já saí. Tá bom, pode vir me buscar. Me pega no Starbucks que fica do outro lado da avenida, na direção do escritório, ok? Sabe onde é?

Decepcionada e nervosa, ainda respirando com dificuldade por ter corrido tanto, conformou-se em não encontrar mais João e apenas esperar por seu pai do lado de fora da cafeteria. Olhou para o iPod surrado em suas mãos e tentou ligá-lo. Nunca tinha tido um daqueles, obviamente porque não costumava ouvir música, então nem sabia bem como mexer naquilo. Não era como um celular? Achando o botão, ligou sem problemas, e plugou seu fone de ouvido, escolhendo uma música no modo aleatório. Não sabia bem o motivo de estar fazendo aquilo, além de óbvio masoquismo psicológico. Não conseguia parar de pensar no garoto e, talvez, aquela fosse uma maneira de mascarar as lembranças bobas. No fim ela ficaria tão irritada com as músicas que talvez, de uma vez por todas, parasse de pensar no João. Era uma ideia genial, certo?

A primeira música que tocou foi "Something's Gotta Give", de uma banda chamada All Time Low. Anna já tinha ouvido Fernanda falar deles com palavras melosas e elogios eternos. Mas, em vez de pensar em como os músicos eram gatinhos, ela focou no que a música dizia, esperando que, como as pessoas normalmente falavam, a letra mostrasse algo sobre ela, sobre o momento pelo qual passava e o que estava sentindo. Afinal, era por isso que todos eram tão apaixonados por música, certo? Para que outras pessoas falassem dos seus próprios sentimentos, sem que se precisasse dizer uma só palavra. Ou qualquer baboseira assim.

Não era tão chato quanto ela pensava, mas não conseguiu ouvir até o final. Ficou um pouco impaciente, para falar a verdade. A música parecia uma enrolação só. Falava sobre alguém estar se sentindo mal enquanto o outro esperava, ou algo assim. Não parecia com João Paulo, não era a cara dele. Anna, então, riu sozinha, batendo com a mão na testa. Não sabia realmente o que era a cara do garoto! Mal o conhecia. Mexeu no iPod para passar para a próxima música, que se chamava "If I Lose Myself", do One Republic. Nunca tinha ouvido falar daquela banda antes, mas isso não era nenhuma novidade. E, pensando bem, aquele era um nome de banda bem ruim! Se Anna fosse ter uma banda, em um universo paralelo, obviamente, ela se chamaria Bacon no Sábado à Noite. Porque bacon é algo que todo mundo concorda ser sensacional e, aparentemente, todo mundo com vida social gostava de sábados à noite.

Enquanto a melodia começava, ela reparou em um grupo de garotas que passava na sua frente, todas bem arrumadas, com os cabelos bonitos e maquiadas. Elas conversavam alto e riam, e pareciam não se importar com nada, nem com o frio, nem com os carros passando rápido, nem com pessoas indo e vindo. Anna admirou o jeito como elas se movimentavam, quase livres. Dois skatistas pararam para cumprimentá-las e Anna viu que um deles beijou uma das meninas na boca. Por alguns segundos, achou que tinha ficado com vontade de ser aquela garota, pelo menos por um dia. O casal saiu andando de mãos dadas, junto com o resto da turma, e Anna se sentiu solitária de repente.

A música que ouvia falava sobre se perder por uma noite com alguém importante ao lado. Falava em ver a vida através de uma janela. Dessa vez, ela não se sentiu tão irritada. Com a brisa leve e gelada no rosto, Anna fechou os olhos por alguns segundos, que pareceram horas. Ela não conseguia acreditar que esse tipo de reação era ao menos possível fisicamente (e cientificamente também), se não fosse durante a leitura de um bom livro. Mas, de alguma maneira, a música tinha se misturado ao vento e às risadas das garotas ao longe, criando um cenário quase poético. Seria romântico se Anna não estivesse sozinha, com todo mundo passando ao seu redor e ignorando o fato de que ela existia. Todos ali pareciam felizes e realizados, como se o dia tivesse sido duro, mas a noite fosse apenas uma criança. Ela nem acreditava que estava pensando algo tão comum, mas alguma parte do seu cérebro tinha sido tocada por aquelas notas e pela letra da música.

A sensação de solidão era ridícula, ela tinha passado por coisas ruins em relacionamentos (ou quase: INCONS-TITUCIONAL, seu babaca!) e normalmente ignorava esse sentimento, tentava se focar nos estudos e no seu futuro, mas, naquele momento, era a única coisa em que conseguia pensar. E era um saco! Ela não tinha muitos amigos e nem alguém que realmente se importasse com ela, além de seus pais, que estavam mais preocupados com as notas do Enem do que com seus desejos de verdade. E só tinha 17 anos, não deveria estar ali na Paulista se divertindo, rindo e beijando garotos? Ou garotas, se ela quisesse?

Sentiu vontade de chorar e condenou a música que ouvia. Então era isso o que acontecia quando alguém se entregava a uma canção? As pessoas realmente gostavam de se sentir assim? Com os olhos cheios de lágrimas, ela passou para a próxima, quase arrependida de ter começado com aquele experimento idiota. Músicas não eram para ela. Não precisava disso para se lembrar de que era bem patética. Viu o carro do seu pai parar com o pisca-alerta ligado em frente ao Starbucks e saiu correndo até ele, sentando no banco de trás. Precisava parecer cansada o suficiente para que ele não notasse que estava, de forma infantil, quase chorando no meio da rua.

Seu pai perguntou sobre o que estava fazendo ("Nada!"), sobre o que estava ouvindo ("*Podcast*, claro!"), de quem era o casaco ("Da Fernanda, eu estava com frio") e, ouvindo as respostas meio grosseiras e curtas da filha, decidiu ficar em silêncio. O rádio do carro estava ligado nas notícias do dia e Anna aumentou um pouco o som do iPod para não ter que ouvir sobre acidentes, aumento do preço da gasolina ou corrupção. Nem sobre o sermão que seu pai começou sobre como o curso de Direito era concorrido e que ela precisaria se esforçar, de acordo com o que ele tinha lido no jornal mais cedo. ESTUDAR AINDA MAIS. Anna não prestava atenção, sabia de cor toda aquela ladainha, porque era só o que se falava na casa dela ultimamente. Tombou a cabeça para trás e fechou os olhos. "Hey Jude", dos Beatles, começou a soar em seus ouvidos e ela logo pensou que João Paulo deveria gostar bastante daquela música. Prestando atenção à letra, resolveu dar mais uma chance. *Take a sad song, and make it better...* que ela pegasse uma música triste e transformasse em algo melhor. Que se lembrasse de deixar entrar no coração e, então, começaria a se sentir melhor.

Anna Julia sorriu, de repente, sentindo um rebuliço dentro do peito. A vontade de chorar ainda estava lá. Algo naquelas canções tinha encontrado um sentimento que ela tentava todos os dias esconder, enganando a si mesma. Mas "Hey Jude" a fez sorrir de forma boba e verdadeira. Só o que precisava fazer era absorver uma música triste, tornando-a parte da sua memória. Parecia difícil admitir que não se sentia feliz, mas surpreendentemente a música podia, sim, ajudá-la a não remoer sozinha o quanto se sentia perdida. A não ter que dizer aquilo tudo em voz alta.

João estava sentado diante de um microfone com o violão elétrico nas mãos, dentro do pequeno estúdio que servia como sala de aula no Conservatório da 9 de Julho. Como em alguns dias da semana ele tinha aulas de canto durante a noite, saía da Paulista um pouco mais cedo do que gostaria. Nesse dia, em especial, ele queria ter esperado Anna Julia no MASP, porque algo dentro dele o fazia ter certeza de que ela iria procurá-lo no fim da tarde. Não conhecia direito a garota, mas poderia adivinhar que ela era do tipo que ficava ansiosa para resolver as coisas rapidamente, e que, provavelmente, ela iria querer muito devolver seu casaco. Mas João estava gostando da ideia de Anna ter algo dele com ela. Era como se ela existisse de verdade, e não apenas em um mundo que ele costumava inventar.

Ali, sentado, ele custou a se concentrar no que precisava fazer, porque a cabeça continuamente viajava para o cabelo castanho e azul da garota. O professor de canto tinha pedido a ele que tocasse uma música em que pudessem trabalhar bem o vocal e, quase que instantaneamente, o garoto dedilhou "Hey Jude", dos Beatles, fechando os olhos e emergindo de seus pensamentos para seu coração.

Anna Julia se pegou, durante a aula de História, cantando mentalmente "Thinking Out Loud", do Ed Sheeran (*"People fall in love in mysterious ways!"*). Tinha passado um bom tempo durante a noite anterior relutando entre ouvir o iPod ou ignorá-lo, jogando-o em vários cantos, pegando-o de novo, escondendo-o e desistindo, tentando se distrair e ignorar o fato de que estava curiosa com outras músicas. Quais seriam? Como fariam ela se sentir?

Acabou ouvindo várias, e aquela do Ed Sheeran tinha chamado sua atenção. Ela tinha de admitir que era bem bonita e a fazia se sentir bem, quase esperançosa. Sentiu o olhar de Fernanda, que estava sentada na carteira ao lado. Segundos depois, um pedaço de papel aterrissou dentro de seu estojo. Anna olhou confusa para a amiga, que levantou o polegar confirmando que o bilhete era dela, fazendo-a rir.

Duvido que esse casaco verde militar enorme é seu ou de alguém da sua família. De quem é???
ELE COMBINA MUITO COM SEU ALL STAR!!!
E COM A SUA ALMA!!! xD

A letra era floreada, como se a menina se esforçasse para escrever usando caneta colorida. Anna sorriu sozinha, lembrando de que o casaco estava pendurado em sua cadeira. Ela ainda sentia o perfume que exalava dele. Pegou um lápis para responder.

NÃO INTERESSA!! E obrigada.

Enviou de volta para a amiga, que abriu o papel ferozmente e ficou com cara de quem não tinha gostado da piada. Olhou com a testa franzida para Anna e, segundos depois, jogou o papel de volta em cima dela.

Não estou de brincadeira, preciso de aventuras na minha vida. Conta logo, não seja uma péssima BFF!

Anna não sabia como responder. Se falasse que era de um garoto que nem conhecia, teria de explicar onde tinham se encontrado e porque ela estava usando o casaco dele, algo que nem sabia direito. Olhou para Fernanda, que ainda mantinha a testa franzida, visivelmente brava e curiosa.

É do músico de rua, do garoto que te falei há alguns dias. MAS NÃO SURTA. Eu acho que roubei o casaco dele sem querer e não o encontrei mais pra devolver!!! ESTOU PERDIDA, S.O.S.! E SE ISSO MANCHAR MEU HISTÓRICO DE VIDA E EU FOR FICHADA NA POLÍCIA? OU PIOR: EXPULSA DA ESCOLA POR SER UMA MELIANTE E DELINQUENTE??

Fernanda soltou uma gargalhada quando leu o papel em suas mãos. A professora parou o que estava falando (alguma coisa sobre o Estado Novo) e olhou para ela, que rapidamente enfiou o bilhete no estojo e fingiu ter se lembrado de algo extremamente engraçado. Fernanda era genial se fazendo de boazinha, mas Anna abaixou a cabeça, com vergonha. Estava falando sério sobre o medo de ser fichada, isso poderia acontecer? Não lembrava de algo assim em tudo que estudou sobre Direito Penal. Minutos depois, com a aula retomada, ela sentiu o pedaço de papel enganchar no seu cabelo castanho e azul, que estava estranhamente liso com o tempo nublado.

Vocês se beijaram?

O coração de Anna acelerou. Deus, só de pensar em um beijo ela ficava nervosa! Olhou para a amiga, que tinha uma expressão triunfante no rosto, e negou em silêncio.

Por que mesmo nós somos amigas? Vamos fingir que não nos conhecemos a partir de hoje!

Devolveu o papel. Fernanda apenas sorriu, mostrando todos os dentes, o que significava que Anna teria muito o que explicar na hora do intervalo.

Dentro do metrô, Anna segurava o casaco de João em um dos braços e o iPod estava de volta ao seu lugar, no bolso do casaco, mas conectado ainda ao fone de ouvido dela. Tocava alguma música do Tom Jobim que tinha um ritmo animado e divertido, quase nostálgico. Sua mente vagava em possíveis conversas quando encontrasse João e devolvesse o agasalho, e não percebeu que o metrô tinha parado na estação anterior à que saltaria, e que o condutor havia pedido aos passageiros que saíssem porque o trem seria recolhido.

Anna só percebeu o que estava acontecendo quando viu o vagão quase vazio e uma confusão enorme do lado de fora. Franziu a testa, levantando-se de onde estava sentada, e olhou as horas no celular. Já estava atrasada (claro) e ainda precisava chegar na estação seguinte! Soltou alguns palavrões sem querer. Como faria aquilo, tendo ainda que passar no MASP e entregar o casaco para o João Paulo? Se ficasse com ele mais um dia seria oficialmente uma ladra, indo contra o Código Penal, que sabia praticamente de cor.

Empurrou a multidão que esperava pelo próximo trem e tentou encontrar a saída da estação. Seria impossível chegar a tempo se fosse esperar ali. Às vezes, esses problemas de pane levavam mais de meia hora! Sentiu que esbarrou em várias pessoas e que seu braço branquelo provavelmente ganharia uma enorme mancha roxa. Na escada rolante, uma senhora impedia a passagem da esquerda e ela precisou esperar até chegar ao topo. Lei de Murphy, claro. O que poderia dar errado, daria.

Assim que se viu livre e diante da rua, segurou o casaco contra o peito e correu o mais rápido que pôde. No iPod tocava "Twist and Shout", dos Beatles, e ela sabia porque a tinha ouvido na noite anterior. Por algum motivo divertido, o ritmo fez com que ela corresse mais e se sentisse dentro de um filme. Notou que tinha aprendido mais um dos grandes poderes mágicos da música: fazer você pensar que está dentro de uma história diferente, só sua, e ficar feliz com isso. A Paulista era o cenário e a saia rodada preta, a meia calça, a camisa de botão e o cabelo preso em um rabo de cavalo alto eram o figurino. Se sentia em um clássico dos anos 1960. Sua mãe ficaria orgulhosa. Não com seu atraso, claro. Ela estaria no corredor da morte caso perdesse uma das tão preciosas aulas de vida que o amigo do seu pai tinha concordado em dar a ela como estágio!

João tinha levado seu violão elétrico para as ruas naquele dia. Ao lado dele, um pequeno amplificador fazia com que ainda mais pessoas pudessem ouvir o que estava tocando. O *case* surrado e sua mochila preta estavam ao seu lado. Ele vestia uma camiseta de banda e uma calça jeans justa. O dia estava nublado, embora o sol estivesse em algum lugar acima da camada de poluição que pairava no céu, e seu único casaco tinha desaparecido, junto com a garota mais bonita da cidade. Aquilo não era um problema real, ele sabia que estava em boas mãos e que, um dia, retornaria a ele. Mas não podia negar que estava com um pouco de frio.

Os cabelos loiros e sem corte estavam penteados para trás, o que criava um topete pequeno. Algumas meninas estavam paradas por perto, dando risadinhas e tirando fotos, o que deixava João com o rosto muito vermelho. Mas seus olhos ansiosos percorriam cada pessoa de cabelos castanhos, que usava óculos de grau e que realmente olhava para ele, na tentativa de identificar Anna Julia. Seu coração estava cheio de esperanças.

Uma senhora colocou algumas moedas no seu pote e pediu que ele tocasse "I Want To Hold Your Hand", dos Beatles. João logo concordou, porque era divertido e poderia se distrair do frio e da saudade ridícula que sentia. Ele sempre foi um garoto sonhador e criativo, mas sentir tanta vontade assim de ver uma garota que mal conhecia beirava a maluquice. Seria trágico se não fosse engraçado.

Batia o pé enquanto tocava e cantava, vendo a senhora acompanhar batendo palmas e, mais uma vez, ele sentiu que seu trabalho valia a pena. Era esse tipo de atenção e como- ção que ele, como músico, esperava o tempo todo. Sorriu, divertindo-se, e não pensou em Anna por alguns minutos, até ouvir um grito animado. João não parou de cantar, mas queria gargalhar por ver Anna Julia, descabelada e muito vermelha, quase sem ar, comemorando sozinha com seu casaco nas mãos. A senhora estava perto dela e continuou dançando, fazendo a garota arregalar os olhos por perceber que estava quase no meio da roda de pessoas que havia se formado em volta de João. Ela encarou assustada os olhos azuis do garoto, sua boca bonita e sorridente, seu cabelo estranhamente penteado, e tirou rapidamente os fones de ouvido, fingindo um sorriso repentino, e acompanhou, sem graça, a dança da senhora. João queria rir alto, mas só continuou cantando, e estendeu a música pelo máximo de tempo que conseguiu. Assim que terminou, as pessoas aplaudiram e algumas meninas gritaram. A senhora agradeceu e seguiu seu caminho sem parar de sorrir, e isso aqueceu o coração do músico. Anna aproveitou a pausa dele e se aproximou, sentindo suas pernas bambas e ainda tomada pela onda de vergonha.

— Eu sei que a música é bem mais curta do que a versão que você estava tocando! — acusou, respirando com dificuldade e estendendo o casaco para ele. João segurou a palheta entre os dentes e pegou a peça de roupa das mãos da garota. Sorriu de forma divertida, mas Anna ficou desconcertada por estar perto do garoto.

— Desde quando conhece os Beatles? Não era você a dona do fã-clube antimúsica? A terrorista dos músicos de rua?

— Não brinca comigo hoje, que estou mais atrasada do que o normal, e a morte é meu único futuro no momento! Depois da prisão! — Anna colocou a língua para fora, puxando o iPod do bolso do casaco, e desplugando seu fone de ouvido. João abriu a boca e concordou, deixando o casaco em cima de sua mochila e apontando o dedo com a palheta para ela.

— Ahh...

Anna olhou as horas em seu celular e soltou um gritinho, irritada. Colocou o iPod nas mãos de João Paulo e, sem mais explicações, saiu correndo em direção ao prédio do estágio, xingando sozinha e em voz alta. O garoto viu que o aparelho estava ligado e sorriu. Quem sabe o que a música podia fazer com o coração de alguém? Certamente coisas que conversas normais e *podcasts* não conseguiam. Guardou o aparelho no bolso e voltou a encarar a multidão da Paulista, garantindo que Anna já estava bem longe, e começou uma nova canção que teria, de agora em diante, um significado diferente para ele.

– *Quem te ver passar assim por mim não sabe o que é sofrer, ter que ver você assim sempre tão linda... Oh Anna Juuuliaaaaaa...*

Já no fim da tarde, João, devidamente vestido com seu casaco, tinha deixado o violão um pouco de lado e apreciava a vista da avenida Paulista, apoiado em uma das pilastras do MASP, analisando as dezenas de pessoas que passavam por ali. Era quase poético imaginar o que cada um fazia, sentia e desejava. Ele achava um bom exercício para a criatividade inventar histórias para desconhecidos. Seria divertido poder fazer isso com alguém. Ficou surpreso ao pensar se Anna Julia gostaria de fazer com ele aquele tipo de brincadeira.

Não percebeu como a hora tinha passado rápido. Mexeu nos cabelos, cansado e respirando fundo. Dali a pouco a vida noturna na Paulista teria início e ele começou a ver jovens se juntando ali perto do MASP e nos arredores para conversar e assistir aos dançarinos de rua e outros artistas. Ele não sabia a que horas Anna Julia saía do lugar para onde sempre ia atrasada, ou se ela passaria por ali na volta, mas naquele dia ele podia ficar por lá mais tempo e esperar por ela. Enquanto ainda olhava as pessoas em volta, uma garota, que parecia um pouco mais velha do que ele, alta, magra e com traços asiáticos, parou na sua frente e estendeu um copo de café.

– Vi que ficou parado aí o dia todo. Eu trabalho aqui no MASP.

João Paulo ficou sem saber o que fazer. Olhou para os lados, garantindo que era com ele que ela falava, e, sem graça, aceitou o café de bom grado. Estava realmente com frio e era sempre bom ver pessoas sendo gentis assim. Sorriu em retorno, sem ter nenhuma noção do que responder para ela.

– Ah... você é do tipo tímido, né? Eu não entendo. Achei que todos os artistas fossem extrovertidos!

– Hum... acho que muitos são. Como advogados são normalmente mais divertidos do que eu sempre imaginei. Estranho isso, né? Eles parecem tão sérios! – ele respondeu, fazendo-a rir.

Ficaram alguns segundos em silêncio.

– Quer ir comer algo comigo? Estou indo agora pra casa e a gente podia, sei lá... – ela convidou.

João arregalou os olhos e queria cuspir o café, sem saber se era uma risada ou apenas um susto pelo convite repentino e inusitado. Olhou para os lados, quase que em desespero, e felizmente viu Anna Julia atravessar a rua lateral e caminhar na direção dele. João não queria presumir que ela estava esperando encontrá-lo, mas não pôde se controlar ao ficar feliz em vê-la se aproximando.

– Me desculpe, não quero ser grosseiro, mas eu estava aqui só esperando por alguém, que está logo ali. ANNA! – ele estendeu o braço e acenou na direção dela. A garota mais velha e bonita olhou e sorriu, envergonhada. Deu uma desculpa qualquer e, antes que Anna Julia pudesse se aproximar, se misturou na multidão e sumiu.

– Que bonito, você ia emprestar seu casaco pra ela também?

– Ela não me parecia com frio – João bebericou o café, encarando Anna do canto do olho.

A garota estava fazendo uma careta e olhava para o caminho por onde a mulher tinha desaparecido. Seu coração estava disparado e ela não entendeu exatamente o motivo. Seria ciúmes? E de um cara que ela viu poucas vezes na vida? Isso existia na realidade e não só nos livros?

– Você é bom nisso. Ela tinha o quê? O dobro da sua idade?

– Ah... – ele fez uma expressão de sofrimento – Você está pensando essas coisas de mim e eu aqui só esperando você passar. Que mundo injusto, né? – O garoto balançou a cabeça, irônico. Anna Julia olhou para ele e mostrou a língua, fazendo-o rir. – Tudo bem, tenho uma música pra cantar pra você, e você precisa prometer que não vai sair correndo. E não, não é do Los Hermanos, fica tranquila.

Ele deixou o copo de café ao lado da mochila, no chão, e pegou o violão de novo, sem esperar por uma resposta dela. Ligou o amplificador e dedilhou um pouco as cordas. O casaco, enorme, estava atrapalhando, então puxou as mangas para cima.

Anna estava de braços cruzados e apenas observava, desejando mentalmente que João não pudesse ouvir como seu coração batia forte. O garoto começou batendo os pés no chão, marcando o ritmo. Olhou para Anna e pediu que ela fizesse o mesmo, para ajudar. Ela rolou os olhos, olhou para os lados e fez o que ele estava fazendo, com um pouco de vergonha. O dedilhado dele parecia marcar um ritmo meio folk, e João começou a cantar "Ho Hey", do The Lumineers. A música soava incrivelmente bonita naquela hora da noite, e as pessoas elogiavam muito quando passavam por eles. Anna estava genuinamente impressionada. Música sempre tinha sido uma chatice para ela, mas aquilo era bonito demais para negar que mexia com ela de alguma forma positiva.

Mesmo naquele frio, com as buzinas dos carros em volta e com a gritaria das pessoas na rua, Anna Julia se sentiu aquecida e confortável, embora olhar o garoto nos olhos fosse extremamente difícil. Ela estava com vergonha, do tipo que nunca havia sentido antes, como se estivesse fazendo algo errado. Seu coração ainda batia muito rápido, e ela sentiu seu corpo todo vivo e agitado. Percebeu que nunca tinha se sentido assim, nem com o INCONSTITU-CIONAL, nenhuma vez sequer. A felicidade era diferente, era como energia que passava pelos dedos e fazia cócegas na barriga.

De repente, ouviu seu celular tocando um alarme, e percebeu que estava tarde demais e que seu pai logo ligaria para saber onde estava. Esperou João acabar a música, tirou o resto do dinheiro que tinha no bolso e deixou no pote em frente a ele.

– Você vai ficar rico se depender de garotas bobas como eu – disse, sorrindo e saindo em um passo apressado. Antes de atravessar a avenida, acenou para ele, que respondeu com o maior e mais sincero sorriso que Anna já havia visto. A garota, então, atravessou correndo e sumiu em direção ao metrô.

Anna Julia não queria admitir, mas comprou algumas músicas no seu celular e começou a ouvi-las em um ciclo vicioso. Seu pai e Fernanda ainda achavam que ela estava ouvindo *podcasts* e ninguém falava nada a respeito, porque a garota sabia muito bem esconder o que fazia e o que sentia. Anna não queria dividir aquilo com ninguém. Estava descobrindo algo que nunca a tinha feito se sentir daquele jeito antes: a felicidade repentina que a música trazia, junto com memórias boas e ruins. Nunca tinha sentido tanta vontade de chorar e de rir ao mesmo tempo! E, estranhamente, aquilo parecia bom.

Era uma segunda-feira e ela tinha passado o fim de semana inteiro estudando, fazendo simulados e questões de provas antigas, sem sair de casa. Às vezes, olhava pela janela do seu quarto para ver as árvores balançando com o vento, entre os vários prédios de São Paulo, derrubando milhares de folhas secas e amareladas. Naquele momento, como em nenhum outro na sua vida, conseguiu ver a beleza nessas pequenas coisas. E se pegou imaginando, algumas vezes, se João Paulo também ia para a Paulista nos fins de semana e o que fazia no seu tempo livre. Mas logo sacudiu o pensamento para longe, porque sua mente viajava para lugares obscuros (por mais que tentasse, ela não conseguia ignorar o sentimento de abandono e a forma como se sentiu usada pelo INCONSTITUCIONAL).

A manhã tinha sido muito fria e chuvosa e, mesmo reclamando com seu pai pelo telefone ("Se eu ficar resfriada, vou perder vários dias de aula!"), foi enviada metrô abaixo com um guarda-chuva azul nas mãos em direção ao seu dia tedioso em frente à máquina de fotocópias e discursos sobre processos em trâmite no Fórum. Da porta do metrô, podia ver as ruas molhadas e as pessoas encharcadas correndo para todos os lados. Parou por um segundo e respirou fundo. O cheiro de chuva era diferente dos demais. Era úmido e gelado, entrava nos pulmões e alegrava um pouco a pele maltratada pela secura e pela poluição habituais do dia a dia. As pessoas também se vestiam melhor, mais elegantes, com muitos casacos, gorros e botas. Mas a cidade continuava funcionando, independentemente da temperatura, da chuva ou da falta dela.

Anna percebeu, assim que entrou no vagão do metrô, que tinha saído mais cedo da escola após ser liberada da aula de Artes por ter terminado rápido o exercício sobre Surrealismo (sem querer se gabar, Anna sabia que era ligeiramente mais inteligente que seus colegas de classe), e que podia caminhar com calma pela Paulista, sem correr tanto, como havia se tornado sua rotina. Era quase uma maratona diária, todo o exercício que ela se negava a fazer de outra forma era realizado ali, sem querer.

Ela odiava todos os tipos de esportes e, só de pensar em entrar em uma academia, sentia vontade de vomitar carboidratos e pequenas partículas de vida. Estava com o guarda-chuva azul encostado nas pernas e, debaixo do gorro vermelho que usava, estava o fone de ouvido, plugado no celular. Ela ouvia, pela segunda vez consecutiva, "Ho Hey", do The Lumineers. Os pés, mesmo no metrô lotado, acompanhavam o ritmo da música. Ela não se importava se parecia esquisita, não tinha problema! ME PROCES-SEM (Ela riu muito porque sabia que, juridicamente, aquilo era impossível)! Fechou os olhos e se lembrou de como João tinha tocado essa música da última vez que se encontraram.

Saiu do metrô e abriu o guarda-chuva, sentindo as gotas fortes batendo acima de sua cabeça, atrapalhando um pouco a música que havia começado (era "Same Love", do Macklemore & Ryan Lewis, sua descoberta impressionante da noite anterior). Percebeu que as gotas eram ritmadas, fazendo um conjunto de sons, e ficou impressionada como nunca tinha reparado nesses detalhes antes. Avistou o MASP se aproximando e não sabia se João Paulo estaria ou não por lá. Apressou o passo, vendo que o vão estava cheio de gente se abrigando e fugindo da água. Passou em frente a todos, sem prestar muita atenção, sentindo de repente uma mão segurar seu pulso e puxá-la para a área coberta. Quase deu um grito, mas foi interrompida.

– Ah, você quer realmente pegar um resfriado? Achei que fosse superinteligente! – João disse, tirando o guarda-chuva das mãos dela, e se aproximando (até demais), apertando a gola do casaco da menina que cobria todo o seu pescoço.

Anna ficou sem reação, sem saber o que estava acontecendo por alguns segundos. Levou um cutucão e ouviu uma senhora atrás dela pedir desculpas, e isso fez com que voltasse ao mundo real. Tirou os fones de ouvido e encarou João Paulo, que estava sorrindo de uma forma divertida.

– O que foi que disse?

– Você realmente nunca para de ouvir esses *podcasts*? – O garoto puxou um dos seus fones e colocou no próprio ouvido. Sua testa franziu, ele arregalou os olhos e encarou Anna Julia com admiração.

– O que foi? – Ela perguntou de forma infantil, olhando para o lado. Sentiu as bochechas ficando vermelhas e viu ele devolver o fone nas mãos dela. Seus dedos estavam gelados e, mesmo assim, Anna se sentiu aquecida. Era brega, mas era a verdade.

– Desse jeito, você vai acabar me matando de orgulho.

– Como futura estudante de Direito, eu não acho que tenha culpa ou motivos para condenação. Vou pedir *habeas corpus* – respondeu. João riu, colocando a mão no peito, no lugar do coração, fazendo uma expressão irônica de dor. – Você parece muito animado hoje pra quem não tem palco.

– Eu só preciso de uma plateia – ele piscou. Anna fez um barulho estranho com a garganta, querendo rir e revirando os olhos. – Então, agora você está ouvindo música! E uma bonita, que não tinha no meu iPod. Estou oficialmente impressionado, senhora futura advogada.

– Quem sabe juíza...

– Meritíssima.

– Ou mais...

– Vossa majestade.

– E eu estou... ouvindo música! – Anna guardou o celular no bolso do casaco, sorrindo. – Na verdade, eu preciso levar seu iPod jurássico para um especialista em artefatos mágicos. Ele meio que fez milagre.

João estufou um pouco o peito, mexendo a cabeça em concordância. Ele não sabia expressar direito o que sentia. As palavras certas simplesmente não vinham à sua mente. Estava acostumado a fazer isso com o que cantava e tocava, então ficou alguns segundos em silêncio.

– Você quer ser advogada? Eu não imaginava isso.

– Eu acho que sim – ela concordou, olhando para os pés e mexendo as mãos de forma nervosa. – Eu sempre tive muita certeza disso. Meus pais sempre me falaram que era a coisa certa a se fazer. Quero garantir que os direitos da união homoafetiva em todos os lugares vão continuar valendo, quero lutar pelos direitos de quem é ignorado, quero... na verdade, quero ser advogada porque acho que é a única coisa que vou saber fazer *direito*.

Os dois riram baixinho pelo trocadilho. Anna foi empurrada um pouco para a frente por alguém que tentava sair da área do MASP e ficou mais próxima de João, a poucos palmos de distância. Por algum motivo estranho, aquilo não a incomodava mais.

– Você sempre quis ser músico?

– Já quis ser palhaço de circo, integrante dos Backstreet Boys, jurado do *American Idol*, mas acabei admitindo pra mim mesmo que eu só sabia tocar instrumentos e perceber os detalhes nas coisas, porque sou mais tímido do que pareço.

– Alguém queria ser do Backstreet Boys em algum momento depois dos anos 1990? – Anna sorriu, e o garoto deu de ombros. – Eu costumava achar que ser músico era apenas uma fuga da realidade, uma forma de se esconder do mundo. Acho que alguém me disse isso quando eu era pequena e ficou gravado na minha memória. Então repeti durante muito tempo – disse ela.

– Não nego que fugir da realidade às vezes é sensacional e que a música pode fazer isso, sem precisar de artefato mágico nenhum. Mas tudo tem ritmos e melodias, sendo realidade ou não, o que te faz pensar que até o silêncio, que é a ausência de som, é algum tipo de música.

– Uau... – Anna franziu a testa, olhando para João, impressionada. O cabelo loiro dele estava molhado e puxado para trás, de forma desajeitada. Seus lábios e bochechas pareciam mais vermelhos que o normal, porque o vento frio fazia isso. Era sensacional, Anna no momento adorava o vento. – Você deve ser muito rico com todo o dinheiro que arrecada tocando, sendo bonito assim e falando dessa forma!

Ela, de repente, colocou as mãos na boca assustada com o que tinha dito. *Idiota, idiota!* João arregalou os olhos e sorriu de forma inocente, sentindo seu coração na garganta. Ele era sonhador, sabia bem disso, mas não surdo.

Definitivamente, não era surdo, e na verdade costumava escutar mais coisas do que a maioria das pessoas. Naquele momento, achou que poderia ouvir até o coração dela acelerado, embora pudesse confundir com o barulho do seu próprio. Viu a garota olhar para os pés, batendo com as mãos na testa, e sentiu empatia e carinho por Anna. Se ele pudesse, a teria puxado para um abraço, mas estava fora dos seus limites como sonhador.

"Você também é bonita", ele queria dizer. "Na verdade, eu não consigo parar de pensar em como você é bonita."

– Eu não fico com o dinheiro pra mim. Tudo o que eu ganho na rua, todos os dias, vai pra outras pessoas que precisam muito mais que eu. Eu já tenho tudo o que quero – ele decidiu continuar falando para cortar o clima desconfortável entre eles, mas queria terminar a explicação com "ou quase tudo", e sabia que não era certo. Anna voltou a olhar para o garoto, ainda impressionada, mas confusa.

– Eu realmente não fazia ideia. Acho até que você é um pouco decente, então! – Os dois riram juntos.

– Quer me contar as músicas de que mais gostou do meu iPod jurássico? – João perguntou, mudando o assunto.

Anna pareceu ligeiramente mais animada e agradecida, e cerrou os olhos, pensativa.

– Na real, eu nunca tinha entendido como minha amiga chorava ouvindo alguma música, sabe? E nem sempre com uma específica. Com várias, com qualquer uma... sempre me pareceu surreal e um pouco masoquista! – ela começou a explicar e a gesticular, fazendo o garoto rir e cruzar os braços. – Então eu comecei a ouvir o que tinha no seu iPod, aliás, desculpe pela invasão de privacidade, e realmente não tem nada mais masoquista do que aquilo! Como música ainda é permitida na sociedade? É quase um instrumento de tortura para quem tem sentimentos ou memórias – ela riu. – Uma música de uma banda com nome ruim quase me fez chorar no meio da rua, e eu fiquei muito brava comigo mesma. Mas acabei entendendo... talvez um pouco. Apesar de tudo, depois de um tempo, eu meio que me senti uma adolescente de verdade.

– E você não vai me dizer que música mágica era essa?

– Não ia fazer diferença – ela disse, muito certa de si mesma.

João concordou.

– Porque ela provavelmente tem um significado diferente pra mim.

– Pois é, isso mesmo. E quando eu escuto *podcasts*, ouço exatamente do que estão falando e é exatamente naquilo que vou pensar. Num jogo, filme, seriado ou evento. Não existe surpresa, sentimento e nem múltiplas interpretações. É aquilo e pronto. Mas com música... é algo totalmente novo e diferente, toda vez.

Os dois ficaram alguns minutos em silêncio, mergulhados em seus próprios pensamentos e dividindo um momento só deles, em meio a barulhos de chuva, trânsito e pedestres. Anna Julia queria poder segurar a mão dele, mas não podia simplesmente se jogar dessa forma. Eles podiam conversar e rir juntos, mas no fim eram apenas pessoas que tinham acabado de se conhecer.

– Acho que a chuva não vai parar tão cedo – João olhou para a avenida, cada vez mais cheia de poças. Respirou fundo e pegou o guarda-chuva de Anna. – Pode me dar carona até o metrô? Fico te devendo uma!

A garota concordou, percebendo que também precisava ir para o estágio. Apertou o casaco e sua mochila contra o corpo. Saíram do MASP, dividindo de forma irregular o guarda-chuva azul em direção à estação de metrô mais próxima. João Paulo era mais alto e precisava ficar bem abaixado para que as gotas, vindas de diversos ângulos, não acabassem encharcando Anna Julia. O *case* do violão aguentaria a água sem problemas. A garota, ao mesmo tempo, sentia um misto de pena e felicidade, com os ombros colados nos dele e fugindo, sem se importar, da realidade catastrófica de uma das chuvas de outono. De repente, ele cochichou no ouvido dela.

— Você talvez nunca tenha ouvido a Gal Costa cantando, né? – João perguntou. Anna negou, olhando para o chão e tentando não tropeçar em nada.

O garoto murmurou alguma melodia, antes de começar a cantar baixinho, com a voz grave. Anna Julia se arrepiou. Prestava atenção, ouvindo as gotas da chuva em cima deles se mesclarem na música. Pensou que tinha muita sorte de estar ali.

— *Nas ruas de outono, os meus passos vão ficar e todo abandono que eu sentia vai passar. As folhas pelo chão que um dia o vento vai levar, meus olhos só verão que tudo poderá mudar... Eu voltei por entre as flores da estrada, para dizer que sem você não há mais nada...*

Ele sorriu de leve, forçando um falsete com a voz mais grave, fazendo Anna sorrir também e se sentir ligeiramente triste, porque a estação de metrô se aproximava. E isso nunca acontecia.

— *Quero ter você bem mais que perto, com você eu sinto o céu aberto. Daria para escrever um livro se eu fosse contar tudo que passei antes de te encontrar...*

João tinha enviado, no início do ano, algumas músicas para um concurso do Conservatório. Os vencedores teriam artistas famosos gravando e tornando o sonho deles, de trabalhar com composição, uma realidade. E ele sabia que era bom o suficiente para fazer isso acontecer!

Um dos exercícios da última aula havia sido revisar a letra de uma dessas músicas e adicionar elementos novos que tinham aprendido, e João levava isso muito a sério. Sentado na cama de cima do beliche em que dormia no albergue do Conservatório, junto com outros alunos, ele treinava algumas vezes um acorde diferente que resolveu incluir na última composição. Tocava pela décima vez em seu violão, pelo que tinha contado mentalmente, anotando cifras em um caderno e suspirando alto em cada pausa que fazia. O mês de maio já estava quase na metade, e os três garotos com quem dividia o quarto estavam se arrumando para sair, para bares e festas. Mas João não conseguia pensar em nada disso naquela noite.

– Esses seus suspiros são piores do que ouvir a mesma nota várias vezes seguidas. Qual seu problema hoje? – Diego, que tinha entrado no quarto enrolado na toalha de banho, reclamou. – Ei, João Paulo! Estou falando com você, mano!

– Oi? – O garoto finalmente olhou para o outro, confuso por alguns segundos. Deu de ombros e sorriu. – Meus suspiros? Uai, eu não estou suspirando.

– Pra quem é o mestre em ouvir coisas que ninguém ouve, você parece bastante surdo para o que sai da sua própria boca, né? – Diego riu. João franziu a testa, ignorando, e voltando para seu treino. – Tudo bem, continue assim. Até seu sotaque mineiro apareceu! Passar a tarde na rua não está te fazendo muito bem...

Assim que Diego saiu do quarto, João parou o que estava fazendo e encarou a parede. Pensou que não tinha visto Anna Julia com frequência nos últimos dias e em como isso estava definitivamente o incomodando. Todas as vezes em que ela aparecia, estava correndo atrasada e apenas sorria, acenava ou deixava algum dinheiro no seu pote. Se lembrava de trocar algumas palavras apenas de vez em quando, como quando ela passou por ele e deixou café e sanduíche, dizendo que ele precisava comer bem porque estava ficando cada dia mais magro. Foi um alívio, de certa forma. Isso significava que ela estava prestando atenção nele, certo?

Se jogou de costas na cama, com o violão encostado na barriga, observando o teto branco encardido. Ouvia muito seus professores falarem sobre inspiração e sobre como outras pessoas, homens ou mulheres, podiam mudar a forma como encaravam a criatividade. Se estavam apaixonados, as músicas tinham tendências diferentes de quando o coração deles estava partido. Se ficavam tristes ou felizes, suas letras e melodias conseguiam refletir isso.

 Em junho, assim que o outono acabasse, ele iria parar de tocar nas ruas para se dedicar às provas do Conservatório e a todo o trabalho que o fim do semestre trazia; então, não tinha muito para prometer ou doar de si mesmo a nenhuma outra pessoa. Ele, sonhador, tinha medo de relacionamentos (mas não de sentimentos), e não podia enganar a garota mais bonita que já tinha conhecido na vida. Ela precisava saber que o amor platônico que ele sentia era totalmente egoísta. Mas o que e como iria falar isso sem gaguejar, sem sair correndo ou sem começar a cantar? E se ela rejeitasse seu amor temporário e com data marcada para se tornar uma memória?

 Anna Julia tinha toneladas de trabalho para fazer. Da escola, do estágio, de casa e da sua própria cabeça. Estava estudando matérias de exatas nos últimos dias e sentia que seu cérebro começava a parar de funcionar! Sacudia a cabeça com frequência, perdia o sono e executava sua rotina sempre da mesma maneira sem perceber. Quando chegava à noite em casa, deitava na cama e ouvia alguma música diferente que a do dia anterior, fazendo uma espécie de treinamento mental. Era quando sentia que podia dar menos trabalho ao seu cérebro, embora desse mais ao seu coração.

 — Isso não é cansaço, sua besta. É paixão arrebatadora! — Fernanda disse, rindo, depois de ouvir Anna reclamar de como estava se sentindo. Era tão óbvio, porque a amiga não conseguia perceber?

 — Eu realmente não sei por que ainda somos amigas, já disse isso antes? — Anna saiu andando na frente, durante o intervalo de aulas. Paixão arrebatadora? E desde quando isso era relevante para o corpo e para os sintomas físicos? As pessoas tinham perdido o juízo.

– Me sinto exatamente assim quando vejo fotos do meu Niall! – Fernanda suspirou, e Anna demorou para perceber que ela estava fantasiando, de novo, com um dos caras do One Direction.

– Nós duas sabemos que ele é quase um personagem fictício.

– Eu seeeeeei... – a amiga pareceu emburrada. – Olha, nós, fãs de coisas legais e de caras bonitos, não somos burras. A gente ama, sofre, torce, gasta todo o dinheiro com tudo o que tem o rosto deles, mas não precisa gritar comigo de novo e repetir que a realidade não é essa, e que ele é famoso e rico e que a chance de encontrá-lo na vida é de um por cento.

– Um por cento e meio, já que você pode sempre virar uma *stalker* maluca e fugir pelo mundo atrás dele.

– Sim, sim, eu já sei de tudo isso. Está fora dos meus planos, por enquanto – Fernanda fez bico, vendo Anna abrir um livro e começar a ignorá-la. – Mas você não está enxergando o que reeeeeealmente importa aqui.

– Meu cérebro está ocupado demais enxergando números e letras – Anna tirou os olhos do livro e se virou para a amiga. – O que reeeeealmente importa aqui?

– Viver, sei lá. Fazer algo errado, voltar pra casa de manhã, ficar de castigo, encher a cara e se apaixonar todos os dias – Fernanda sentou no banco do pátio ao lado dela. – Viver enquanto somos jovens. E, sim, é uma letra do One Direction, e eu claramente não me importo com seu preconceito.

– Que música? – Anna Julia, com a testa franzida, encarou a amiga. Fernanda pareceu achar que era ironia e apenas rolou os olhos, mas Anna realmente queria saber. Constantemente se sentia perdendo pequenos momentos, porque sabia, por dentro, que todos eram temporários e tinham data marcada para se tornar apenas boas memórias. E, mesmo assim, queria poder aproveitá-los ao máximo.

João estava sentado na mureta lateral do MASP, vendo as pessoas passarem e os grupinhos começarem a se formar, como acontecia todos os dias. Eram 5 horas da tarde, e um dos momentos mais movimentados e corridos na avenida Paulista, e ele, como bom observador, adorava ficar apenas reparando nas pessoas e no que faziam. Afinal, tudo era inspiração.

Em alguns minutos, notou que Anna Julia se aproximou, sem dizer nada, e sentou ao seu lado. Ela estava usando uma calça jeans justa, tênis e uma camiseta preta, como tinha reparado mais cedo. Seus cabelos castanhos com as mechas azuis estavam soltos e balançavam muito com o vento, fazendo a garota constantemente mexer neles e segurá-los entre os dedos. Ao seu lado, ela pediu um dos fones de ouvido dele, que compartilhou com ela, sem hesitar, a música que estava ouvindo. Tinha começado "Lightning Bolt", do Jake Bugg, uma canção que ele simplesmente adorava.

Anna encarou o céu azul escuro, cheio de nuvens, enquanto ouvia a música e sentia a presença de João ao seu lado. Parecia estar muito mais confortável do que costumava se sentir em qualquer outro lugar ou momento, o que era algo totalmente novo para ela. Dali para a frente, toda vez que escutasse aquela mesma música, suas lembranças daqueles poucos minutos retornariam, e ela se sentiria daquele jeito, feliz e ansiosa.

Viu o garoto puxar o iPod e escolher a próxima música que ouviriam. Ele olhou para ela com a sobrancelha levantada e acompanhou, de forma divertida, a música que começava a tocar. Dublava, fazendo algumas caretas, o que tirou algumas risadas da garota. As pessoas que passavam pela Paulista os ignoravam totalmente, já que era mais do que normal que jovens ficassem por lá fazendo qualquer coisa durante o entardecer. Anna sorriu sozinha, pensando que, finalmente, se sentia parte daquele lado menos solitário da multidão.

Alguns minutos depois, a garota tirou o fone de ouvido, fazendo João Paulo prestar atenção nela. Deu um suspiro, nervosa por vê-lo tão de perto (e tão bonito, com o cabelo revolto caindo sobre a testa), mas tentando encontrar as palavras certas. Queria dizer várias coisas, mas se decidiu, com as mãos tremendo, por falar o que tinha pensado o dia inteiro.

– Eu preciso da sua ajuda – falou pausadamente. Sentia a voz tremer, e não era exatamente aquela segurança que ela tinha em mente demonstrar. Parecia sensível e boba, e não era assim que queria que ele a visse naquela hora. João se virou um pouco de lado e ficou quase de frente para ela. Sua testa estava franzida, o que mostrava sua confusão.

– Eu sou ótimo em ajudar, você recorreu à pessoa certa. Me conta do que você precisa.

Anna se levantou, mexendo as mãos de forma ansiosa. Ela precisava de muitas coisas, várias que não tinha nem admitido para si mesma ainda. Como iria despejar tanta esperança no garoto que havia acabado de conhecer? João juntou as pernas em cima da mureta e abraçou os joelhos, esperando pacientemente que ela criasse coragem para o que quer que precisasse dizer.

– Eu preciso de ajuda para criar memórias – Anna confessou, cerrando os olhos e notando que talvez não tivesse sido totalmente específica. – Preciso fazer algo diferente, algo louco ou errado, que normalmente me deixaria muito desconfortável. Preciso de momentos que, no futuro, não façam eu me sentir arrependida de ter sido jovem e de não ter aproveitado. Daqui a pouco eu estarei na faculdade de Direito, tudo vai ser sério demais, sisudo demais, importante demais. Muito mais que agora, na minha vida. Você é um cara leve, que sabe sentir a vida. Que sabe ver o lado colorido, inspirador, e eu queria um pouco disso pra mim e pra minha vida. Entende? Ou eu estou parecendo muito idiota? Eu tentei decorar um texto, mas...

– Não! – João se levantou, passando a língua nos lábios e sorrindo de forma divertida. – Não, eu entendo totalmente! – ele quase tropeçou e riu. – Você tem menos de 18 anos, certo? – o garoto presumiu a idade dela por ela ainda estar estudando para entrar para a faculdade de Direito, mas não tinha certeza.

– Uhum, eu tenho 17.

– Então qualquer coisa que a gente fizer vai ser "errado", entre aspas, de alguma maneira, fica tranquila. Essa parte é mole.

– Isso é animador! Mas João, calma. Eu não quero fazer nada contra a lei... Não pense mal de mim! Afinal, sou uma futura advogada...

– Relaxa, Anna! Essa é a regra número um, aliás. Para de ficar tensa. Eu entendi!

Anna riu, nervosa. Viu ele sorrir, enquanto parecia pensar no que poderiam fazer ali, àquela hora. Puxou o celular e discou o número do pai, se distanciando um pouco e sentindo seus joelhos tremerem. O que estava prestes a fazer? Virou-se de costas para João quando o pai atendeu. Disse, da forma mais natural possível, que iria para a casa da Fernanda fazer um trabalho urgente e que poderia demorar. O pai relutou um pouco, mas Anna sabia que ele não iria impedir, pois conhecia a filha o suficiente para saber que ela não iria mentir sobre isso e que não era irresponsável. Só que ele estava enganado naquela noite.

Quando Anna desligou o celular, nervosa, sentiu a mão de João entrelaçar à sua e a puxar para a direção oposta à estação de metrô Trianon-MASP. Ela apressou o passo tentando acompanhar as longas pernas do garoto, sua mão suava junto à dele. João carregava o *case* do violão e não olhou para trás até caminharem por dois quarteirões. Anna Julia não sabia para onde estava sendo levada, e isso fez um frio percorrer sua barriga, ao mesmo tempo em que sentia suas mãos e braços tremerem. Mas não estava preocupada e, sim, ansiosa. Ao pararem em um semáforo, aguardando com outras pessoas para atravessarem uma pequena rua transversal à Paulista, João se virou para ela. Estavam muito próximos e, se não fosse a altura do garoto, os seus narizes poderiam ter se encostado.

– Se você quer fazer algo diferente, louco ou errado, tem um lugar aqui perto que precisa conhecer. Você nunca foi na Augusta, certo?

Anna balançou a cabeça em negativa, sem conseguir dizer nada. Sentia sua mandíbula cerrada e não sabia bem o motivo. Nunca tinha se sentido nervosa daquele jeito. Todas as reações de seu corpo eram inusitadas. João Paulo concordou, apertando de leve a mão dela, tentando mostrar que ela podia confiar nele. Entendia bem o que a garota estava sentindo, porque já tinha estado naquele mesmo papel. A ideia de não criar memórias diferentes também o atormentou quando chegou a São Paulo e, da mesma forma como tinha acontecido naquela época, ele foi arrastado por um amigo até a rua Augusta. Esperava que para Anna Julia fosse, como foi para ele, uma lembrança especial. Da qual, aliás, ele estava ansioso para fazer parte.

Andaram por mais alguns quarteirões e, então, se prepararam para atravessar mais uma rua. Nesse momento, Anna soltou sua mão e resolveu enfiá-la nos bolsos. Estava tremendo muito e precisava de um pouco de distância para colocar os pensamentos no lugar. A mão de João era gelada e macia, embora pudesse sentir os pequenos calos de tanto tocar violão. Estar tão próxima a ele fazia com que ela só conseguisse pensar na mão dele tocando a sua.

– Que lugar mágico é esse? – perguntou, ainda com os dentes cerrados. João limpou o suor da mão na calça e, só então, percebeu que transpirava de nervosismo. Ela tinha razão de querer soltar sua mão.

– Não é o lugar que é mágico – explicou, assim que o semáforo fechou e eles começaram a atravessar, seguidos de várias pessoas vindas de todos os lados. – Tudo depende da interpretação de quem vai pra lá.

– Ah, esse negócio de interpretação de novo... – Anna reclamou fazendo careta. João Paulo sorriu, apressando o passo perto dela até chegarem do outro lado da rua. Seguiram caminhando lentamente, virando em uma esquina próxima. Anna podia ouvir o barulho de pessoas conversando e de músicas diferentes misturadas ao longe. Alguns garotos passaram por eles andando de skate no meio da calçada, dando gargalhadas. Carros buzinavam e tentavam se mover em meio a jovens que se aglomeravam, de repente, em frente a pequenas lojas e bares. Anna olhou animada para João. – Acho que eu nunca vi tanta gente na minha vida! E estamos no meio da semana!

– São Paulo nunca dorme – João sorriu. Um grupo de garotas mais velhas passou por eles e uma delas parou os dois perguntando se tinham isqueiro. Eles negaram, dizendo que não fumavam, e continuaram a andar, mas Anna parecia curiosa olhando para todos os lados, reparando em todas as pessoas diferentes. – Vamos comprar um isqueiro pra sermos mais prestativos da próxima vez, não se preocupe!

– Não estou preocupada! – ela disse, andando mais depressa para se acostumar com os passos largos do garoto. Chegaram a uma esquina lotada de gente e João, de forma educada, segurou no ombro dela e a guiou no meio de todo mundo. Isso fez Anna se sentir importante e parte de algo ali. Ele parou de repente, deixando-a um pouco perdida.

– Espera aqui, eu já volto. Você não pode entrar, é menor de idade.

– Qual a graça de ficar só te esperando? – Anna Julia fez bico, emburrada. João sorriu, deu de ombros e olhou à sua volta, virando de costas e desaparecendo na multidão barulhenta.

A garota fez careta, mas ficou parada, mexendo no cabelo. A maior parte de quem estava ali parecia vestido com roupas de escola ou de trabalho, e todos conversavam, riam, falavam muito alto e seguravam bebidas descoladas nas mãos. Alguns fumavam ou só, realmente, batiam papo. Um rapaz de roupa social com uma peruca loira enorme e cheio de maquiagem passou em frente a ela, pedindo licença. Anna sorriu. Logo, um casal na sua frente começou a se beijar, recebendo ovações e aplausos dos amigos, fazendo com que Anna também quisesse bater palmas. Tantas pessoas diferentes e coisas diferentes acontecendo tão perto dela, e ela nunca tinha visto nada daquilo.

Reparou nos prédios, que eram antigos e muito picha-dos, pintados de várias cores e com várias mensagens. Nos vários bares, lojas, padarias e comércios abrindo e fechando, cada um com seu propósito. O trânsito ainda estava caótico no meio da rua, e muitas buzinas se misturavam com as vozes das conversas, como uma música que não fazia muito sentido, mas que todo mundo dançava de qualquer maneira. Distraída, levou um susto quando sentiu um cutucão nas costas. Se virou para ver João Paulo parado, com os cabelos loiros grudados na testa e sorridente, segurando duas latas de refrigerante em uma das mãos, enquanto a outra ainda segurava o case do violão. Anna logo pegou uma delas e ficou encarando o garoto.

– Você bebe refrigerante, certo?

– Claro, eu não sou tão masoquista assim! – ela disse, revirando os olhos.

Mas era mentira. Há alguns anos tinha aceitado uma dieta maluca da sua mãe em que cortava refrigerantes e outras porcarias, o que fazia com que ela parecesse sempre muito natureba e incomum quando comia no recreio da escola. Fernanda nunca tinha entendido a mudança e Anna admitia que nem se lembrava do gosto de refrigerante (ou o que as pessoas viam nisso). Mas aceitou de bom grado quando João Paulo ofereceu, porque não queria parecer chata naquele momento, já que era tipo um experimento social. Ficou até agradecida por ele ter comprado aquele tipo de bebida e não qualquer coisa contra a lei, como algo alcoólico. Viu João abrindo a latinha e o imitou, levando à boca quase que mecanicamente. A bebida deslizou para sua garganta, pesada e gelada, borbulhando. Anna fez uma careta enorme, sentindo a língua (que ela tinha colocado para fora, como um cachorro com sede) ficar um pouco ardida. Isso fez João Paulo rir.

– Pode deixar que você não vai ficar bêbada com refrigerante. Tenho cara de boêmio, mas sou bem responsável e tranquilo! Não é realmente a minha praia.

– Eu acredito em você – Anna disse, irônica, arrancando outra risada do garoto. Beberam um pouco mais, matando a sede, enquanto observavam as pessoas à volta. Ela reparava em cada um, cada conversa e sons. Nos casais que passavam juntos, nos que estavam se formando, e em como todo mundo parecia querer apenas se divertir ou desestressar da vida cotidiana. Mas João só reparava nela. Em como continuava fazendo careta a cada gole, tentando disfarçar. Em como sorria, mesmo passando por algo que não estava acostumada, e gravando tudo o que podia na sua memória. Em como ela era incrivelmente comum e, ainda assim, incrivelmente bonita.

Percebendo que João a encarava por muito tempo, Anna perguntou:

– O que foi?

O garoto balançou a cabeça, sem graça, e bebeu um pouco do refrigerante fingindo que tinha só se distraído. Decidiram caminhar um pouco pela rua, conversando, e só pararam novamente dois quarteirões depois, onde um grupo estava reunido tocando alguns instrumentos.

– Você tem certeza de que está tudo bem ficar um pouco por aqui? – ele perguntou, puxando Anna pelo braço até o muro, onde estava com as costas apoiadas. A garota parou de frente para ele e sorriu, balançando os ombros e depois concordando, ainda nervosa e sentindo a barriga fazer cócegas. Viu João cruzar os braços e levantar a sobrancelha e, mesmo se sentindo um pouco animada demais, se segurou para não dizer o quanto ele estava lindo e sexy naquele momento. Ele tinha algo de James Dean no jeito como olhava para ela. Ninguém nunca tinha feito Anna se sentir daquele jeito. Ela podia pensar em James Dean, certo? Não era anormal gostar de filmes antigos!

João Paulo, notando que ela estava risonha e boba demais, que mordia os lábios e olhava para os lados, curiosa, sorriu olhando para os próprios pés. Não podia deixá-la fazer nenhuma besteira, porque era responsabilidade dele, de alguma forma, estarem ali naquele momento. Levantou o rosto e olhou em seus olhos, chamando a garota para perto, já que muitas pessoas passavam em volta dela e poderiam acabar derrubando-a. Viu Anna morder os lábios veementemente e franzir a testa, mas não sair do lugar. Rindo, esticou a mão e pegou em seu braço, puxando-a de leve até o muro. Ela se desequilibrou um pouco e acabou indo para muito perto dele. Suas mãos ficaram espalmadas na camiseta branca do garoto e ela sentiu sua respiração ficar pesada. Não conseguia tirar os olhos da boca de João, tão vermelha e com lábios grossos, aquela boca que dominava seus pensamentos toda vez que se distraía. As mãos dele seguravam seus ombros e ele estava rindo, realmente achando graça na situação. Queria poder beijá-la, mas sabia que não era o certo. Sentia a tensão entre eles e não tinha ideia do que fazer naquela situação.

– Você vai ficar me segurando? – Anna perguntou, ainda sentindo os lábios dormentes de tanto apertá-los. João se afastou um pouco, soltando-a.

– Na verdade, eu gostaria muito de beijar você, mas eu não posso fazer isso.

Anna não sabia se tinha entendido bem o que João tinha dito. Ele queria beijá-la, de verdade? Sentiu seu coração bater mais rápido e sua cabeça rodou. Sem saber o que fazer, apenas sorriu e deu de ombros.

— Por que? Você não sabe beijar? — perguntou, irônica, ainda sentindo o corpo cheio de adrenalina. João tampou a própria boca, rindo. Ela estava extremamente fofa. — Deve ser muito triste não saber beijar, nem imagino seu sofrimento.

— É uma vida miserável mesmo — ele concordou.

Ela tinha como ficar mais bonita? Anna Julia balançou a cabeça, como se estivesse pensando na vida triste das pessoas que não beijavam, até que o grupo de músicos, ao lado deles, começou a tocar Beatles. O pessoal em volta aplaudiu, e um coro começou a acompanhar a canção. João pegou seu *case*, empurrando Anna para perto da roda. Em questão de minutos, ele já estava acompanhando o grupo, tocando "Ticket to Ride" e fazendo todos, inclusive a garota mais bonita daquele lugar, cantarem juntos a plenos pulmões. E Anna nem sabia direito a letra!

Anna Julia se sentia eufórica. Ela tinha cantado e dançado por três horas seguidas e ainda não acreditava nisso. Ela realmente tinha ficado em uma roda junto com outra garota dançando? Também havia conversado com desconhecidos, falando até de economia, além de ouvir um cara tatuado e com uma bandana na cabeça concordar com sua opinião sobre os direitos das minorias. Parte do nervosismo tinha passado, mas a todo instante a garota voltava sua atenção para João Paulo, que ainda cantava com os outros músicos. Anna Julia sabia que nunca mais esqueceria aquela noite. Olhou em volta, reparando nos rostos que nunca havia visto antes e não se importava com isso. Ela estava incrivelmente feliz.

Três hambúrgueres (João Paulo comia rápido demais), um milho cozido e duas garrafas de água (muito melhor que refrigerante!) depois, João andou com Anna até um ponto de táxi do outro lado da rua, vendo a garota ficar sonolenta enquanto caminhavam. Fez com que ela entrasse em um carro, fechou a porta e se apoiou na janela, que ela abriu.

— Você não quer carona pra onde quer que você more? — Anna perguntou, bocejando. O garoto negou, sorrindo.

— Vou andando pra casa. O dia vai demorar pra amanhecer e eu gosto de andar!

— Você é um cara esquisito... — ela sorriu, concordando. Encarou os olhos do garoto, e João pôde sentir a gratidão e o carinho que ela queria expressar. Anna realmente queria agradecer e dizer que tinha sido a melhor noite de todas, mas as palavras não estavam saindo como ela queria. Ele deu um sorriso bonito e carinhoso.

— Ô Anna Julia... — ele sorriu — eu não beijei você por nenhum motivo, a não ser por egoísmo. Queria que soubesse disso.

— Você nem sabe se eu iria querer te beijar... — a garota riu baixinho, irônica, de dentro do táxi. Ele concordou.

— Sabe o que é? Assim que o semestre acabar, eu não vou mais estar por aqui. Minhas provas começam e eu sei bem como fico nessa época. Eu não quero te envolver em algo que vai ser somente mais uma memória, mesmo eu realmente querendo muito.

— Achei que você fosse só um sonhador, James Dean.

— Mas a Vossa Excelência é pé no chão. Eu não posso decidir isso por você — ele esticou o braço para dentro da janela e cutucou a testa de Anna, que riu, concordando.

O taxista ligou o carro e João desencostou da janela. Viu a garota acenando e indo embora, enquanto ele acenava de volta, ficando de repente sozinho. Ele coçou a cabeça e bocejou. Sabia que não era certo, mas mal podia esperar para vê-la novamente. Isso o estava deixando maluco.

Anna Julia precisou explicar ao seu pai porque estava chegando em casa tão tarde e com cheiro de bebida e cigarro.

Ela mesma cheirou seu cabelo e se sentiu enjoada, embora não tivesse fumado ou bebido (eca, ela tinha limites!). De primeira, não sabia o que responder, mas estava tão cansada que acabou falando a verdade, como costumava fazer. E a reação do pai, claro, não foi nada positiva. Nada mesmo. Começou um discurso falando que não tinha ideia de que a filha fosse capaz daquele papelão, de que ela era como todas as outras pessoas irresponsáveis da sua idade ("meliantes!"), que ela o tinha decepcionado, mas que estava feliz que pelo menos tivesse dito a verdade.

Anna ficou um pouco chocada no início, mas imaginou que muita gente da sua idade ouvisse as mesmas coisas, então só concordou. Porque tinha sido irresponsável de verdade e ele estava completamente certo.

Acordou no dia seguinte com o aviso de que estava de castigo, que precisava ir para casa direto depois do estágio, e que não podia falar mais com o tal garoto da rua que, de acordo com seu pai, não devia ter classe, família ou futuro. Afinal, era músico! Falou tudo isso enquanto olhava os e-mails, e não diretamente para a filha. E Anna apenas concordou, porque sabia que, no seu mundo, não adiantava nada discutir. Seu pai não estava errado em ficar com raiva, embora ela só tivesse boas lembranças do que tinha acontecido na noite anterior.

Exceto, claro, a parte em que havia discutido sobre beijos com João Paulo. Que idiota tinha sido! Como podia ficar tão animada com o momento e abrir seu coração daquela maneira? E, se Anna lembrava bem, o garoto tinha dito que gostaria de beijá-la e que não tinha feito isso porque não queria nada sério, porque se preocupava com as provas e o estudo. E isso era totalmente louvável, o que o tornava ainda mais legal na cabeça dela! Tinha esperanças, no fundo, de não ter sido completamente idiota, e passou a manhã inteira na escola pensando no que faria ou falaria com ele assim que o visse na rua.

No metrô, tentando ler um novo livro depois da aula, Anna se perdeu em pensamentos e memórias e, de repente, lembrou-se exatamente do que João Paulo tinha dito: "Na verdade, eu gostaria muito de beijar você, mas não posso fazer isso". Ele realmente gostaria de beijá-la, mas eram somente estranhos que tinham acabado de se conhecer. Quem sabe, como nas músicas, eles poderiam apenas fingir que estavam apaixonados e viver pequenas memórias intensamente?

João Paulo já estava tocando no seu lugar de sempre, fazendo pessoas sorrirem e baterem palmas, mesmo com a ventania que o outono insistia em trazer. Algumas garotas filmavam com os celulares, e ele ficou curioso em saber para onde enviavam aquilo. Haveria imagens suas perdidas no mundo da internet sem ele saber? Não podia simplesmente perguntar, elas poderiam entender errado, então apenas sorria e continuava cantando e juntando algum dinheiro para ajudar a clínica que atendia de graça os animais. E ele sabia que os meses passavam rápido demais e que não podia perder tempo.

Tentava se distrair com os pedidos de músicas para não pensar em Anna Julia e na noite anterior. Na verdade, aquelas lembranças o faziam tocar ainda mais intensamente, como se fossem um combustível, embora, na realidade, ele estivesse cansado e com fome. No intervalo entre uma música e outra, notou um rosto familiar. Anna Julia tinha passado por ele quase correndo e parado a alguns metros de distância.

Ainda cantando, e com muitas pessoas em volta, o garoto franziu a testa. Reparou que ela se aproximou dele rapidamente, olhou dentro de seus olhos, chegou bem perto e sorriu abertamente. Em questão de segundos, sem que João conseguisse pensar, Anna estava com os lábios colados nos dele e com os braços em volta do seu pescoço, e apenas o violão os separava.

Desconcertado, demorou alguns segundos para perceber o que estava acontecendo. O mundo parecia em pausa e ele já não escutava mais nada, o que era algo completamente novo para João Paulo. A sensação era de que até o vento tinha parado de soprar enquanto ele processava a situação. Os lábios quentes de Anna estavam pressionados contra sua boca, e ela mantinha os olhos fechados. João, então, jogou o violão para trás, deixando-o pendurado em suas costas apenas pela correia, e segurou o rosto de Anna com as duas mãos, sem conseguir conter a felicidade repentina, retribuindo e intensificando o beijo.

De repente, todos os que estavam em volta bateram palmas e gritaram. Milhares de coisas passaram pela cabeça do jovem enquanto o mundo voltava ao normal, mas a única coisa com que ele conseguia se importar era com a garota mais bonita que ele já tinha visto, e que agora ele sabia que tinha o beijo mais doce e delicado do mundo.

Eles não tinham ideia de quanto tempo o beijo havia durado e nem o que as pessoas estavam falando à sua volta. Mas nada mais importava. Quando se separaram, de repente, João sentiu as bochechas esquentarem. Anna mordeu o interior da boca, sem saber o que fazer. Ela olhou para ele, olhou para o relógio do celular (estava atrasada, para variar!), puxou uma caneta da mochila e começou a escrever na palma da mão de João, que ainda precisou de alguns segundos para voltar ao normal e se conectar de novo ao mundo.

"Desculpe não avisar o que ia fazer, mas estou de castigo e proibida de falar com você." Ele leu a frase na sua mão, em voz alta, e segurou o riso. Olhou para o rosto de Anna, que sorria. Antes que pudesse responder, ela acenou e saiu correndo, deixando-o sem ação.

Ele sorriu, balançou a cabeça, e voltou a ouvir as pessoas à sua volta. Muitos sorriam também, e seu pote de repente estava repleto de dinheiro. João nunca o tinha visto cheio assim em tão pouco tempo, logo no começo da tarde. Agradeceu a todos que o estavam parabenizando e respirou fundo antes de conseguir começar uma música nova.

Ao longo daquela tarde, vez ou outra se pegava sorrindo sozinho e olhando para onde Anna tinha corrido, pensando que ela era definitivamente uma garota diferente e corajosa, o que a deixava ainda mais bonita aos seus olhos.

No escritório, durante a tarde, Anna Julia precisou ler várias vezes o mesmo texto para entender o que significava. O advogado, amigo do seu pai, chamou sua atenção duas vezes, porque ela estava encarando a parede quando deveria responder algo e, depois de tudo, decidiu ir ao banheiro lavar o rosto e se acalmar. Não acreditava no que tinha feito!

Fernanda ficaria maluca se soubesse (e provavelmente não acreditaria, pediria detalhes sórdidos e, por isso, aquele seria um segredo para ser levado ao túmulo). Jogou água no rosto, sentou-se no vaso sanitário com a tampa fechada e ficou algum tempo ali, rindo sozinha e pensando em mil coisas. Mas não se sentia arrependida. Era a primeira vez na vida que realmente se sentia feliz fazendo algo diferente!

Pegou o celular do bolso do jeans, plugou os fones de ouvido e colocou em uma *playlist* online com "músicas românticas", como dizia o site. Não acreditava que era ela mesma que estava ali, fingindo dor de barriga para ouvir música, mas sorriu sozinha e pensou que não trocaria aquele momento por nada na vida. Tinha aprendido como eram preciosos e raros.

Como não havia ficado até o final da tarde na rua, já que tinha aula à noite, João Paulo chegou mais cedo em frente ao MASP no dia seguinte e prestou atenção em todo mundo que passou por ele, esperando que Anna aparecesse. Ela estava de castigo, provavelmente tinha se metido em encrenca porque ficaram fora naquela noite.

Mas será que ela era realmente tão certinha que tinha contado a verdade aos pais? Ele achava graça toda vez que pensava nisso. João acabou se distraindo e só voltou a prestar atenção nas pessoas à sua volta quando Anna chegou perto e jogou algumas moedas no seu pote. Ele parou de tocar, de repente, como se tivesse tomado um susto, e a garota sorriu e sacudiu a mão, cumprimentando-o. Ela estava linda, usava uma saia longa preta que segurava com a mão para não levantar com o vento.

– Você realmente não vai falar nada? – ele perguntou. Anna balançou a cabeça, em negativa. Ela deu de ombros e fechou os punhos, batendo uma mão na outra informando que brigariam com ela caso fizesse isso. João riu e concordou, então teve uma ideia. – Já que é assim, escreve o nome de uma música que signifique o que você gostaria de falar e não pode. Não tem como ser mais justo que isso!

Anna parou para pensar e ficou nervosa por um segundo. Não conhecia tanto de música assim ainda para que alguma pudesse descrever o que sentia, mas era realmente uma ótima ideia! Sorriu para o garoto e concordou, sentando na mureta ao lado dele, e pegou seu caderno.

Alguns minutos depois, o garoto sentiu Anna Julia colocar um papel dobrado no bolso de trás da sua calça, fazendo cara de quem não queria fazer aquilo, mas que não tinha outro jeito. Ele achou engraçado e concordou, ainda cantando "Let it Be", dos Beatles, a pedido de uma senhora. Anna acenou e saiu correndo. João apenas observou e a viu sumir no meio da multidão, voltando sua atenção para o que estava tocando. Na verdade, queria logo parar tudo e puxar o papel do bolso, saber a música que ela tinha indicado e acabar logo com o mistério. Mas aquela sensação, aquela ansiedade maluca, era tão boa que preferiu esperar até o final da tarde e estender aquilo por bastante tempo, já que o fazia tão feliz.

Um pouco antes das 5 horas, João Paulo se sentou na mureta do MASP e puxou o papel do bolso, desdobrando o mais rápido que podia. Acabou rindo, curioso, já que era uma música que não conhecia. Chamava "Jane Doe", de uma banda com o nome *NeverShoutNever!*. João puxou o celular, o fone de ouvido e buscou na internet. O que encontrou foi uma música tão bonita e perfeita para o que ele mesmo estava sentindo que resolveu aprender a tocar ali mesmo, naquele momento.

No papel com o nome da música, Anna tinha escrito (em forma de observação) que o beijo que deu nele havia sido extremamente egoísta, já que sabia que dali a algum tempo eles não se veriam mais. O estágio com o amigo de seu pai duraria até o final de junho, e a garota provavelmente teria dificuldades em fugir de casa para passear na Paulista por causa do vestibular. E que, tudo bem, ela preferia ter boas memórias do que memória nenhuma. Naquele momento, Anna Julia não tinha noção de como havia mudado em pouco tempo, de como a música tinha transformado a forma como ela via o mundo. Anna só sabia que sorria mais, sonhava mais e que tinha cada vez mais vontade de cantar e se expressar. E que, no fundo, esperava que João não conhecesse NeverShoutNever! para ter que escutar a música pela primeira vez e passar, dali em diante, a lembrar dela toda vez que fizesse isso.

E ainda dizem que todo outono é sempre igual.

Anna saiu do metrô mais atrasada que o habitual para o estágio. O trem estava tão cheio que demorou muito para conseguir embarcar, e sabia que tinha perdido a oportunidade de ouvir, pelo menos por alguns minutos, João tocando na rua. Correu pela Paulista, esbarrando em algumas pessoas e segurando os óculos no rosto, para que não caíssem. Diminuiu um pouco a velocidade ao passar pelo MASP e viu João no mesmo lugar de sempre, recebendo alguns aplausos de transeuntes e pensando em outra música para tocar.

Anna não podia ficar, mas passou devagar por ele enquanto sorria e mostrava o polegar, incentivando que ele continuasse. João arqueou a sobrancelha vendo ela andar apressada e, enquanto a garota estava parada na esquina ao lado, esperando para atravessar a rua, ele decidiu tentar tocar a música que ela tinha escolhido no dia anterior.

– *Jane Doe, I don't even know you but I know for sure that you are beautiful...* – ele começou devagar, incerto, lembrando dos acordes e da melodia, que era lenta e pontuada. Não olhou para Anna, mas tinha certeza de que ela conseguiria ouvir e que certamente ficaria feliz de saber que, de alguma maneira, também era a resposta que ele queria dar. Depois de alguns segundos, virou-se para a esquina e só enxergou pessoas diferentes, mas nenhuma delas se parecia com Anna Julia. Sua animação logo esfriou e, assim que acabou a música, começou a tocar Bob Dylan, para se distrair. Ela não deveria ter ouvido. Tudo bem, ele precisava encarar que desencontros aconteciam.

A garota encostou-se na parede da escada do prédio do estágio, respirando profundamente. O coração batia forte e ela não tinha muita certeza se era por falta de ar da correria ou porque tinha escutado, ao longe, a música que ela mesma tinha escolhido para representar seus sentimentos. Assim que João começou a cantar, Anna tinha se assustado e, em um impulso, saiu correndo de novo. Ali parada, com os olhos fechados e tentando controlar a respiração, sentiu uma pressão subir pela garganta. Sem entender o que estava acontecendo, começou a chorar. Quando percebeu as lágrimas rolando pelo rosto, brotando sem parar de seus olhos, a garota sacudiu a cabeça e tentou pensar de forma racional para se acalmar, porque não fazia ideia de que sentimento era aquele. Doía no peito e fazia o impulso de querer chorar arder sua garganta, suas bochechas e até seu nariz.

Aquilo não fazia nenhum sentido! Anna nunca tinha passado por algo assim e era esquisito e desconfortável. Estava realmente tão nervosa? Era a primeira vez que a realidade tinha batido tão de repente, mostrando que tudo estava muito diferente e que provavelmente ela não era a mesma Anna Julia de um tempo atrás. Agora estava ocupada demais tentando ser feliz.

Um pouco mais confiante no dia seguinte, Anna saiu mais cedo da escola depois de terminar uma prova de matemática e resolveu ir logo para a Paulista. Sabia que tinha ido bem, como normalmente acontecia. As coisas podiam mudar, o sentimento dela com o mundo podia ser diferente, mas não sua vontade de ser melhor e de vencer, e essa era uma forma legal de pensar sem se gabar muito da própria inteligência. Fernanda havia pedido a ela para esperá-la para conferirem os resultados, mas sabia que aquilo poderia durar horas e ela não queria perder tempo. Além de não querer contar nada para a amiga, claro. Então fugir dela era uma ótima opção.

Desceu na estação de sempre cantarolando uma música na cabeça, o que era engraçado e sem sentido, porque ainda tentava se distrair em vez de abraçar logo de vez a ideia de que passou a vida inteira achando que música era perda de tempo e de neurônios. Era tão mais fácil aceitar que estava errada! Achou engraçado, porque normalmente não conseguia admitir isso, e via muito de seu pai em si mesma, o que era totalmente um saco. Decidiu parar em uma pequena lanchonete e comprar dois sanduíches e dois sucos. O dia estava quente, apesar de acinzentado, e Anna imaginava que João sempre ia para a Paulista sem almoçar. Se estivesse errada, levaria o lanche para o escritório do estágio e comeria mais tarde.

Caminhou pela avenida até enxergar o MASP e notar que não tinha ninguém por ali, exceto alguns *hippies* e vendedores ambulantes. Resolveu sentar na mureta ao lado e esperar, enquanto comia e observava as pessoas que passavam. Em questão de minutos, João Paulo apareceu no meio da multidão, com o *case* do violão nas mãos, e, como da outra vez, usando uma calça preta justa e uma camiseta branca.

"Lá vem o James Dean...", Anna pensou consigo mesma, vendo-o caminhar com confiança enquanto os cabelos loiros eram bagunçados pelo vento e a boca de lábios carnudos se mexia acompanhando a letra da música que escutava nos fones de ouvido. Ele enxergou a garota e não parou de cantar, acenando e sentando ao seu lado.

– *Cause I've got you! To make me feel stronger!* – ele sacudiu a cabeça e riu, vendo-a parar de comer o sanduíche e fazer careta.

– Vamos ser educados aqui, você tem visita!

João tirou o fone de ouvido e deixou o violão de lado, cruzando as pernas finas e olhando para Anna.

– Achei que você não podia falar comigo porque estava de castigo.

– Eu me tirei do castigo porque mereci. Minha nota na prova de matemática hoje vai ser muito boa. Mereço um descanso, né? – a garota disse, vendo-o concordar e sorrir. Puxou o saquinho de papel com o segundo sanduíche e ofereceu ao rapaz. – Achei que estava com muita fome, mas não vou dar conta...

– Por isso comprou dois sucos também? – João apontou para a garrafinha cheia ao lado da dela, quase vazia. Anna ficou um pouco vermelha, mas enfiou um pedaço do sanduíche na boca e apenas deu de ombros. – Muito obrigado, eu ainda não comi nada hoje!

Os dois ficaram alguns minutos em silêncio, lado a lado, enquanto comiam e observavam a Paulista, dividindo a falta de conversa como se fosse um importante segredo só dos dois.

– Eu sempre preferi as coisas certas, os números e as leis, porque raramente mudam – Anna comentou, bebendo um gole do seu suco. João saiu do transe em que também estava e encarou a garota. – Gosto de *podcasts*, porque falam de assuntos concretos, e de livros em que o final é previsível. Gosto de ter controle das coisas para que não tenha nenhuma surpresa. Sabe como é?

– Nem ideia – João disse de boca cheia.

– Acho que nunca tinha reparado em ninguém no meio da rua, até o dia em que vi você aqui, fazendo papel de bobo e tentando chamar atenção.

– Minha carreira no circo seria promissora, eu te disse – ele continuava a mastigar.

Anna riu, concordando. Voltou a olhar para as pessoas depois de conferir que ainda tinha alguns minutos antes do horário que precisava chegar no escritório. Ficar ali, à toa, era confortável e animador, embora sentisse um frio estranho na barriga por estar tão perto de João. Reparou que ele terminou de comer e puxou o violão do *case*, sentando de novo ao seu lado. Apoiou o instrumento nas pernas e se debruçou um pouco sobre ele, dedilhando lentamente. João tocou os primeiros acordes de "Anna Julia", a música do Los Hermanos, percebendo a garota revirar os olhos. Levantou-se e sentou do outro lado dela, fazendo com que o braço do violão ficasse em sua direção. Anna arqueou a sobrancelha, prestando atenção ao que ele fazia.

– Dependendo da posição dos seus dedos nos trastes – João apontou para a separação das casas desenhadas na extensão do braço do instrumento –, você faz um som diferente, uma nota diferente. Você sabe o que são notas musicais ou seu ódio vai além disso?

– Dó, ré, mi, fá, sol, lá e si. Eu não sou tão ignorante.

– Parabéns! Então, coloca o seu dedo indicador nessa corda aqui... – ele disse, rindo, fazendo Anna balançar a cabeça. Puxou a mão da garota para o braço do violão e ela não sabia se reparava em seu rosto concentrado ou no que ele a estava mandando fazer. Pressionou um dos dedos dela em uma corda, ajustando os outros por perto. – Segurando as cordas assim, você tem a primeira nota da música! Agora olha só...

Anna só conseguia reparar que estava muito próxima dele, e que o cabelo do rapaz estava um pouco molhado e cheirava a xampu. Deixou que João Paulo guiasse sua mão e seus dedos pelo braço do violão sem nem prestar atenção ou tirar os olhos de sua boca vermelha e falante. Ele explicou cada nota, cada corda, mostrou posições dos dedos e das mãos, tocou sons diferentes e só parou quando Anna soltou um gritinho e olhou estarrecida para seu dedo indicador, que tinha uma marca profunda de corda pressionada.

– Então música é tortura pra quem ouve, mas também pra quem faz? – ela esfregou as mãos na calça jeans. João riu, concordando.

– Existem verdades no que você disse.

– Você é um péssimo professor! Como pode me machucar nos primeiros minutos de aula?

– Depois de um tempo, você nem sente mais as pontinhas dos dedos, é normal – João mostrou a própria mão para ela. O coração de Anna disparou quando ela passou os dedos pela palma da mão dele. Conseguia sentir pequenos calos onde ele provavelmente pressionava as cordas, dia e noite.

– Talvez eu fosse bem se quisesse aprender um instrumento assim... essa coisa de nota parece bem imutável!

– Na verdade, toda nota pode ter variações, e não acho que tenha limites pra criar sons e música. Se dependesse de coisas concretas, ou você seria uma péssima artista ou não seria artista de jeito nenhum – ele explicou com calma. Anna se levantou de repente, olhando no visor do celular e fazendo com que João se assustasse e pensasse que tinha dito algo errado. A garota mostrou a hora, enquanto juntava o lixo do lanche e pegava sua mochila.

– Eu nem reparei o tempo passando! Alguma consideração final para sua aluna que não tem interesse nenhum em aprender a tocar? – ela perguntou, ajeitando-se para começar a andar. João parou de dedilhar e a encarou, ainda sentado. Em poucas semanas, eles provavelmente não se veriam mais, e não havia como saber ao certo quando seria o último momento perto dela.

— Você faz bem. É melhor como musa inspiradora do que como musicista. Alguma outra Anna Julia já influenciou outros músicos na história, mas eu nunca achei que seria tão sortudo de a minha ser a garota mais bonita que já conheci.

Anna piscou sem entender muito bem. Que papo era esse de musa inspiradora? Franziu a testa e viu João soltar uma gargalhada e se levantar, ficando de frente para ela. O garoto levantou o braço com a palheta na mão, enquanto segurava o violão com o outro, e levou o dedo indicador até a testa dela, desfazendo suas pequenas rugas de preocupação.

— Não fique tão séria, foi um elogio. Agora corra e não fique de castigo novamente porque a aula de música amanhã será ainda mais incrível e emocionante! — disse ele, acenando e empurrando a garota de leve, para que começasse a se mexer. Anna continuou com a testa franzida, pensando no que ele tinha dito e no que deveria responder. Fez uma careta e andou lentamente na direção para onde deveria ir, vendo-o se virar para voltar a tocar. "Pense em algo, Anna! Pense em algo!"

— Eu me divirto mais decorando a tabuada! — berrou de longe. João se virou para ela e começou a rir, mostrando o polegar e acenando de novo, enquanto Anna Julia atravessava a rua e corria se distanciando dele.

Com as provas na escola e os textos que o Doutor Côrrea indicava, Anna estava cada dia mais ocupada e mal conseguia pensar em algo que não fosse fórmulas, teorias, leis e redações. Não tinha um dia em que seu pai não falasse do Enem, da faculdade e do mercado de trabalho. Raramente conseguia sair mais cedo, e não eram frequentes as vezes em que Anna passava em frente ao MASP sem correr e conseguia parar perto de João para cumprimentá-lo, colocar algum dinheiro no seu pote ou entregar um sanduíche. Vez ou outra conseguia escutar o que ele estava tocando e, ainda tentando mantê-lo na memória, ouvia a música na internet quando chegava em casa. Mas não era bem o fim de semestre que ela esperava.

Durante um dos finais de semana que se seguiram, Anna acordou cedo para estudar e foi caminhando até a cozinha, ainda com sono. Sua mãe, já de pé, fazia café e limpava a pia, enquanto cantava junto com a música que tocava no aparelho de som da sala ao lado. Era Elvis Presley, como sempre. Anna chegou ao seu lado e percebeu como sua mãe, mesmo ainda muito bonita, havia envelhecido, e que, mesmo assim, ela continuava cantando as músicas da mesma maneira como Anna se lembrava desde sua infância. Cantava com amor e paixão, como se aquilo ainda a levasse a uma época feliz e gostosa do seu passado. Anna nunca tinha sequer reparado em como seu rosto se iluminava e em como ela sorria ao cantar. Arrependeu-se de todas as vezes que correu pelo corredor gritando, que desligou o som da tomada ou de quando disse que odiava que a mãe fizesse aquilo.

– Por que está sorrindo para mim? – a mãe perguntou, confusa. Normalmente, Anna já teria criticado ou tentado explicar de forma madura e conservadora como ouvir música daquele jeito era perda de tempo e de neurônios. Mas, naquele momento, a filha estava apenas sorrindo e bebendo água. – Você está com algum problema? Está doente?

– Claro mãe, a felicidade na sua voz alegre e intoxicante está me fazendo mal! – Anna riu, virando-se para sair da cozinha. Queria pedir desculpas por todas as coisas que já tinha dito e feito, mas não sabia como se expressar direito depois de tantos anos de brigas.

Parada na porta, viu que a mãe tinha feito careta e voltado a limpar a pia, cantando como se a filha não a tivesse interrompido. Até arriscou alguns passinhos de dança que, Anna tinha certeza, não eram utilizados desde os anos 1970.

Por alguns segundos, ficou ali parada, apenas observando e sorrindo, pensando que tinha sorte de poder ver aquilo.

Quem estava perdendo algo esses anos todos era ela mesma, não a mãe.

Era a primeira quinta-feira do mês de junho, quase no final da tarde, quando Anna Julia desceu pelo elevador do prédio do estágio com uma pasta nas mãos. Na portaria, olhou pela última vez no relógio do celular para garantir que conseguiria fazer tudo que precisava a tempo. O Doutor Corrêa era sócio majoritário da firma e um antigo amigo de seu pai, que tinha sido bondoso o suficiente para deixar Anna vagando pelo escritório dele a tarde toda enquanto ensinava sobre a arte de advogar, e era sempre muito solícito. Por isso, Anna não queria decepcioná-lo quando ele pediu para que ela levasse um documento confidencial a um escritório de advocacia parceiro. Não que Anna tenha fuxicado os arquivos do processo, mas ela havia escutado sussurros e comentários sobre o caso e estava nervosa com a responsabilidade de fazer parte daquilo.

O local também ficava na avenida Paulista, próximo à estação de metrô Brigadeiro. Isso significava que, de acordo com as contas dela, em uma hora, deveria correr por um pouco mais de um quilômetro, ida e volta. Ela não podia se atrasar, pois o advogado estava com o tempo no limite para receber o documento e dar andamento no processo. E isso também era uma ótima desculpa para ver João Paulo de longe.

Atravessou a rua lateral para o quarteirão do MASP. O sol batia forte em sua testa, fazendo com que ela apertasse os olhos por trás dos óculos para enxergar mais à frente e isso era extremamente incômodo. Sim, ela tinha noção de que o nervosismo não tinha a ver com a temperatura de São Paulo (não dessa vez). Apressou um pouco o passo para não perder tempo e acabou esbarrando em algumas garotas que andavam lentamente, e, ainda furiosa com os contratempos, sentindo os dentes cerrados pelo nervosismo esquisito, chegou na frente do MASP na hora em que uma multidão de pessoas passava apressada no sentido oposto ao dela.

Anna ficou atordoada por alguns segundos, olhando em volta à procura do garoto magro e alto, que ela tinha certeza que havia visto mais cedo por ali, mas só viu alguns manifestantes e pessoas escoradas nas muretas para fumar ou, provavelmente, tirar uma pausa do trabalho. Por um tempo, Anna se sentiu profundamente desapontada. Olhou para o relógio do celular, para a rua movimentada de carros e suspirou alto, pensando que talvez tenha sido uma ideia bem ruim vir correndo atrás de João Paulo no meio da tarde. Não era como se ela estivesse desesperada para vê-lo, mas a esperança tinha feito com que a corrida que precisava fazer para entregar o documento se tornasse um pouco mais animada do que normalmente seria. Estava pronta para destilar uma raiva sem limites, quando respirou fundo e olhou para cima, dando de cara com João Paulo. Ele estava com a sobrancelha levantada, visivelmente achando a situação divertida. Anna sentiu o coração, que antes estava dolorido, disparar de uma forma assustadora, como se tivesse tomado um susto fenomenal, digno de um filme de terror ou suspense.

– Você é um fantasma? – perguntou, apontando o dedo indicador para o garoto. Olhou para o *case* de couro nas mãos dele, onde provavelmente estava seu violão, e revirou os olhos. – E isso é uma arma de destruição.

– É uma forma de manter as pessoas meio distante na rua, todo mundo tem medo. – João sorriu, levantando o *case* na altura dos joelhos, fazendo graça. Anna sorriu junto, sem querer. Então se lembrou de que estava com o tempo contado e fez uma careta. – Aconteceu algo ruim?

– Eu estou inexplicavelmente atrasada e...

– Duvido que seja inexplicavelmente. – João interrompeu, rindo. – Ei! – Anna começou a andar em direção ao metrô Brigadeiro, fazendo com que o garoto a seguisse de forma inconsciente.

– Estou falando sério aqui, James Dean. Tenho algo importante pra fazer.

– Eu acredito. Posso ajudar? – ele perguntou, ainda seguindo a garota de perto, vendo ela negar e explicar sua tarefa do dia. João concordou, olhando no visor do próprio celular e franzindo a testa, como se pensasse sobre o tempo e a distância que precisariam percorrer. – Uma hora é o suficiente, mas definitivamente não vai dar tempo se você continuar andando desse jeito.

– O que quer dizer com isso? – Anna franziu a testa também, olhando levemente para trás e observando o garoto colocar o celular no bolso, ajustar o case do violão na mão esquerda e estender a direita para ela.

João sacudiu a mão vendo que a garota ainda estava confusa. Balançou a cabeça e puxou sua mão com a dele, entrelaçando seus dedos e fazendo com que ela passasse o casaco cinza para o outro braço, junto com a pasta do escritório. Antes que Anna conseguisse compreender exatamente o que estava acontecendo, ele disparou a correr puxando-a pela mão. Os dois atravessaram um grande número de pessoas, correndo, furando grupos que caminhavam e passagens estreitas entre prédios e bancas de jornal.

A garota se sentiu em um vídeo de música romântica, onde tudo parecia em câmera lenta e incrivelmente sincronizado. E nem sequer passou pela sua cabeça que aquilo era extremamente brega e sentimental, porque agora se sentia uma pessoa totalmente diferente, pelo simples fato de estarem correndo, no meio da tarde, na avenida Paulista. Ao pararem no semáforo para atravessar uma rua lateral, João Paulo manteve a garota perto dele. Ele sorriu para ela assim que o sinal abriu e voltou a correr quando chegou do outro lado, garantindo que os dois estivessem em segurança. A garota não pôde deixar de sorrir junto e, de repente, sentiu vontade de cantar. Precisaram parar umas duas vezes antes de, finalmente, atravessarem a Paulista para o outro lado, onde ficava o prédio do escritório de advocacia parceiro que era o ponto de chegada de toda aquela maratona.

– Chegamos em vinte minutos e eu acho que isso foi um recorde digno de atletas profissionais. Quem diria! – João disse assim que atravessaram a avenida, parando um pouco para respirar e tentar sentir o ar passar com menos dificuldade pela garganta e pelos pulmões, sem que provocasse aquela sensação de queimação e ressecamento.

Anna se agachou na calçada, apoiando os cotovelos no joelho, respirando fundo e deixando os cabelos caírem no rosto, quase perdendo a consciência por alguns segundos. – Quem diria... – ela repetiu baixinho, rindo. Se recompôs depois de um tempo, avistando o número para onde precisava ir e se virando para João Paulo, que ainda respirava com dificuldade.

– Eu volto logo, você vai me esperar?

– Sempre vou esperar você – ele disse, sorrindo e fazendo sinal de "OK" com os dedos, enquanto procurava um lugar para se sentar ou encostar por alguns minutos. Anna notou que ele não tinha percebido a forma fofa e incrível como havia dito aquilo, de um jeito tão sutil e sincero. Não conseguiu parar de sorrir enquanto concordou com ele e se virou para caminhar até a portaria, verificando que o garoto tinha entrado em uma lanchonete ao lado do edifício.

Quando Anna Julia voltou para a Paulista, depois de cumprir sua importante missão, caminhou à procura de João, que estava encostado na porta da lanchonete, bebendo uma garrafa de água. Ele era realmente muito atraente e o coração de Anna voltou a disparar de forma louca, fazendo parecer distante e surreal todo o pensamento realista e pé no chão que tinha tido até então em relação a ele. Por alguns segundos, pensou em como ela mesma não se achava tão bonita assim e que não entendia por que ele estava ali, esperando por ela. Não sabia que era passível de uma insegurança tão grande, que caiu como uma pedra na sua cabeça, como nunca antes na vida. Ao notar que João Paulo sorria de volta para ela, parecendo tão feliz ao vê-la, o medo de não ser boa o suficiente desapareceu.

– Desculpa ter demorado, o secretário parecia muito confuso na hora de entender os documentos que eu trouxe!

– Na verdade, você demorou exatamente 10 minutos, o que não é ruim de forma alguma. Mas por que eu sinto como se tivesse passado o dia inteiro longe de você? – João Paulo piscou, sorrindo. Anna mostrou a língua de forma brincalhona. – Mas eu não tenho uma notícia muito boa pra mim mesmo.

– Aconteceu algo? – Anna franziu a testa, vendo o garoto oferecer sua água para ela, que recusou porque já tinha bebido dois copos na sala de espera do escritório.

– Me ligaram do Conservatório e me pediram pra ir até um estúdio perto da Vergueiro pegar algo pra um professor. Estava esperando você voltar pra não achar que eu tinha ido simplesmente embora – contou, pensando logo depois que tudo seria mais fácil se ele tivesse o número do celular dela, mas não conseguindo falar isso em voz alta.

– Ahn... – a garota pareceu ligeiramente decepcionada, o que fez João chegar perto dela e segurar seu queixo de forma delicada. Olhou rapidamente em seus olhos e beijou, de leve, a ponta do seu nariz.

Anna Julia não conseguiu conter o sorriso, quase ima-ginando que o sol estranho do outono poderia derretê-la naquele momento. Viu, em câmera lenta, ele se afastar e, em um impulso, que ela não sabia da onde havia vindo, se jogou contra ele e o abraçou forte, passando os braços pelo seu pescoço e pressionando o rosto em seu peito. João Paulo ficou estarrecido por alguns segundos, sem conseguir se mexer ou retribuir o abraço, mas logo se desmanchou de volta, apertando a cintura da garota com força e absorvendo o perfume do cabelo dela.

— Obrigada por vir comigo, foi um fim de tarde incrivelmente feliz.

— Obrigado pelo abraço — ele devolveu, sorrindo e fechando os olhos. — Definitivamente, foi um fim de tarde incrivelmente feliz.

Os dois caminharam para lados opostos da Paulista, com os corações apertados e um sentimento de felicidade verdadeira. O garoto olhou para trás, por cima do ombro, mas Anna seguia apressada sem se virar. João deu um leve sorriso e virou a esquina na mesma hora em que Anna parou e girou o corpo para olhá-lo por uma última vez, não o encontrando. A garota suspirou e começou a correr em direção ao prédio do estágio.

Já era quase final de junho, Anna tinha tirado ótimas notas na escola, e o fim do semestre não era nenhuma preocupação naquele sentido, embora alguns professores teimassem em finalizar o mês com provões e testes enormes, que simulavam o Enem, e isso deixava todo mundo cansado e ansioso. Do outro lado, seu estágio parecia interessante e ela só estava afirmando a si mesma que, apesar de ser um sonho do seu pai, Direito era algo em que ela realmente era boa. Estava sendo uma ótima experiência e ela não podia reclamar.

Anna Julia, que nunca havia tido problemas com estudos, estava até tendo dificuldade para dormir por causa da pressão do colégio e do vestibular, que seria em breve (ninguém precisava saber, mas ela ouvia "Hey Jude", dos Beatles, toda vez que se sentia ansiosa. De alguma forma, a música a deixava tranquila o suficiente para pegar no sono).

Curiosamente, como se não bastasse ter que dividir seu tempo entre as diversas atividades que consumiam seus dias, o destino estava contribuindo para que Anna se enrolasse e se atrasasse mais ao cumprir seus horários. Por isso, encontrar João Paulo depois da tarde em que correram pela Paulista ficou impossível. Ela até pensou em procurá-lo em alguma rede social, mas, além de não saber o sobrenome dele, seu pai havia limitado seu tempo na internet. Ele ainda estava aborrecido por Anna ter mentido e saído com um garoto que *certamente* não era o par ideal para a sua filha. E ela não queria iniciar uma discussão que pudesse tirar o pouco de paz que lhe restava.

Por isso, em uma quarta-feira em que a sua turma foi liberada mais cedo, diferentemente dos outros dias, Anna Julia correu para chegar na Paulista antes do horário do estágio (sem atrasos dessa vez!). Parou em frente ao MASP, como já era quase automático, e viu João com o violão sentado na calçada do museu. Ele tocava "Thinking Out Loud", do Ed Sheeran, interpretando a música e cantando com os olhos fechados. Embora estivesse sentado no chão, mexia-se como se estivesse em um palco, e era muito inspirador de se ver. Anna estava encantada, como sempre. Aproximou-se e se sentou na frente dele sem se importar em sujar a roupa, apoiando os cotovelos nas pernas e o rosto nas mãos, aproveitando o momento o quanto podia. Ainda demorou algum tempo até que ele notasse que ela estava ali, tão perto. João ficou muito feliz de ver que Anna finalmente tinha conseguido algum tempo para vê-lo.

— Essa música foi feita pra você, James Dean! — a garota disse, enquanto aplaudia quando ele terminou de cantar. João agradeceu, rindo de como ela parecia realmente sincera falando isso.

— Como eu esperava, cara jurada do *The Voice*! — ele balançou a cabeça e acenou com as duas mãos, parecendo muito fofo e carinhoso. — Como foi na aula hoje?

— Como eu esperava! — Anna repetiu o que ele tinha dito, fazendo o garoto arquear a sobrancelha achando graça. — Eu praticamente já passei de ano e o semestre nem terminou. Não quero me gabar, mas sou realmente boa em tudo que eu faço.

– Fico feliz.

– E suas provas? Já começaram? – ela perguntou, incerta. Ele tinha dito, havia algum tempo, que ficaria nas ruas até o final de junho, porque a pressão aumentaria no Conservatório, o que fazia Anna se perguntar se eles se veriam algum dia, no futuro. Não queria pensar nisso, porque tinha virado parte da sua rotina passar pelo MASP e vê-lo por lá, cantando e tocando. E ela gostava disso, de saber o que encontraria e o que a esperaria.

– Vão começar... – João Paulo mordeu os lábios sem saber o que dizer. Ele tinha a noção de que dali a alguns dias não voltaria mais para a Paulista, mas tinha certeza de que não queria se despedir de Anna. Ele sabia que o caminho dos dois tinha se cruzado por algum motivo, e esperava, do fundo do coração, que tivesse feito alguma diferença na vida dela. Porque ele nunca mais iria esquecer a garota do outono, a mais bonita que ele já tinha visto. Ela seria a inspiração para suas músicas por muito e muito tempo. – Sei que daqui a pouco vai sair correndo atrasada, como sempre. Nunca vou entender como alguém tão inteligente é tão desorganizada! Então, eu vou tocar uma música para você cantar o dia inteiro, enquanto lê aqueles textos de mil páginas sobre criminosos que você adora tanto, certo?

– Ah, que tortura! – ela disse de forma irônica, fazendo careta e rindo logo depois. João sorria abertamente e tossiu de leve algumas vezes para colocar a voz em ordem. Anna ouviu os acordes familiares da música do Los Hermanos e mostrou a língua.

– *Nunca acreditei na ilusão de ter você para mim, me atormenta a previsão... do nosso destino, eu passando o dia a te esperar, você sem me notar. Quando tudo tiver fim... você vai estar com um caaaaaaara...*

Ele cantou de forma dramática, batendo forte nas cordas do violão, fazendo caras e bocas. Anna tampou os ouvidos antes que o refrão começasse e se levantou, ouvindo-o aumentar o volume da música o máximo que podia, quase gritando. Ela fez careta e se afastou, vendo que ele estava rindo e realmente se divertindo com a situação. Em vez de continuar cantando a música na cabeça, ela se lembrou da primeira vez em que ouviu a voz de João Paulo e de como ele tentou convencê-la de que Anna Julia era realmente uma música muito especial.

– Eu estava errada. Satisfeito? – ela falou para ele, risonha, enquanto o encarava.

– Ah! Mas essa sua constatação é muito importante! E fez você ganhar um bônus! Quer fazer algum pedido especial, senhorita? – ele perguntou, sorrindo.

Anna fez bico e fechou os olhos, pensando.

– Eu não gosto de música, não perca tempo comigo! – zombou. João concordou, esticando o braço e a mão que segurava a palheta, e encostou a ponta do dedo na testa dela. Sorriu, porque queria dizer várias coisas e nada ao mesmo tempo. Poderia passar o dia inteiro olhando para ela, para nunca mais esquecer seu rosto redondo, com óculos de armação grossa, olhos escuros e brilhantes por trás deles, cabelo castanho com mechas azuis e o sorriso que o tinha feito se apaixonar instantaneamente por alguém que havia acabado de conhecer.

– Então vou tocar uma música do Jason Mraz, especial, que fala de... – João começou a explicar, mas Anna balançou a cabeça. Estava atrasada! Deu um beijo de leve na bochecha do garoto e sorriu.

– Até amanhã! – ela gritou, enquanto se afastava. João Paulo arregalou os olhos porque queria dizer algo, mas não sabia o que fazer. Ele teria como se despedir?

– Anna Julia! – gritou em retorno, chamando a atenção dela antes de vê-la atravessar a rua. Ele sentia a eletricidade correr pelo corpo. Vendo a garota se virar para encará-lo, de longe, João apenas sorriu sabendo o que precisava fazer. Mordendo os lábios, acenou de volta. – Até amanhã!

Mas, no fundo, os dois sabiam que não haveria esse "amanhã".

Na última sexta-feira antes de o outono acabar, Anna se despediu do primeiro semestre do seu 3º ano do ensino médio com muita animação. Agora era só encarar mais alguns dias do estágio para finalmente ter algum tempo de férias! Ela estava merecendo. De todas as coisas que tinha aprendido durante os últimos meses, notar as pequenas coisas da vida era a que mais fazia seu dia feliz, e ela sabia o quanto a música tinha ajudado (na verdade, era totalmente culpada!). Anna agora cantava Elvis Presley com sua mãe, embora não tivesse tempo para sonhar acordada com um certo artista de rua que ela estava animada para encontrar de novo.

Saiu da escola correndo para o metrô, pensando nas várias coisas que gostaria de dizer a João Paulo e o quanto queria agradecê-lo. Estava tão animada que não se importava com o horário. Seguiu correndo pela Paulista até enxergar, de longe, o MASP, imponente, rodeado pela avenida que tinha feito do seu outono inesquecível.

Ao se aproximar, ansiosa, reparou que o silêncio só não era possível por causa do barulho dos carros, das pessoas que conversavam e do seu próprio coração martelando em seu peito. No fundo, sem querer admitir, ela sabia que João não estaria ali, mas mesmo assim chegou perto do lugar onde ele ficava todos os dias e se sentou, virando a cabeça para ver cada pessoa que passava. Por vários minutos, ficou sozinha. Um sentimento de vazio tomou seu coração e ela respirou fundo. Subitamente, sorriu, substituindo o vazio por um calor incomum, que a aqueceu da cabeça às pontas dos dedos. Olhou para os pés e entendeu que os momentos que tinha vivido haviam virado memórias, e que a música manteria seu coração confortável para o resto da vida. E ela estava bem com isso. Levantou-se, acenou sozinha para o lugar vazio e andou lentamente até o estágio.

Não foi fácil passar pelo MASP durante a semana seguinte, a última de seu estágio, vendo o vão da construção sempre cheio de vendedores de artesanato e pedestres apressados, mas sem a figura e a voz de João Paulo destoando dos sons agressivos da Paulista movimentada.

Anna sorria toda vez que chegava onde o garoto costumava ficar. No fundo da sua memória, conseguia vê-lo no meio da multidão que passava por ali, tocando e cantando, divertindo todo mundo à sua volta, atendendo a pedidos e sorrindo verdadeiramente para cada pedestre que parava para ouvi-lo, nem que fosse por um segundo só. Aquele sorriso que fazia as mãos dela suarem e as pernas amolecerem.

Era seu último dia passando por ali. Anna tocou de leve os lábios com a ponta dos dedos. Ainda era possível sentir o calor da boca quente do garoto quando fechava bem os olhos. O único beijo que trocaram aconteceu ali, naquele lugar que mudou a vida de Anna Julia completamente, e que mostrou para a garota que ela poderia ser feliz como quisesse, de qualquer forma e a qualquer momento.

Encarou mais uma vez o espaço e suspirou. Depois, como normalmente fazia, correu apressada em direção ao outro quarteirão. Antes de atravessar a rua transversal, como em uma alucinação, escutou a voz grave de João Paulo cantar "Anna Julia", do Los Hermanos, ao longe. A garota parou bruscamente na calçada, sentindo a cabeça zunir e os dedos formigarem, em uma sensação assustadora. Não era possível, era? Ela tinha acabado de passar pelo MASP e ele não estava lá. A vontade de vê-lo era tanta que sua mente estava começando a pregar peças nela. Seria alguma reação maluca de sofrimento e autopunição comum em pessoas com o coração partido?

– Ô *Anna Juliaaaaa...* – ouviu novamente, e daquela vez teve certeza de que era real.

Sorriu abertamente antes de se virar para encarar o garoto magro e alto, que usava calça justa e camiseta de banda, que tinha os cabelos loiros jogados para trás. Viu que ele veio caminhando até ela, tocando violão. Seu olhar estava fixo no dela, sua boca de lábios cheios moldava cada verso daquela música que ela tanto detestava.

Anna Julia sentiu seus olhos encherem d'água, e correu, como sempre fazia. Só que dessa vez foi em direção a João Paulo.

No fim, não era apenas o outono que tinha sido inesquecível.

BRUNA VIEIRA

UMA PRIMAVERA ♥ INESQUECÍVEL

A matemática das flores

"Quando as coisas vão começar a acontecer pra mim?"

Foi o que pensei quando abri o armário da sala pela milésima vez e ouvi o rangido enjoado da porta de madeira ecoar por todo o ambiente. Queria encontrar ali algo minimamente interessante, que fizesse o tempo passar mais rápido, como um jogo, uma revista ou, sei lá, uma carta de admissão ou uma passagem secreta para um universo paralelo, como Nárnia! Queria simplesmente fechar os olhos e acordar na véspera do primeiro dia da faculdade, assim, feito mágica! Tipo quando o Harry Potter descobre que vai estudar em Hogwarts. Um dia ele está de castigo em casa; no outro, está fazendo amigos em um lugar completamente novo. Eu não tenho nenhuma cicatriz na testa e nem tive a sorte de nascer em uma família de bruxos, mas tenho uma coisa em comum com Harry: ficamos de castigo injustamente.

Ninguém vai mal na prova de matemática de propósito. Fazer contas e decorar fórmulas é uma coisa que você nasce com predisposição para saber. É um dom. Eu acho. Infelizmente, eu não sou uma dessas pessoas "abençoadas" com o talento para números. Então, só me resta passar quase um quarto da minha vida tentando entender a matéria para me livrar da escola de uma vez por todas. E falta tão pouco!

Precisar de tantos pontos no quarto bimestre do 3° ano do ensino médio é algo arriscado, eu sei, mas, desde o Réveillon, os dias simplesmente foram passando depressa e, quando me dei conta, já estava sem celular, de castigo nos fins de semana, e ouvindo minha mãe resmungar, pela centésima vez, o quanto eu era ingrata por não valorizar o esforço que meus pais faziam para me dar uma boa educação. Cada vez que eles me comparavam com algum adolescente prodígio, desses que aparecem no jornal dizendo que já sabiam exatamente o que fazer da vida aos 15 anos, eu ficava mais agoniada. Era fim de outubro, estávamos na linda estação da primavera, mas nem tudo eram flores para mim. Eu não fazia ideia de como entender a matéria da prova, imagine decidir qual seria a minha profissão pelo resto da vida.

Passei as últimas semanas tentando olhar para a lousa da minha classe sem nem ao menos piscar, ouvindo atentamente cada palavrinha que o professor dizia e anotando todos os números no meu caderno. Usei minhas canetas coloridas preferidas para ver se, de alguma maneira, a matéria se tornava mais atraente, mas a verdade é que, antes de o professor completar a segunda frase da explicação, eu já estava bem longe dali em pensamentos. Era meio automático para mim, sabe? "$P(x)$ é um polinômio de grau n, com $n \geq 1$ e... nossa, quando será que vai sair o novo episódio de *Grey's Anatomy*...?"

Mamãe recebeu um comunicado da escola com uma advertência. Imagine você: quase levei uma suspensão porque estava tocando bateria imaginária dentro da sala de aula entre um horário e outro. Era Paramore nos meus fones de ouvido. Quem não toca bateria imaginária ouvindo Paramore? Além do mais, eu não me dei conta de que o professor já estava na sala e a aula "teoricamente" já tinha começado. Não foi de propósito.

A coisa começou a ficar realmente feia quando o boletim do terceiro bimestre chegou, há algumas semanas. Foi depois disso que meu celular e meus fones de ouvido foram confiscados por tempo indeterminado. Não quero falar sobre esse assunto agora porque, sem música e sem internet, eu não funciono direito, e todos aqui em casa sabem bem disso. Só que para mim isso tem outro nome: tortura!

Vasculhar aquela bagunça no armário da sala me deu esperanças de encontrar o velho *discman* que eu tinha quando era mais nova. Mamãe, dona Ingrid, sempre guardava coisas antigas e já sem utilidade lá dentro. Meu pai dizia que ela era acumuladora, como aquelas mulheres que participam do programa *Acumuladores compulsivos*, que passa no Discovery Home & Health. Eu não achava que era para tanto! E até que essa mania dela podia ser útil, se eu encontrasse algo que ainda funcionasse no meio de toda a tralha.

Tomei cuidado para não fazer muito barulho, já que meus pais estavam dormindo no quarto. Era meio que uma tradição aqui em casa: depois do almoço de domingo, a casa inteira ativava o modo hibernar, até o céu começar a escurecer. Menos eu, que precisava estudar matemática.

Encontrar aquele *discman* antigo iria facilitar minha vida. Entender matemática com uma trilha sonora ficaria um pouco mais aceitável e possível. Eu tinha quase certeza de que em uma das gavetas do meu quarto ainda existia um daqueles CDs gravados com centenas de músicas antigas e variadas. Eu sempre gostei da tecnologia e do quanto ela facilita a nossa vida, mas, às vezes, sinto falta daqueles rituais que antes eram muito naturais para a gente, tipo escolher quais músicas seriam gravadas no CD ou quais seriam as doze fotos publicadas no álbum do Orkut. Agora, as pessoas tiram selfie o tempo todo só para ter certeza de que o rosto não mudou de um dia para o outro. Vou contar um *spoiler*: a cara da gente fica exatamente a mesma.

Eu não era sempre assim, tão rabugenta. É que eu não estava no meu melhor dia. Principalmente depois de tirar tudo de dentro do armário e me dar conta de que o esforço foi totalmente em vão. Ou quase. Não havia nada ali que fizesse valer a pena tudo o que eu teria que arrumar depois, ou a bronca por deixar a maior bagunça no chão da sala.

Mas, de repente, bem lá no fundo, atrás de algumas agendas antigas, de enfeites quebrados e de algumas peças de Lego, vi uma caixa de sapato que era mais colorida que as outras, o que me fez ficar curiosa para tirá-la de lá. Quando a coloquei no meu colo, notei que ela havia sido decorada com fotos antigas da família, o que foi, provavelmente, ideia da minha mãe. Eu não me lembrava exatamente de quando aquilo aconteceu, mas tinha quase certeza de que eu havia participado de alguma maneira, pois algumas partes pareciam ter sido feitas por uma criança. Olhei as fotografias por alguns instantes e, curiosa, logo abri a caixa. Aparentemente, ali estavam guardadas todas as minhas obras de arte do passado, ou melhor, todos os rabiscos que fiz durante a infância nas aulas de arte. Com as pontas dos dedos, fui sentindo a textura de cada folha. Alguns dos papéis estavam meio enrugados por conta da tinta e do tempo.

    E eu fiquei lembrando... como eu adorava desenhar! Olhando bem, para uma criança, até que eu não era tão ruim assim. Provavelmente, por esse motivo, mamãe fez questão de guardar tudo aquilo. Para provar para o resto da família que, em algum momento da vida, eu mandei bem em alguma coisa!

    Depois de olhar por algum tempo aquelas recordações, e de revirar mais um pouco o armário, percebi que não ia mesmo encontrar *discman* nenhum. Eu estava só adiando o que era inevitável. O domingo já estava chegando ao fim e eu não tinha feito nada de útil. Então, guardei as coisas de volta no armário o mais rápido que pude, respirei fundo, sentei na mesa da sala de jantar e abri meu caderno e meu livro de matemática. Não ia ter jeito. Eu teria que enfrentar minha sessão de estudos a seco mesmo...

— Jasmine, levante! Você está atrasada e não acordou na hora DE NOVO! Esse despertador não funciona mais? Se não correr, vai perder a primeira aula.

    Isso não era exatamente o que eu queria ouvir depois de quase beijar o Adam Levine no meu sonho. Eu ainda conseguia sentir os lábios úmidos dele nos meus, mas, de uma hora para outra, começaram a surgir números em todas as direções e, de repente, lá estava minha mãe abrindo a janela do quarto "e deixando a luz entrar para o dia começar".

Minha mãe era uma pessoa naturalmente feliz, daquelas que sempre enxergam o lado bom das coisas, que compartilham correntes positivas nas redes sociais e que colocam flores em todos os cômodos da casa. Okay. Esta última descrição era meio óbvia para quem a conhecia, porque ela era dona de uma floricultura que ficava no final da rua em que morávamos e que, por algum motivo, achava que nossa casa deveria ser uma extensão do seu trabalho. Quando eu era pequena, nem me importava, mas, com o passar do tempo, fui promovida a ajudante de jardinagem. E até hoje, todo dia, no final da tarde, precisava ficar pelo menos uma hora cuidando das flores ao lado da minha mãe. Ela jurava que isso era terapêutico e fazia bem para a nossa relação.

E, sim, Jasmine, meu nome, vem de jasmim, a flor preferida dela.

Jasmim também era o tema da estampa do papel de parede do meu quarto de criança, da mochila do colégio que usei ao longo de toda a minha pré-escola, dos meus brincos de quando eu era pequena, e de tudo o que você conseguir imaginar. Por que os pais acham que os filhos vão nascer com os mesmos gostos que eles? Em algum momento, na barriga da minha mãe, eu já deveria ter avisado a ela que a minha vibe era outra. Assim, talvez ela tivesse pensado em um nome mais "normal", tipo Bianca, Isadora ou Camila. (Se você tem algum desses nomes mais comuns, automaticamente deve amar muito mais seus pais, porque não vai ganhar apelidinhos inconvenientes ou ser relacionada à personagem do filme da Disney.)

Mentalmente, calculei que ainda tinha 25 minutos para levantar, tomar banho, comer alguma coisa de café da manhã e sair de casa. Isso me pareceu tempo suficiente para tirar mais um cochilo de, mais ou menos, cinco minutos. Fechei os olhos só por um instante. De repente, lá estava minha mãe novamente.

– Você faz isso de propósito? Levanta da cama e veste seu uniforme! – agora ela já estava gritando. E quando a minha mãe gritava, era bom você fazer logo o que ela queria.

Queria que ela estivesse exagerando, mas as semanas seguintes seriam mesmo decisivas para mim. Se eu não fosse bem nas provas do último bimestre, ficaria de recuperação. E, sinceramente, se eu não aprendi a matéria ao longo de vários meses, era óbvio que não conseguiria fazer isso em duas semanas.

Tomar bomba era um medo que sempre me assombrava, nunca fui muito nerd na escola, mas até o 2º ano, de alguma maneira, eu sabia que no final daria um jeitinho. Só que desta vez era diferente. Eu jamais conseguiria me recuperar do trauma de ver todos os meus amigos se formando, entrando na faculdade, indo dividir quarto em repúblicas e participando daquelas festas com nomes estranhos que sempre me convidam no Facebook (e nas quais eu nunca posso ir), e eu repetindo de ano, ficando mais um ano no ensino médio. Não, isso seria a morte pra mim. Adiar tudo por culpa de uns números idiotas faria com que eu me odiasse para sempre.

Levantei da cama em um pulo, tomei um banho rápido e vesti o uniforme, que ainda estava jogado atrás da porta. Enquanto calçava o tênis, reparei no meu cabelo, que era grande, cacheado e volumoso. Eu costumava não gostar dele, porque os fios eram crespos e quase sempre indomáveis, mas, nos últimos dois anos, tenho me divertido muito descobrindo técnicas na internet para deixá-los encaracolados, como os daquelas atrizes de TV. Na escola, quando eu era pequena, me davam vários apelidos, como "leão" e "bombril", mas preferia mil vezes ter o cabelo assim a ter de passar dez horas no salão fazendo alisamentos com nomes de sobremesas (escova de chocolate? Escova de mousse de maracujá? Escova de morango?).

Meu cabelo era, de longe, entre os das minhas amigas, o mais volumoso, e, desde que isso deixou de ser um problema para mim, minha meta era que ele ficasse ainda maior. Se você não pode ser quem as pessoas querem que você seja, torne-se a pessoa que elas não conseguem ser. Ninguém na minha turma tinha o mesmo cabelo que eu. Isso era ruim no passado, mas no ensino médio era legal, porque, por onde eu passava, todo mundo me olhava.

Menos de quinze minutos depois de sair de casa, eu já estava no meio da multidão, no metrô, apertada entre as pessoas dentro do trem, esperando chegar à estação Ana Rosa, que ficava próxima ao colégio. Essa era a desvantagem de morar em uma cidade grande: era mais rápido ir socada entre as pessoas do que confortavelmente no seu carro. Em condições normais, se você está atrasada, sua mãe pode levar você até a escola. Mas, em São Paulo, ir de carro é quase sempre a opção mais demorada. E olha que meu pai era taxista e conhecia os melhores caminhos e atalhos. Aqui, o trânsito às 7 horas da manhã já era totalmente caótico, mas confesso que não me imaginava morando em uma cidade diferente. Sempre gostei do movimento, das luzes constantemente acesas e das pessoas correndo pra lá e pra cá, como se tivessem sempre algo importante a fazer.

Muita gente diz que a qualidade de vida na capital é ruim, mas acho que tudo depende de como você enxerga a cidade. Ela tem muito a oferecer, então é bom que você esteja preparado para aproveitar. Caso contrário, só conseguirá enxergar os prédios pichados e sentir a poluição entupindo seu nariz. Eu tinha tanta coisa para explorar na cidade, tantas estações em que nunca desci, tantas pessoas desconhecidas que seriam facilmente minhas amigas, tantos shows legais que eu ainda não tinha grana para ir. O problema é que, antes disso, eu precisava passar em matemática.

Finalmente, cheguei à minha escola, que era enorme e ficava em frente a uma praça cheia de árvores. Como era primavera, tudo estava florido, e a grama ficava coberta por um tapete multicolorido de flores que caíam a todo instante das árvores maiores. Eu adorava ficar ali observando o contraste do verde bem no meio da selva de pedra, mas, na maior parte do tempo, o lugar ficava lotado de alunas, normalmente as mais novas, querendo tirar fotos para o Instagram.

Eu estudava ali desde o maternal, então podia dizer sem medo que conhecia todos os lugares, salas, atalhos, histórias, rolos e alunos que frequentavam a escola. Isso durante o dia, e em relação aos alunos do ensino médio e fundamental. No período da noite, o prédio do colégio era utilizado por uma universidade, com cursos de engenharia e tecnologia, e tudo mudava. Eram outros alunos, outros professores, outro clima. E aquilo virava um mundo completamente misterioso para mim, em todos os sentidos, principalmente por se tratar de gente que gostava de números e que tinha optado por estudá-los e por trabalhar com eles pelo resto da vida. Deus me livre! Eu nunca faria uma coisa dessas, e achava muito estranho que aquelas pessoas tivessem feito essa escolha. Se eu fizesse um exame de alergias e o teste fosse para números, provavelmente minha pele ficaria irritada.

Okay. Essa piada foi ruim. Continuemos.

Eu não era daquelas garotas populares, que andavam em grupinhos fechados em que todos se vestem da mesma maneira. Mas sempre fui uma ótima observadora, o que me dava vantagens com todo mundo. Além disso, estar no 3º ano do ensino médio colocava você no topo da hierarquia escolar. Normalmente, os alunos mais novos respeitavam os mais velhos, não necessariamente por medo, mas por admiração, por terem conseguido chegar até o final de uma longa jornada. É quase como nos videogames: você precisa passar por todas as fases para chegar até o grande e temido chefão. Se vencer a batalha final, estará livre para se aventurar em um novo universo ainda inexplorado, popularmente conhecido como faculdade. E eu estava quase lá. Faltava só vencer o chefão. Que pelo jeito já estava entrando para dar aula.

O professor Eduardo Carvalho, de matemática, mais conhecido como o "temido" professor Carvalho, entrou logo atrás de mim, uma das últimas a chegar na sala. Vim correndo, e foi só o tempo de entrar, que ele já foi fechando a porta. Começou já passando as orientações da aula. Pelo jeito, íamos fazer um trabalho. Sentei correndo e fui anotando o que ele começou a explicar, antes mesmo de colocar suas coisas na mesa.

– Preciso que vocês se dividam em grupos de seis. Criei exercícios no mesmo estilo dos que vão cair na prova final. Isso significa que quem conseguir fazer todos os exercícios também vai conseguir tirar uma boa nota na avaliação. Lembrem-se que é um trabalho em grupo, mas isso não significa que os exercícios devam ser divididos. A ideia é que vocês trabalhem juntos, para que um ajude o outro a entender a matéria. Eu sei que alguns alunos desta sala precisam de um verdadeiro milagre. Então, é bom que a oração comece agora. E rezem em conjunto!

Eu poderia jurar que o professor Carvalho tentou fazer uma piada enquanto distribuía as folhas do trabalho ao caminhar pela sala deslizando seu sapato de borracha nos tacos de madeira. Ninguém riu espontaneamente, mas é claro que os alunos, principalmente os que estavam precisando de nota, deram um sorrisinho amarelo, como se ele tivesse realmente sido engraçado.

Junto com os trabalhos, ele entregou a avaliação do terceiro bimestre. Eu sabia que não tinha ido bem logo quando saí da prova, algumas semanas antes. Mas, no fundo, esperava que todos os meus amigos nerds tivessem se enganado, e que minhas respostas estivessem corretas. É injusto saber que eles nem precisam mais de pontos para passar de ano e, ainda assim, estavam preocupados em tirar a melhor nota. Se eu tivesse média, provavelmente já estaria com a cabeça na faculdade, só focada no vestibular e no Enem, e pensando em todas as coisas legais que acontecem quando você já se livrou da escola. Mas não era o caso, lógico.

Ao passar por mim e entregar minha prova e a folha do trabalho, tive de escutar a voz do professor Carvalho, que para mim soou como a de um vilão de filme de terror falando com aquele efeito de *slow motion*.

— Espero que esta seja a última vez que vejo um número menor que 5 nas suas provas, Jasmine. Senão, você só terá outras oportunidades de me surpreender no ano que vem.

— Espero nunca mais ver números na minha frente.

Eu poderia jurar que aquilo tinha sido só um pensamento meu. Ou, pelo menos, era pra ser. Só quando todos os outros alunos olharam juntos na minha direção, meio espantados, percebi que havia falado em voz alta. O problema é que o professor Carvalho era um daqueles homens que não aceitavam ser desafiados em hipótese alguma. Para ele, deixar os alunos com medo era o mesmo que ser respeitado. Na verdade, ele era o mais odiado de todos, mas ninguém tinha coragem de demonstrar isso, por motivos óbvios.

Então, ele começou seu famoso e temido discurso.

— Não quer ver números na sua frente? Impossível! Os números estão em tudo. Engana-se quem acha que as fórmulas de matemática são inúteis na vida real. Tudo o que vocês têm hoje e que tanto amam, como seus adorados *smartphones*, seus queridos computadores e até sua televisão, tudo isso só existe porque alguém dedicou sua existência para fazer cálculos, estudar e mudar a vida das outras pessoas. A matemática faz mais sentido que uma receita de bolo. O resultado está em algum lugar e, se vocês enxergassem isso como um desafio, se sentiriam orgulhos em acertar as questões da prova e entender a minha matéria. Isto aqui não é sobre decorar números e esquecer depois; é sobre usar esse cérebro de vocês, cheio de potencial, que todos aqui têm dentro da cabeça, para coisas realmente úteis. Aposto que se eu perguntar para cada um o nome dos personagens da série do momento, todo mundo vai saber. Se eu perguntar a letra da música mais popular atualmente, e que não faz sentido algum, todo mundo vai saber. E, o pior, se eu perguntar as fofocas das novelas, alguém vai me dar todos os detalhes. Prestem atenção ao que vocês estão dando prioridade. A vida logo vai mandar de volta o que ela preparou para vocês. Agora, hoje, vocês me acham um chato. Eu sei disso. Mas, um dia, sei que ainda vão me agradecer...

Respirei fundo mais ou menos um milhão de vezes, enquanto ele colocava para fora aquele discurso chato e decorado. A cada ano, ele era dito pelo menos umas cinco vezes para os alunos do 3º ano. O professor Carvalho jurava que estava fazendo a diferença na vida dos jovens ao explicar a importância da matemática, mas o que ele conseguia mesmo era fazer todo mundo estudar muito para se livrar logo de tudo aquilo. E dele também.

– Ah... E querem saber? Eu acabei de mudar de ideia. Agora o trabalho será individual. E o prazo também será mais curto. Quero que vocês me entreguem até o final desta semana.

Todo mundo resmungou baixinho e olhou feio para mim. Depois disso, a aula de matemática transcorreu como uma verdadeira tortura, e o relógio foi andando tão devagar que tive a sensação de que alguém tinha parado o tempo só para zoar mais comigo. Percebi que algumas pessoas apontavam para mim e olhavam com cara feia, como se a culpa de o velho professor ser louco fosse minha. Simplesmente ignorei e continuei prestando atenção na matéria, até o sinal tocar e eu conseguir sair daquele ambiente pesado. Mas, no intervalo, o assunto ainda era a aula de matemática, pelo jeito. Nina, minha melhor amiga, veio correndo conversar comigo.

– Jasmine, você é doida?! Responder o professor Carvalho daquele jeito?

– Nina, foi sem querer, juro!

Nina e eu éramos melhores amigas desde bem novinhas. Não me lembro exatamente como e quando começamos a conversar. Aliás, talvez eu ainda nem soubesse falar quando nos aproximamos, mas, desde que me entendia por gente, ela estava ao meu lado dando os melhores conselhos e tirando algumas ideias erradas da minha cabeça.

– É inacreditável, Jas! Você bateu de frente justamente com o professor da matéria em que você mais precisa de pontos! – ela estava inconformada.

– Já disse que foi sem querer, Nina! Meu cérebro, essa máquina cheia de potencial, em vez de só pensar, resolveu compartilhar as informações com a boca. Saiu sem querer! – eu tentei insistir para ela acreditar.

– Você não bate bem, só pode ser. É melhor que estude mesmo pra prova final. Eu não quero ir pra faculdade sem a minha melhor amiga, e não estou sabendo tanto assim dessa matéria pra te ajudar. Diferente de você, Jasmine, eu estudei quando as coisas ainda estavam mais fáceis, lá no primeiro bimestre!

Minha amiga estava querendo me ajudar, mas só conseguia mesmo me dar bronca.

– Em que universo você acha que a matéria "probabilidade" é fácil? Provavelmente, eu teria mais facilidade em aprender alemão e ensinar para o seu cachorro.

Tive outras grandes amigas ao longo dos anos, principalmente quando, por causa do sorteio das classes, eu e a Nina não ficávamos na mesma turma. Mas, por algum motivo, essas amizades não duravam tanto tempo. Era como se, depois das férias, no início do ano seguinte, as meninas voltassem com a cabeça completamente diferente. Elas se reinventavam no verão e, quando voltavam para o colégio, queriam mudar tudo: o estilo, os meninos de quem costumavam gostar e o grupinho de amigos. Mas com a Nina não. A gente sempre se deu bem.

– O pessoal ficou meio bravo com você, Jas. Muita gente aqui também precisa de nota, e não é nada legal saber que o professor está nervoso e descontou na turma toda, dificultando a vida de todo mundo – Nina me disse.

– Mas eu já disse que não foi de propósito. O que eles querem que eu faça? Que vá pedir desculpas? – Eu comecei a ver que tinha feito besteira mesmo.

– É uma boa ideia. Você aproveita e diz para o professor que quer muito recuperar sua nota. É importante deixar ele saber que você vai fazer o possível para conseguir passar de ano. Tem que mostrar interesse, sabe? É tipo um relacionamento. Você tem que se esforçar pra fazer dar certo. Assim, quando você precisar de um ou de dois pontinhos pra passar, ele não vai pensar duas vezes antes de te dar a nota.

– Não sou do tipo puxa-saco, Nina. Ainda mais desse senhor, que já deveria é ter se aposentado. Você realmente me imagina indo até lá e dizendo tudo isso? Eu vomitaria antes. E olha que eu nem tomei café da manhã direito – falei irritada.

– Se eu não te conhecesse bem, diria que você está ficando é louca mesmo, mas sempre foi assim. Talvez seja culpa das flores que ficam lá na sua casa. Acho que tá rolando um efeito alucinógeno aí, amiga. Precisa ver isso – Nina tinha um jeito todo dela de me falar as coisas.

– Alucinada eu vou ficar se não conseguir ouvir música e acessar minhas redes sociais hoje. Será que você não me empresta seu celular até o sinal tocar pra próxima aula? – implorei.

Nina me passou o telefone dela, e no mesmo instante em que eu estava apertando o último dígito da senha do meu Facebook, o professor Carvalho passou bem na minha frente, no corredor, de novo como em um filme de terror. Eu teria deixado o aparelho cair no chão se meu reflexo não fosse tão rápido.

– Então, você não gosta de estudar matemática, mas é especialista em usá-la? Porque seu smarthphone é pura matemática, você sabe né?

Respira, Jasmine.

Respira, Jasmine.

Respira, Jasmine.

– Na verdade, só estou respondendo a uma mensagem da minha mãe. Sabe como são os pais né? Sempre preocupados... – falei qualquer coisa, para disfarçar.

– Ah, claro. E como sei! – ele disse, com aquele ar de quem sempre sabe mais que a gente.

Ele saiu andando pelo corredor com uma cara de preocupado, como se estivesse indo resolver um problema, em direção à outra classe, provavelmente onde faria a próxima sessão de tortura, ou melhor, daria a próxima aula.

As aulas seguintes passaram mais rápido. Eu e a maioria dos alunos tínhamos notas suficientes para passar nessas matérias, então a prioridade não era olhar para a lousa e sim decidir detalhes da festa de formatura, além de trocar informações sobre as provas dos vestibulares ou simplesmente aproveitar para tirar um cochilo. Obviamente, eu fui uma das que seguiu a terceira opção, pois não estava no clima de interagir com outros seres humanos e, de quebra, receber mais olhares de reprovação por ter enfrentado o professor Carvalho e prejudicado toda a turma.

Alice, a garota com quem eu menos tinha intimidade na sala, continuou me olhando feio o dia todo, como se quisesse me dizer alguma coisa. Só que, em vez de falar diretamente para mim, simplesmente chamou a Giovana, sua BFF, e começou a cochichar com a mão na frente da boca, me olhando, como se não fosse óbvio que elas estavam falando de mim.

Eu odeio com todas as minhas forças quem faz isso.

Só para deixar claro o drama: a Giovana costumava ser minha amiga até o 8º ano do ensino fundamental. Na Educação Física, quando os meninos se separavam das meninas e eu acabava ficando sozinha, nós formávamos uma boa dupla.

Não nos encaixávamos muito em nenhum dos grupinhos, então era no mínimo reconfortante saber que eu não estava sozinha naquela aula. Porém, um dia, ela recebeu um convite de aniversário da Alice e ficou absolutamente deslumbrada. Não sei direito o que aconteceu naquela festa, até porque não fui convidada, mas depois daquele dia elas se tornaram unha e carne. Nos primeiros dias após a festa ela ainda me cumprimentava no corredor quando estávamos sozinhas; mas depois, passou a me ignorar completamente, como se eu estivesse usando uma capa de invisibilidade.

Fiquei chateada na época, mas como o ano já estava acabando, e logo depois eu comecei a ficar com o Antônio, meu primeiro namorado, até que não foi tão traumático. Eu odeio dizer isso, mas, de alguma forma, ele me ajudou a parar de tentar encontrar o motivo para ela não gostar mais de mim. Ele dizia ser apaixonado por quem eu era, e se alguém gostava tanto assim de mim, provavelmente ela é quem estava errada. Isso tem alguma lógica hoje pra mim? Não mesmo. Mas, na época, foi o jeito que arrumei de seguir em frente.

Alice e Giovana formavam uma dupla quase imbatível. Com o passar dos anos, a coisa só ficou pior. Sempre achei que elas eram a personificação completa daquelas hienas horrorosas do filme *O Rei Leão*: magrelas, linguarudas, e viviam dando gargalhadas irritantes sem motivo. E quando alguma coisa de errado acontecia na escola, obviamente elas estavam envolvidas. Eram elas, perfeitas. E as duas costumavam ser o terror das novatas também. A cada ano, elas pensavam em um jeito diferente de fazer as meninas mais bonitas que entravam na escola se sentirem humilhadas. Eu sei que, no fundo, o que elas tinham era inveja e um pouco de insegurança. É claro que não era culpa das novatas se elas chamavam a atenção dos rapazes de quem a Alice e a Giovana estavam a fim. A maioria das pessoas que entra em uma escola só quer se enturmar, e aquelas duas, em vez de ajudar, só dificultavam as coisas.

Era triste ver como aquelas garotas colocavam umas pessoas contra as outras sem motivo algum. Parecia uma guerra, cujo prêmio era um monte de nada.

Quando eu estava prestes a colocar o último caderno na mochila, no final da última aula, a Maria Esmeralda, secretária da coordenadora da escola, apareceu na porta da minha sala e disse bem alto meu nome e sobrenome:

– Jasmine Lima Cavalcante!

Os poucos alunos que restavam na classe olharam para mim com cara de assustados e se apressaram para provavelmente não presenciar minha sentença de morte.

– Sim? – falei com medo de ouvir o que vinha a seguir.

– Preciso que você me acompanhe até a sala da dona Marlene – ela falou com um ar solene.

– Vamos para a coordenação? Mas o que eu fiz de errado? – perguntei, já apavorada.

– Não sei. Só sei que ela está chamando você para uma reunião – ela respondeu, sem mais explicações.

Caminhamos até a sala da coordenadora e, ao passar pelo corredor, todos os alunos me encararam como se eu estivesse indo para a forca, acompanhada do meu carrasco. Alguns até viravam a cabeça para acompanhar, como se eu andasse mesmo pelo corredor da morte. Nina até tentou perguntar o que estava acontecendo, mas eu fiz sinal com a mão indicando que não sabia direito do que se tratava, mas que conversaríamos depois.

Quando abri a porta da sala da coordenadora, tomei um baita susto. Além de dona Marlene, que estava na mesa dela, estavam também o professor Carvalho e...

– MÃE? – Não acreditei que dona Ingrid também estava dentro da sala.

– Oi filha... – ela me cumprimentou meio sem jeito, como se adivinhasse que eu ia me sentir traída.

– Olá Jasmine. Sente-se, por favor. – Dona Marlene me apontou a terceira cadeira que estava vazia do outro lado da mesa, ao lado de onde estavam sentados o professor Carvalho e a minha mãe.

– É sério isso, mãe? – falei baixo para ela, furiosa, enquanto me sentava ao seu lado. E ia continuar a esbravejar, mas fui interrompida pela coordenadora.

– Jasmine, eu convoquei esta reunião porque estamos praticamente no final do seu último ano do ensino médio e suas notas de matemática estão realmente preocupantes. Como a matéria é matemática, pedi ao professor Carvalho para participar também, naturalmente. Depois que saíram as notas do terceiro bimestre, vi que você precisa se recuperar agora, no último bimestre, senão corre o risco de ficar pendurada em notas e até de perder o ano. E aqui na escola fazemos de tudo para isso não acontecer no final do ensino médio, claro, já que queremos que nossos alunos consigam se formar. Além disso, há o vestibular, o Enem, e queremos que nossos alunos consigam fechar o 3º ano com tranquilidade para fazer essas provas e entrar na faculdade. Eu sei que é uma época de muita pressão, de sobrecarga para nossos jovens, e muitos se atrapalham mesmo. Por isso, telefonei para a sua mãe para falarmos sobre o assunto.

– Telefonou? E você não me disse nada sobre isso, mãe? – falei incrédula.

– Pois é, Jasmine. Nós conversamos, e pensamos em qual seria a melhor maneira de ajudar você... – minha mãe falou meio sem jeito.

– Ah, vocês queriam me ajudar e nem me falaram nada...? – Eu estava ficando muito brava, como se todo mundo fosse capaz de cuidar da minha vida, menos eu.

– Jasmine, estamos falando com você agora, fique calma. Veja bem, sua mãe me perguntou se havia alguma maneira de você ter aulas de reforço ou de recuperação agora, antes mesmo de fazer as provas do último bimestre, e eu achei uma excelente ideia. Assim não há sobrecarga no final e nem risco de ficar de recuperação. Por isso, chamei o professor Carvalho e conversamos, e ele me disse que ele pode dar essas aulas a você.

– Sim, por sorte, tenho um tempo livre entre o final do período das aulas do ensino médio e antes de começarem as aulas da noite, da turma da faculdade. Depois das aulas normais da tarde, você pode vir e ficar mais um tempo aqui na escola, e podemos recuperar a matéria que você não entendeu bem – disse o professor Carvalho, olhando para mim.

– A Jasmine sempre teve dificuldade em matemática, professor Carvalho. Provavelmente, ela tem vergonha de admitir isso na frente da turma... – minha mãe falou.

– Mas eu acredito muito no potencial dela, e acho que, com algum esforço, ela conseguirá aprender e tirar uma boa nota. De fato, eu a acho um pouco calada quando estou explicando a matéria. Talvez, se ela fizesse mais perguntas, demonstrasse mais interesse, participasse mais...

– O quê? E-eu... – comecei a gaguejar, não acreditando naquele diálogo.

E eles continuaram a falar, os três, durante quase vinte minutos, discutindo sobre mim como se eu não estivesse presente na sala. Eu até pensei em abrir a boca pra explicar que minha opinião também importava, mas achei melhor guardar a raiva para quando eu estivesse sozinha com a minha mãe. Ou melhor, com a dona da minha vida que, aparentemente não conseguia aceitar que a filha tinha crescido e precisava resolver os próprios problemas sozinha.

– Bem, então ficamos resolvidos assim: Jasmine terá aulas todos os dias, agora nesta última semana de outubro, com o professor Carvalho, das 18 às 21 horas, aqui na escola, na biblioteca, para ficar preparada para a prova final que acontecerá no início de novembro. E começamos hoje, ok? Não há tempo a perder.

– Hoje??? – perguntei abismada.

— Sim! Algum problema? — Dona Marlene falou com um ar triunfante.

— Não, está ótimo! — minha mãe respondeu.

— Perfeito. Estarei esperando por você, Jasmine — o professor Carvalho completou. — Será uma estação de números... Uma primavera matemática!

Ah, que engraçado... Provavelmente era pra ter sido outra piada. Rá-rá.

A ironia era que eu mesma não tinha dado minha opinião se concordava. Eles já tinham resolvido minha vida por mim.

Assim que entramos no carro, despejei toda a raiva que estava sentindo diretamente na minha mãe.

— Já não basta me deixar de castigo feito uma criança de 8 anos, agora você também vem até minha escolinha falar com meus professores, como se eu não soubesse fazer nada sozinha? — eu disse, furiosa.

— Querida, não é questão de tratar como criança. Só quero que você se recupere em matemática e consiga os pontos que precisa para passar de ano direto e terminar seu ensino médio — minha mãe respondeu, carinhosa.

— Mas eu posso dar um jeito nisso sozinha. Estou estudando feito louca! Não está vendo? E você não precisava fazer as coisas sem me perguntar! — falei, agora já meio brava, meio chateada.

— É justamente por isso que sugeri as aulas de reforço. Reparei que sozinha você não vai conseguir entender toda matéria a tempo. Então, quando a dona Marlene me ligou para falar sobre suas notas, eu pensei nas aulas...

— É, mas aquele discurso de filha com vergonha de perguntar não tem nada a ver, né? Todo mundo ali sabe que eu falo o que quero, e quando tenho vontade — resmunguei, enquanto buscava uma estação legal no rádio e aumentava o volume. Eu ainda estava brava e tentava dar motivos para brigar mais com ela, para ver se eu conseguia por para fora tudo o que sentia.

– Filha, onde você arrumou toda essa arrogância? Eu só estou tentando te ajudar. Aliás, todos nós, eu, a coordenadora e seu professor de matemática. Não é um julgamento ou um castigo. É uma coisa que você precisa passar para entender a importância do esforço. Eu sinto falta de ver você levando algo a sério, sabe? Crescer não é só ter liberdade para escolher ou tomar decisões. É lidar com as consequências dos seus atos também. Você não estudou ao longo do ano, então precisa dar conta do recado agora. – Minha mãe abaixou um pouco o volume da música para se certificar de que eu realmente estava prestando atenção.

– Olha, eu vou nessas aulas de reforço e vou estudar feito louca durante as próximas semanas. Você pode até me tirar a televisão, a comida, o oxigênio, mas preciso que você prometa que vai me deixar em paz depois. E que eu finalmente poderei tomar minhas próprias decisões. E que não vai ter um grupo resolvendo minha vida por mim.

Mamãe silenciou por alguns instantes, mas fez que sim com a cabeça, e logo depois desconversou, comentando sobre o trânsito caótico da cidade. Eu sabia que aquela mudança repentina de assunto significava que ela tinha ficado aborrecida com meu pedido, mas eu realmente achava que precisava de um pouco mais de espaço. Toda aquela cobrança me deixava sufocada, e eu não estava falando só sobre as notas do colégio.

Meus amigos estavam ansiosos para entrar na faculdade, porque finalmente estudariam apenas aquilo de que realmente gostavam, mas para mim não era assim tão simples. Meus pais tinham uma expectativa para o meu futuro, e eu queria uma coisa completamente diferente, então não sabia bem como ia resolver a situação. Eu estava perdida e tinha medo de contar que eu não queria fazer o curso que eles esperavam. Eu não me imaginava fazendo uma faculdade de Psicologia, como meu pai gostaria, e também não me imaginava estudando Biologia, como minha mãe supunha que ia acontecer. Aquilo não era para mim. Por isso, os melhores momentos do meu dia eram sempre aqueles em que eu ficava na frente da televisão ou do computador assistindo às minhas séries preferidas. A sensação era de que minha vida era apenas um intervalo entre um episódio e outro.

Mamãe estacionou o carro na frente da floricultura e disse que eu devia ir para casa sozinha e almoçar, pois ela ainda precisava resolver algumas coisas com um grande cliente da loja, que ia promover um evento, ou algo assim. E que ia pedir para meu pai me buscar na escola depois do reforço.

Eu estava com fome, então não via a hora de chegar para almoçar. Fui caminhando até minha casa e, assim que passei pela porta, joguei minha mochila no sofá, já liguei a televisão, corri até a cozinha e abri a geladeira para ver o que tinha para comer. Eu até sabia cozinhar, mas estava tão desanimada que não queria gastar tempo preparando algo só para mim; por isso, resolvi requentar qualquer coisa que houvesse já pronta. Durante a semana, raramente meu pai almoçava com a gente, então minha mãe cozinhava mesmo à noite, para o jantar. Ele era taxista e trabalhava no centro da cidade, então acabava comendo em algum restaurante que encontrava pelo caminho, entre uma corrida e outra. Assim como minha mãe, ele era completamente apaixonado pelo que fazia. Eu diria que era um daqueles taxistas simpáticos, com quem você tem vontade de conversar durante toda a corrida. Ele adorava ouvir seus clientes, dar conselhos, e chegava em casa todo dia com uma história diferente. Eu sempre falava que ele deveria ser psicólogo, mas ele dizia que era velho demais para começar a estudar qualquer coisa e mudar de área.

Passei o resto da tarde olhando para a televisão e me culpando por não estar estudando. Quanto mais culpada eu me sentia, menos vontade eu tinha de me levantar do sofá. Eu precisava dar um tempinho para a minha cabeça, depois de tudo o que tinha acontecido. Afinal, logo eu teria que voltar para o colégio para encontrar o "adorável" professor Carvalho e começar a rever toda a matéria da prova na tal aula de reforço arranjada pela minha mãe.

Tomei coragem e entrei no banho, que acabou sendo bom e demorado. Sequei meu cabelo e até passei um pouquinho de maquiagem. Normalmente, nunca tinha tempo de fazer isso pela manhã, antes de ir para a escola, pois sempre acordava atrasada e com preguiça, e eu estava com uma cara tão desanimada que achei que um pouquinho de blush e lápis me ajudariam a disfarçar meu aspecto assustador.

Por volta das 17h30, eu já estava de novo no metrô, indo pela segunda vez no dia para a escola. E aquele trem estava mais lento e lotado que nunca. As pessoas não tiravam os olhos da tela dos seus respectivos celulares. Menos eu, que não estava mais com o meu. Aquela cena me deixou mais frustrada e entediada ainda. Havia dezenas de pessoas se equilibrando ao meu lado, respirando o mesmo ar que eu, talvez até indo para o mesmo lugar, só que parecia que nenhuma delas estava realmente ali. Era estranho olhar as pessoas interagindo com seus aparelhos. Provavelmente eu fazia igual... Será que viramos todos zumbis?

Quando a porta se abriu na estação Vila Mariana, entrou um garoto que chamou minha atenção. Ele usava camisa xadrez, tinha os cabelos longos quase no queixo, e estava com um fone de ouvido escutando algo provavelmente no último volume, tão alto que eu conseguia ouvir a música mesmo estando afastada dele. Era uma melodia gostosa, estranhamente familiar, que eu estava quase identificando. Só que, graças ao barulho constante do metrô e da gravação que indicava as estações seguintes, eu não conseguia descobrir de jeito nenhum qual era a banda ou o nome da música. Aquilo me deixou profundamente irritada, pois se eu estivesse com meu celular, poderia até tentar usar o aplicativo que descobre o nome de músicas que estão tocando no ambiente. Tentei pensar em outras coisas para me distrair, mas, entre pensar na prova de matemática e na música do garoto bonitinho que eu nunca havia visto na vida, preferi continuar na minha missão de saber o que ele estava ouvindo.

Projetei meu corpo para a frente, empurrando as pessoas que estavam ao meu lado, mas ainda assim não fiquei próxima o suficiente para ouvir direito. Escutei alguns resmungos, provavelmente porque pisei no pé de alguém sem querer, só que nem me importei. Aquele garoto era um desconhecido, mas eu precisava saber o nome daquela música mais que qualquer outra coisa. Quando respirei fundo e criei coragem para perguntar, a porta do metrô se abriu novamente e ele saiu no meio da multidão, indo em direção às escadas rolantes que levavam à saída.

Então, um nó se formou na minha garganta.

Porque eu não consegui descobrir o nome daquela canção. Porque, mesmo se eu descobrisse, não teria um celular e um fone de ouvido para escutar. Porque eu ainda tinha uma prova de matemática para fazer e, talvez, um novo 3º ano pela frente. Porque eu ia ter que aturar o chato do professor Carvalho por semanas inteiras nas aulas de reforço. Porque eu não era dona da minha vida e não decidia as coisas por mim. Porque eu não sabia o que eu ia fazer na faculdade e não sabia direito o que eu "queria ser quando crescesse". E, por último, porque eu era muito distraída e não tinha me dado conta de que aquela também era a estação em que eu deveria ter descido. Droga!

Ainda bem que a estação seguinte, a Paraíso, ficava relativamente perto da escola. Calculei mentalmente para ver se era melhor pegar o metrô na direção contrária e voltar uma estação, ou descer na Paraíso mesmo e caminhar alguns quarteirões. Decidi subir a escada rolante e ir a pé mesmo. Fiz o trajeto cantarolando as notas da música do garoto, ainda tentando adivinhar qual era aquela melodia. Você vai me achar meio louca, mas eu tinha a estranha sensação de que, quando eu descobrisse o nome daquela música, as coisas ficariam mais fáceis na minha vida.

A coordenadora havia dito que as aulas de reforço aconteceriam na biblioteca da escola, e foi para lá que me dirigi. Mas, enquanto caminhava em direção à escada para ir até o segundo andar, achei que tudo parecia meio estranho. Era o mesmo lugar que frequentei durante boa parte da minha vida, e onde eu havia estado naquele mesmo dia, horas antes. Mas parecia outro. Eu não conhecia praticamente ninguém que estava ali. Depois das 18 horas, havia apenas alunos da faculdade, que funcionava à noite no mesmo prédio, circulando pelos corredores. E por mais que aquele fosse um ambiente totalmente familiar para mim, me senti uma estranha, como se estivesse invadindo o território alheio. A sensação era de que todo mundo estava olhando e perguntando, com um certo desprezo: "O que diabos você está fazendo aqui, garota? Volte já para o jardim de infância".

Tentei não me importar e continuei procurando o professor Carvalho no meio de todos aqueles alunos que estavam na biblioteca. Ele era alto e tinha o que nós chamávamos de "cabelo piscina": cheio, apesar de dar para ver o fundo. A cada ano, seu couro cabeludo ficava mais visível e nojento. Por mais que ele tentasse disfarçar as entradas que se formavam na parte da frente da cabeça, passando gel e pomadas, era óbvio que em pouquíssimos anos ficaria completamente careca. Provavelmente, porque havia pensado demais durante a vida toda. Ou seria tudo culpa da genética?

A biblioteca da escola era dividida em dois ambientes. Na entrada, havia várias mesinhas redondas para que os alunos se sentassem e estudassem e, ao fundo, logo depois do balcão da bibliotecária, tinha uma sala enorme com estantes abarrotadas de livros, sendo grande parte deles técnicos, que eu nunca tive vontade de ler. Minha assinatura estava mesmo na ficha de praticamente todos os romances daquele lugar. Desde que terminei meu primeiro e último namoro, passei a usar as histórias melosas dos livros para não me apaixonar por mais ninguém. Tenho tantas expectativas com os personagens fictícios que os garotos da vida real se tornam completamente desinteressantes. Esse é um método que criei para não perder tempo sofrendo por meninos imaturos no colegial, que podem até ser legais no começo, mas que, no final das contas, acabam sempre estragando tudo por um motivo idiota. A Nina diz que isso significa que eu ainda não superei o Antônio completamente, mas a verdade é que, quando ele me traiu, acabou ajudando a me transformar em uma pessoa mais forte e menos sentimental.

Como não vi o professor Carvalho em nenhum lugar, sentei em um banco na entrada da biblioteca para esperar. Depois de uns cinco minutos, quando eu estava distraída tirando o restinho de esmalte da minha unha, senti alguém tocando no meu ombro. Olhei para cima e vi que era o professor, mas, quando me virei, notei que ele não estava sozinho. Ao seu lado, havia um garoto estranhamente familiar: cabelos longos até o ombro, blusa xadrez e fones de ouvido. Eu não podia acreditar! Era o mesmo garoto que vi no metrô mais cedo, ouvindo a música que eu tentei adivinhar qual era!

– Olá, Jasmine. Bem, marcamos suas aulas de reforço para 18 horas, acontece que tive um pequeno imprevisto. Eu, de fato, teria esse tempo livre, mas esta tarde recebi a notícia de que terei de assumir a turma de um professor da faculdade que adoeceu, e orientar seus alunos no TCC, o trabalho de conclusão de curso. E esse é o único horário que terei para fazer isso – o professor Carvalho me explicou com a maior calma.

– Ah, que pena... – eu falei com falsa tristeza, e já me alegrando por achar que estaria livre das aulas de reforço.

– Mas não se preocupe, Jasmine. Já conversei com a coordenadora e resolvi a questão. Arrumei outra pessoa para dar as aulas para você. Este é o Davi, um dos meus melhores alunos na Engenharia. Ganhou bolsa de estudos integral na faculdade, porque tem excelentes notas. Além disso, é estagiário no nosso departamento, e até já ganha por isso, porque é brilhante. Ele está no 2º período, então não faz tanto tempo assim que saiu do ensino médio, por isso não vai ter dificuldade nenhuma em relembrar os conceitos que você está estudando e certamente vai ajudá-la a aprender tudo o que você precisa para passar de ano.

– Ah... que... bom...! – minha falsa tristeza se transformou em uma falsa alegria. Bem, nem tão falsa assim, já que, se eu teria mesmo que ter aulas, pelo menos não seria com o professor chato.

– E se vocês tiverem alguma dúvida, é claro que podem me procurar – o professor disse.

Eu e o Davi nos olhamos por breves segundos sem dizer absolutamente nada. Ele provavelmente nem reparou em mim mais cedo, no metrô, porque além de o vagão estar lotado, ele parecia concentrado com o que tocava nos seus fones de ouvido. E eu não teria por que chamar sua atenção. Mas ele, por algum motivo, chamou a minha, e ainda por cima fiquei intrigada com a música que ouvia. E aquela estranha coincidência me deixou sem reação.

Ele estendeu a mão para me cumprimentar e foi logo falando:

– Então você é a Jasmine. Legal te conhecer! Muito prazer!

Estendi a mão para cumprimentá-lo também, mas ele me puxou meio sem jeito e me deu um beijo desengonçado no rosto, naquelas situações em que não sabemos direito o que é para fazer. Foi meio constrangedor, e eu fiquei corada instantaneamente. Então, falei alguma coisa para quebrar aquele clima.

– Ah, prazer, Davi. Obrigada e desculpe pela amolação. Você deve ter coisas mais interessantes pra fazer do que ficar ensinando matéria que nem usa mais para uma aluna de ensino médio.

– Que nada, adoro matemática, e será um prazer te ajudar. Já faz quase dois anos que eu não vejo nada da matéria que o professor Carvalho disse que você está com dificuldade, mas acho que a gente não vai ter problemas não. Trouxe até a apostila do meu 3º ano do ensino médio com exercícios resolvidos.

O professor Carvalho nos interrompeu.

– Bem, apresentações feitas, vou deixá-los estudando, pois preciso ir. Quero que revisem a matéria desde o começo do ano, tudo bem, Davi? A Jasmine perdeu um pouco o fio da meada, então seria bom ela construir uma base sólida de conceitos. Sei que você trouxe exercícios diferentes, isso é ótimo, mas não deixem de fazer os do trabalho também. Valem pontos, e a prova será mais ou menos no mesmo estilo.

– Okay – eu e Davi respondemos ao mesmo tempo.

Assim que o professor saiu, procuramos uma mesa vazia na biblioteca e nos sentamos. Abri meu caderno com orgulho e mostrei que tinha toda a matéria anotada, mas que infelizmente isso não mudava o fato de eu não entender absolutamente nada do que estava escrito ali.

– Olha só, sua letra é bonita, Jasmine! Tô até com vergonha de mostrar a minha apostila agora – ele foi falando de um jeito todo simpático, com um sotaque que puxava o "s" e o "r". Tinha quase certeza de que ele era carioca, mas resolvi não perguntar, porque não tinha nem conversado direito com ele ainda.

– Ter o caderno organizado diminui a minha culpa por não entender absolutamente nada da matéria – tentei já deixar claro que me explicar a matéria não seria uma missão tão simples assim.

– É uma boa estratégia – ele falou, sorrindo.

– Como você consegue entender tudo isso e ainda gostar, hein? – eu perguntei realmente intrigada.

– Você vai me achar louco, mas matemática é a única coisa que realmente faz sentido pra mim. No ensino médio, eu tinha dificuldade em história, português, biologia, etc.

– Nossa, pra mim isso é bem estranho – disse com sinceridade.

– Bom, mas em relação à matemática, pode ficar tranquila. Todos esses problemas que estão nesse caderno possuem uma resposta. Tudo o que precisamos fazer é descobrir um jeito de chegar até ela. Por sorte, alguém já criou uma fórmula que funciona! – ele explicou com a maior paciência.

– Mas eu realmente preciso decorá-la? Isso nunca vai entrar na minha cabeça – eu já estava me desesperando.

– Não se você pensar que a matemática é exata, lógica. Você só precisa parar de enxergá-la como um monstro. Pense que ela é algo redondo, onde tudo se encaixa no final. É como a música. A melodia só faz sentido porque as notas trabalham em conjunto. No final, aquela canção só existe porque você criou um padrão, uma lógica, um ritmo – ele disse com a maior naturalidade.

– Você está comparando equações com música? – falei com espanto.

– Estou – ele respondeu, como se fosse a coisa mais normal do mundo.

Aquilo era real? Ele estava me explicando matemática usando notas musicais? Será que ele sabia que eu tinha passado a última hora tentando encontrar as notas da tal música misteriosa que ele estava ouvindo?

– Vamos começar pelos problemas mais simples. Gosto de aprender na prática, então acho que vai ser mais fácil de te explicar também. Aí nós dois vamos resolvendo ao mesmo tempo e descobrindo a resposta juntos, tá? – ele falava de um jeito muito tranquilo, que fazia tudo parecer mais fácil.

– Okay – falei calmamente, entrando na vibe zen do futuro engenheiro que dominava o monstro da matemática.

Passamos as três horas seguintes resolvendo equações. Davi ia me deixando pistas de como resolver cada uma delas e, encarando como desafios, como aqueles casos cheios de incógnitas do Sherlock Holmes, fui solucionando uma por uma.

– Ah, você não é tão ruim nisso quanto dizia! – ele me incentivou de um jeito fofo.

– Diga isso olhando para o meu boletim e eu vou te dar um certificado de insanidade – brinquei.

– Quanto você precisa tirar na prova? – ele me perguntou, agora mais sério.

– Nove – respondi meio sem jeito, achando que ele ia desistir de mim.

– É o meu número da sorte. Acho que isso é um bom sinal.

– Nove é quase 10! – exclamei espantada – Você já pensou que eu só posso errar uma questão? Só de imaginar isso, já sinto vontade de vomitar. Todo o meu ano será decidido assim: um monte de números escritos em uma folha. Isso não deveria me definir ou dizer o quanto estou ou não preparada para entrar na faculdade.

Ao pensar daquela maneira, minha tranquilidade começou a ir embora e um verdadeiro desespero tomou conta de mim. Talvez tenha sido ali que comecei a perceber realmente a gravidade da coisa.

– Olha, Jasmine, eu sei que não é uma situação confortável pra você. É muita pressão. Isso é uma droga! Mas esses pensamentos não vão te ajudar em nada. Se você ocupar sua cabeça nos próximos dias em aprender e praticar, eu garanto que vão sobrar pontos no seu boletim.

– Tá bom, eu vou confiar em você. E eu preciso confiar, porque é minha única alternativa. Mas não tem muito jeito, eu sei que vai ser só eu dar uma brecha que esse pensamento vai voltar a tomar conta de mim – fui sincera, já que senti confiança em Davi, que se mostrava mesmo disposto a me ajudar.

– Vamos fazer uma coisa? Vou te propor um trato. Eu te passo o número do meu celular. Sempre que você perceber que esses pensamentos estão tirando sua concentração, deixando você desesperada ou desanimada de estudar, me mande uma mensagem. Eu vou te responder com uma equação simples pra você resolver, e você vai perceber que está entendendo a matéria sim.

– Você é louco, cara! Eu achei essa ideia estranha, mas até que ela é bem criativa. Fechado!

Ele era nerd, mas divertido. E eu toparia qualquer coisa àquela altura, porque tinha percebido que a situação estava mesmo complicada para o meu lado. O problema era que, graças ao castigo, eu não tinha mais meu celular. Droga! Ou talvez, olhando de uma outra perspectiva, podia ser um bom motivo para convencer minha mãe de que eu o merecia de volta. Ou pelo menos, eu precisava. De qualquer forma, eu não poderia contar sobre o castigo para Davi. Aquilo era tão adolescente e bobo... Passei o número do meu celular, mas arrumei uma desculpa, dizendo que ele estava na assistência técnica.

Nos despedimos na porta da biblioteca. Ele avistou um grupo de amigos e caminhou até eles, e eu fui em direção à porta de saída da escola. O combinado era de que, por ser meio tarde, meu pai me buscaria nas aulas de reforço. Então varri o estacionamento do colégio com os olhos em busca de um carro branco com o luminoso indicativo de táxi.

– Oi, Jasmine – ele se inclinou no banco e me deu um beijo na testa assim que entrei no carro. – E aí, como foi? Muito complicado ou esse plano da sua mãe vai dar certo? – meu pai parecia animado.

– Ah, normal! – eu não quis me mostrar muito entusiasmada por causa das intromissões da minha mãe, apesar de ter gostado muito do Davi e da aula.

– Só isso? – meu pai pareceu desapontado.

– Ué, o que você quer que eu te conte? Eu estava estudando matemática – falei mostrando de propósito um tédio maior do que eu estava sentindo de verdade.

– Mas ficou mais fácil de entender a matéria assim? Sua mãe disse que o professor te ajudaria.

– Olha pai, eu sei que a minha mãe fez tudo isso pra me ajudar, e que ela quer que eu passe de ano, mas eu não concordo com esse jeito dela de manipular minha vida. Eu já tenho quase 18 anos. No ano que vem, se tudo der certo, estarei na faculdade e preciso aprender a me virar sozinha.

– Mas ela está fazendo tudo isso justamente pra você passar de ano e poder entrar na faculdade com tranquilidade, minha filha. Sua mãe quer que você tenha um ótimo futuro, realize todos os seus sonhos e que vá muito além de nós dois. Você não pode culpá-la por fazer tudo o que é possível pra isso acontecer. – Meu pai era muito razoável.

– Ai, pai, você não entende. Toda essa pressão não ajuda muito. Como vocês acham que eu me sinto com vocês me colocando de castigo, como uma criancinha mimada? – eu acabei desabafando. – Eu só quero que este fim de ano passe logo e que o resultado da prova seja bom o suficiente pra eu poder voltar a ter controle da minha própria vida.

Voltamos pelo caminho quase em total silêncio. O trânsito já não estava tão intenso àquela hora da noite, então, não demorou muito para chegarmos no nosso bairro. Papai estacionou na frente do mercadinho.

– Por que paramos aqui?

– Sua mãe não está se sentindo muito bem. Está enjoada. Provavelmente é uma virose daquelas que todo mundo que mora lá perto de casa pegou. Ela pediu que eu comprasse alguma coisa mais pronta para a gente jantar. O que você está com vontade de comer?

– Hum. Podemos comprar pizza?

– Ah... até que podemos sim, por que não? E eu compro algo mais leve pra ela.

– Oba!

Depois de parar para comprar o jantar, chegamos em casa, e papai abriu o portão automático da garagem. Assim que puxou o freio de mão do carro e desligou o motor, olhou nos meus olhos e, antes que eu abrisse a porta para sair, ele disse:

— Promete que não vai brigar com sua mãe? Jasmine, entenda que ela quer seu bem, faça a sua parte, e você vai ver que tudo vai dar certo — ele falou sério.

— Okay. Eu prometo que não vou bater de frente com ela até o dia da prova. Isso não é difícil, mas preciso que você a faça entender o quanto ter meu espaço é importante pra mim. Preciso de um tempo das cobranças e das conversas que sempre acabam em briga. Só até a prova, tá?

— Se você acha que assim será mais fácil, tudo bem. Mas, depois disso, vocês vão ter que conversar com calma, ok? Quero que você dê a boa notícia de que foi bem na prova pra ela.

— Pai, isso também se enquadra em fazer pressão, ok?

— Você me pegou! — ele riu. — Tudo bem, parei. Vamos entrar e esquentar logo essa pizza, porque estou morrendo de fome.

Saímos do carro e entramos em casa. Meus pais se olharam e, de alguma maneira, se comunicaram sem dizer nenhuma palavra. Minha mãe não tocou mais no assunto da prova e nós passamos o jantar inteiro falando das pessoas bizarras que entraram no táxi do meu pai ao longo do dia.

— Então quer dizer que você está apaixonada pelo seu monitor de reforço? — Nina era ansiosa, e como eu não falava bem de um garoto havia meses, ela foi logo insinuando coisas para me provocar.

— Cara, de onde você tirou isso? Sério! Eu só disse que o menino era legal e que eu finalmente estava começando a entender a matéria! — tentei me defender, já irritada.

— Ah, mas quando você viu o rapaz no metrô já ficou encantada! — ela disse pra me cutucar.

— É nada, Nina! Eu não falei nada disso! Foi uma coincidência... — eu tentei desconversar.

— Mas vocês já têm até uma *theme song*! — ela começou a rir.

– Afe! Eu não posso te contar nada mesmo, né? É só uma música legal que eu ainda nem descobri o nome. – eu retruquei.

– E você não vai perguntar pra ele? – ela quis prolongar o assunto.

– Pra perguntar, eu teria que contar a história toda, dizer que a gente já se cruzou no metrô antes, que eu reparei nele e que fiquei obcecada em descobrir o que ele estava ouvindo. Tenho a leve impressão de que isso soaria meio *freak*. Ele ia achar que eu sou doida.

– Ué, ele só iria descobrir a verdade, haha! Mas então você precisa arrumar outro jeito de descobrir o nome dessa música – ela não parava de me perturbar.

– Ah, Nina, você é que é doida! O que você está imaginando? Tipo, eu roubar o celular dele e olhar todas as músicas das *playlists*?

– Não. Pensa em alguma coisa mais simples, tipo adicionar ele nas redes sociais e *stalkear* o perfil dele. Dãã!

– Ah, que simples. Só não sei se você lembra, mas eu não tenho mais um celular ou um jeito de entrar nas redes sociais. O que você sug...

Mas a conversa foi interrompida por uma voz aguda que veio da frente da sala de aula, mais precisamente da minha professora de inglês, que estava no meio de uma explicação.

Ele pigarreou.

– Será que atrapalho a conversa das mocinhas aí do fundo?

Virei para a frente, disfarcei e continuei olhando para a lousa, como se estivesse prestando atenção. Mas a conversa toda me fez ficar ainda mais curiosa e com vontade de lembrar a letra da tal música misteriosa que o Davi estava ouvindo no metrô.

Por uns instantes, a professora saiu da sala para ver alguma coisa no corredor e a turma se agitou, e, no meio da confusão, me dei conta de que Alice e Giovana estavam me olhando de um jeito meio estranho, como se estivessem tramando alguma coisa. Aquilo me deixou levemente irritada, mas como eu não queria arrumar confusão bem na semana de provas, simplesmente fiz o de sempre: ignorei. Só que, em instantes, minha desconfiança se confirmou quando Alice começou a implicar comigo, só que falando alto demais, como se fosse para chamar de propósito a atenção da professora.

– Jasmine, seu cabelo enorme não está me deixando enxergar o quadro. Dá pra você trocar de lugar? – bradou a hiena irritante.

– O quê? Você está falando sério? – eu falei, sem acreditar no que estava ouvindo.

– Sim! Seríssimo. Se você ocupa dois lugares, um pra você e outro para essa sua juba, deveria sentar na última cadeira, e não ficar na frente dos outros atrapalhando – ela falou alto e com a maior ironia.

Eu não me aguentei.

– Ah, meu cabelo está te incomodando? Então muda de lugar. A sala tem tanto espaço vazio quanto esse seu cérebro oco. Meu cabelo faz parte de mim e você não tem nada a ver com isso.

– Não mesmo! Mas se seu cabelo está me atrapalhando, tem a ver comigo sim – ela estava me provocando de propósito, pois tinha levantado mais a voz.

A professora de novo chamou nossa atenção.

– De novo barulho aí do fundo? O que está acontecendo, posso saber?

– Não consigo enxergar o quadro, professora. O cabelo da Jasmine, que é quase um outro aluno dessa turma, está me atrapalhando. Aliás, ele deveria até ter nome na chamada... – Alice até ficou em pé para falar, para que todo mundo a ouvisse.

A sala inteira caiu na gargalhada.

– Escuta aqui: ou vocês ficam em silêncio, ou vou ser obrigada a mandá-las para fora a essa altura do ano, o que não vai ser nada bom pra ninguém. Principalmente você, Jasmine, que está sempre no meio de onde tem barulho, pelo jeito. E Alice, se você aguentou o ano inteiro, mais uns poucos dias não serão um grande problema. Eu só não quero ouvir mais um sussurro daí, combinado? – a professora já estava perdendo a paciência, pelo jeito. Era melhor ficar quieta mesmo.

Resolvi ficar na minha e prestar atenção na revisão que a professora voltou a escrever na lousa. De repente, ouvi um barulho estranho bem perto da minha orelha esquerda, como um "clique". Cocei a orelha instintivamente, e me dei conta de que alguma coisa estava errada. Virei o rosto em câmera lenta e dei de cara com Alice segurando uma mecha enorme de cabelo.

Do meu cabelo!

– Pronto! Problema resolvido, viu? Nem doeu – ela falou, com voz triunfante.

Meu coração bateu tão forte naquele instante que eu não sabia se gritava, chorava ou levantava para dar um tapa bem dado na cara dela. Meio que fiz tudo ao mesmo tempo, me esquecendo completamente de que ainda estava dentro da sala de aula, com a professora e a turma toda observando com cara de espanto.

– Parem já com isso! Vocês duas estão parecendo dois animais! – foi só o que a professora de inglês conseguiu gritar.

Bom, nós precisamos de uma ameaça para parar de brigar. E foi só quando Breno e os meninos nos seguraram é que a confusão chegou ao fim. Obviamente, fomos mandadas para a diretoria.

Deu para ver pelo reflexo do vidro da janela da sala do diretor que eu estava acabada. Tinha um monte de arranhões no rosto, meu uniforme estava rasgado e, o pior, eu tinha uma falha gigante do lado esquerdo do cabelo. Uma lágrima escorreu quando eu me dei conta de que meu cabelo demoraria anos para voltar ao normal. Só quem tem fios encaracolados consegue entender a dor que eu estava sentindo.

Repentinamente, meus pensamentos foram interrompidos pela voz do diretor.

– Esta é praticamente sua última semana de aula, Jasmine. Em novembro serão só provas. E temos essa política de encerrar o ano letivo dos alunos do 3º ano antes, por causa do Enem e dos vestibulares, para facilitar, para deixar todos mais tranquilos... Você poderia muito bem ter saído do colégio sem essa confusão!

– Diretor, me desculpe. Mas a menina me provoca e corta o meu cabelo dentro da sala de aula, e o senhor vem me dar bronca e colocar a culpa em mim? – eu falei, indignada.

– A professora de inglês me disse que foi você quem começou a briga – ele falou muito sério.

– Mas foi a Alice que cortou o meu cabelo!!! – tentei me defender.

– Partir para a violência nunca é a melhor saída – o diretor falou, sendo racional e correto.

– Eu sei disso. E me arrependo de ter começado a briga, mas, na hora, eu nem pensei direito. Só vi parte do meu cabelo nas mãos dela e fiquei com vontade de fazer a menina sentir a dor que eu estava sentindo por dentro. E ela já vinha me tirando do sério fazia tempo!

– Bom, só que você perdeu a razão ao agredi-la. Você é mais forte que ela, que precisou ir para a enfermaria. Está lá agora, fazendo curativos.

No fundo aquela notícia me deixou meio feliz, mas também me fez perceber que, quando meus pais descobrissem, eu estaria com mais problemas ainda.

– O senhor sabe que, de certa maneira, o corte que ela fez no meu cabelo também é uma forma de agressão física, certo?

– Não estou defendendo a Alice, Jasmine. Só estou mostrando a você que não foi a melhor solução. Vamos tratar do caso dela adequadamente, mas você também precisa aprender que revidar com a mesma moeda não é o melhor caminho.

— Eu não queria que isso estivesse acontecendo, diretor. Eu já tenho problemas demais. Estou estudando feito louca para a prova de matemática, com risco de perder o ano. Pode perguntar para o professor Carvalho. Ontem fiquei até tarde da noite aqui na aula de reforço. Eu só quero passar de ano e entrar na faculdade.

— Sim. Eu estou sabendo disso também, o que só piora a sua situação. Pra que arranjar confusão a essa altura das coisas, Jasmine?

— Ai diretor, por favor, não conte para os meus pais! Pelo menos não até a prova final! Eu vou dar um jeito no meu cabelo e passar maquiagem no rosto, para disfarçar. Depois, eles podem me deixar de castigo pra sempre. Mas agora eu só preciso que as pessoas confiem em mim, começando pelo senhor. Por favor!

— Se eu não disser nada, você promete que vai se controlar e não arrumar encrenca até o fim das provas?

— Vou me comportar como um anjo! Nada que essas loucas fizerem vai me atingir. Eu juro!

— Tudo bem, Jasmine. Eu também quero ver você formada, entrando na faculdade, e sabendo crescer e amadurecer. Temos um trato aqui, okay?

— Okay, diretor! Muito obrigada!

Ele me liberou minutos depois. Como ainda estávamos no intervalo, antes da última aula, entrei na classe, peguei minhas coisas e fui para casa mais cedo. Chegando perto, fiz um caminho diferente, pelo outro lado, sem passar em frente à floricultura da minha mãe. Era bem mais longo que o habitual, mas eu não queria que ela me visse daquele jeito de forma nenhuma.

Entrei em casa, fui direto para o banheiro e tomei um banho quente. Quando saí, fiquei alguns minutos olhando para o espelho. Eu não me reconhecia mais. Meu cabelo parecia murcho, sem volume, completamente torto. Aquilo fez meu queixo tremer e mais uma lágrima escorrer. Aquela menina idiota tinha estragado o que eu mais gostava em mim.

Entrei no meu quarto e sentei na cama, e então vi que havia um cartão e um buquê de jasmins sobre ela. Enxuguei as lágrimas e abri o pequeno envelope. Eram da minha mãe.

Querida filha,

Sei que as coisas não estão fáceis agora, mas prometo que é só uma fase. Essas flores são para te desejar boa sorte nos estudos e nas provas.

Te amo!

Um beijo e um abraço com cheirinho de jasmim,

Mamãe

Eu desabei quando li aquilo. Queria muito poder correr para o colo dela e chorar até todas as lágrimas secarem, mas isso iria totalmente contra tudo o que eu tinha falado no dia anterior com meu pai. Eu queria provar a eles que conseguiria me virar sozinha. Então, teria que superar aquilo sozinha também. Fiquei olhando para as pétalas daquelas flores e tive uma ideia louca. E se eu pintasse meu cabelo? Imagina a cara daquela idiota quando me visse entrar na sala com um cabelo ainda mais estiloso e diferente? Era isso o que eu ia fazer.

Peguei uma nota de 50 reais que eu tinha escondida no fundo da minha gaveta e fui até a farmácia do bairro comprar tintas e descolorante. Assim que voltei para a casa, comecei a operação transformação. Escolhi tons pastel de rosa, roxo e azul turquesa. Primeiro, antes de pintar, dei uma cortada e desfiada com a tesoura mesmo, para deixar os fios mais irregulares, e disfarçar o estrago que a Alice tinha feito. Aí, apliquei o descolorante. Meu cabelo era completamente virgem, então aguentou o produto sem problemas. Fiquei com medinho quando vi as mechas tão clarinhas, mas a adrenalina me deixou ainda mais empolgada e ansiosa para ver o resultado. Então, coloquei as tintas coloridas, esperei o tempo necessário indicado na embalagem, e entrei de novo no banho para lavar. Fiz tudo rápido, antes que minha mãe voltasse para o almoço e, com muito cuidado, para não fazer nenhuma sujeira. Não queria deixar dona Ingrid nervosa.

Quando sequei o cabelo e me olhei no espelho, fiquei de boca aberta. Aquela foi a melhor/pior ideia que eu já tive na vida. Ficou exatamente como a foto que tinha visto na internet há um tempo atrás, antes de ficar sem meu computador e celular. OMG! Meu cabelo estava mais curto, mas também estava parecendo um arco-íris ou um jardim na primavera.

Comi alguma coisa e saí de casa antes que minha mãe chegasse. Deixei um recadinho na geladeira inventando uma desculpa por ter que sair mais cedo para a aula de reforço de matemática. Fiz novamente o caminho mais longo até o metrô, para evitar passar pela floricultura ou encontrar algum vizinho conhecido. Enquanto descia a escada rolante da estação, me dei conta de que as pessoas estavam me olhando mais que o normal, as crianças principalmente. Ter cabelo colorido em São Paulo era algo comum, mas não em pessoas com fios tão cacheados e volumosos como eu, pelo jeito. As pessoas me observavam com um olhar de aprovação, como se eu fosse corajosa por tentar fazer algo novo, mesmo tendo o cabelo diferente. De certa forma, isso me deixou feliz. Eu gostava de ser notada, de me sentir especial.

Apesar de estar me sentindo bem, voltar ao colégio me lembrou do que a Alice fez e do quanto eu a odiava por aquilo. Mas eu também estava ansiosa para saber o que o Davi iria pensar das minhas mechas coloridas. Já que meu celular continuava confiscado, não tinha conseguido enviar nenhuma mensagem e nem mostrar para ninguém. Aproveitei a tarde que eu teria "à toa" dentro da escola para ficar na biblioteca praticando os exercícios da matéria. De alguma maneira, ver que eu finalmente estava entendendo matemática me deixava um pouco aliviada. Era como se, a cada questão com resultado correto, eu me aproximasse mais da faculdade e da liberdade de ter terminado o ensino médio.

Um pouco antes do horário de reforço, recolhi minhas coisas, dei uma volta para espairecer, para esticar as pernas e relaxar um pouco. Comi alguma coisa na cantina da escola e voltei para a biblioteca, para encontrar com o Davi. Quando entrei, ele já estava na mesma mesa do dia anterior, me esperando. Quando me viu, ele arregalou os olhos, mas deixou escapar um sorriso também.

– Uau! Resolveu mudar um pouco o visual? – ele se aproximou e me cumprimentou com um beijo no rosto, dessa vez sem titubear. Eu retribuí.

– É... efeito da matemática, não sabia? Você aprende e seu cabelo muda de cor. Simples assim! – brinquei com ele, para não precisar dar nenhuma explicação que eu não quisesse. E ele abriu um sorriso ainda maior.

Peguei o material que estava dentro da minha mochila e mostrei algumas das questões que tentei resolver sozinha. Dessa vez, minha letra não estava tão bonitinha quanto antes. Seria esse um sinal de que eu estava realmente entendendo a matéria?

– Olha, é tanto xis nessa conta que eu fico muito confusa. Tem quase tanto quanto os que você fala – provoquei.

– Ei, é impressão minha ou você está zoando meu sotaque de carioca? – ele falou de um jeito brincalhão.

– Você é do Rio mesmo? – perguntei, mostrando real interesse.

– Sou sim. Mas mudei pra cá com 15 anos, porque meu pai foi transferido do trabalho. Mas, quando entrei na faculdade, ele foi transferido de novo para outra cidade, só que eu queria ficar aqui em São Paulo, um lugar com o qual me identifiquei totalmente. Só que meu pai não tinha como me manter aqui, e o resto de minha família em outro lugar – ele contou.

– Ué, e como você conseguiu ficar? – eu quis saber.

– Ah, eu prestei a prova para conseguir a bolsa integral na faculdade, e consegui. Então não pago a mensalidade. E também consegui o estágio no departamento de engenharia. Com esse salário, e mais uma pequena mesada que meu pai consegue me mandar, eu me mantenho.

– Puxa, que legal. Então você já é praticamente independente!

– É verdade.

– Mas sabe que eu sempre imaginei os cariocas de um jeito diferente?

– Diferente como? Morenos, surfistas, malandros e só ouvindo samba?

– Tipo isso... – respondi, tentando não parecer antipática.

– Olha, pra falar a verdade, eu adoro o Rio de Janeiro, mas passei a maior parte da minha vida dentro de um quarto desenhando, ouvindo música e estudando. Por isso acho que sou mais da vibe daqui mesmo – ele me confessou.

– Dá pra perceber que você não gosta muito de sol. Ei, pera aí. Você também gosta de desenhar? – eu perguntei, não acreditando que tínhamos aquilo em comum.

– Sim, e também gosto muito de colorir. Sempre curti histórias em quadrinhos, então antes de entrar na faculdade fiz alguns *freelas* de colorista – ele contou.

– Vou te contar um segredo, tá? Eu adoro desenhar. Faço rabiscos aleatórios desde criança, é quase automático. Se eu vejo uma folha em branco, sinto vontade de rabiscar. Nunca fiz nada de mais com isso, nem levei a sério, mas é um ótimo jeito de fazer o tempo passar rápido durante as aulas chatas – confessei.

– Acho que descobrimos o motivo de você não ter pontos suficientes em matemática – ele disse, me fazendo rir. – Quero muito ver seus desenhos.

– Jura? Na verdade, eu queria ter tempo pra desenhar mais e descobrir novas técnicas. Com essa coisa toda de precisar de nota e passar de ano, quase não tenho criado nada.

– Você já pensou em fazer faculdade nessa área? – ele perguntou, acertando em cheio meu dilema.

– Aí vai mais um segredo. Há algumas semanas, eu me inscrevi para o vestibular de um curso de Design de uma faculdade particular. Fiz isso escondido dos meus pais, porque eles acham que essa é uma área que não tem futuro, pensam que não dá dinheiro, e colocaram na cabeça que eu devo ser psicóloga ou bióloga. Eu me inscrevi para os outros dois vestibulares, de Psicologia e de Biologia também, como eles querem.

– Nossa, que confusão. E agora, o que você vai fazer?

– Na verdade, estou com medo de não passar em nenhuma das três faculdades, mas também estou com medo de passar nas três, sabe? Porque eu vou ter que escolher e eu não tenho certeza de nada. E se eu começar e quiser desistir? Vou ter que perder um ano e fazer tudo de novo? É bem complicado tudo isso...

– Olha, Jasmine, se você realmente gosta de desenhar, acho que Design tem tudo a ver. E a parte boa é que você ainda é nova e pode trocar de curso algumas vezes sim até ter absoluta certeza do que realmente quer. Não é bem perder um ano... é achar seu caminho.

– Então, mas e se o que eu quero for algo bem diferente do que a minha família quer? Vou desapontá-los? Vou brigar com eles de novo?

– Provavelmente sua família só quer te ver feliz. Eu aposto que eles acreditam que isso vai acontecer mais rápido se você tiver estabilidade financeira, como todos os pais, e por isso eles querem que você tenha uma carreira que garanta um futuro bom nesse sentido. Mas é você que precisa mostrar o que realmente gosta de fazer. Aposto também que essa sua paixão por desenho é um segredo pra sua mãe também, né? Ela sabe disso?

– Ah, ela sabe que eu desenho bem, e até guarda alguns dos meus trabalhos que fiz durante a pré-escola, como a maioria das mães fazem. Mas nunca falei com ela sobre ter isso como profissão, sabe? Pra ela, meus desenhos são só um hobby, e só gente rica pode trabalhar com isso – falei, com uma certa tristeza.

– Qualquer dia te apresento as pessoas que conheci enquanto trabalhava com histórias em quadrinhos. Você vai curtir saber como funciona o mercado. Assim que essa coisa toda das provas acabar, combinamos, tá? – ele disse entusiasmado.

– Fechado. Agora, sério, eu pareço muito mais carioca que você – mudei de assunto para brincar de novo com ele.

– Ah, desculpe se não nasci com esse bronze todo naturalmente como você – ele falou, entrando totalmente na minha brincadeira.

– Naturalmente? São anos tomando sol todos os dias e passando aqueles produtos que deixam a pele parecendo uma frigideira prestes a receber um ovo.

– Um ovo frito em você seria um ovo gay, todo coloridinho – ele falou, com um sorriso nos lábios, olhando para os meus olhos.

– Isso foi uma piada? – perguntei, fingindo estar brava.

– Não. Foi só um jeito de dizer que seu cabelo ficou legal – ele respondeu, todo fofo.

– Obrigada. Foi um acidente na verdade – resolvi confessar.

– Como assim? Você tropeçou na tinta? – ele falou, se mostrando divertidamente espantado.

– Na verdade, uma garota da minha sala não queria se formar sem usar a tesoura exigida no material escolar, então resolveu usá-la no meu cabelo – falei, sendo irônica, sem deixar de contar a verdade.

– Isso é sério? – ele perguntou espantado.

– É sim. Segundo ela, meu cabelo crespo e armado estava atrapalhando sua visão da lousa.

– Que absurdo! Isso é preconceito! – ele falou, inconformado.

– Isso é falta de uns bons tapas na cara, mas disso eu já cuidei – eu disse.

– Mentira! E, além de tudo, você ainda é bravinha? – ele perguntou, sendo fofo de novo.

– Só com quem mexe com meu cabelo.

– Okay. Continuarei mantendo distância – ele brincou.
– Vamos começar com os exercícios então?

Passamos as três horas seguintes revisando toda a matéria. Eu ainda tinha dificuldade nas questões mais elaboradas, mas comecei a pegar a lógica da coisa. O Davi era muito paciente e tinha um jeito único de fazer os tópicos mais complicados parecerem simples para mim. Sempre que eu acertava uma questão, ganhava alguns minutos de intervalo, o que nos permitia conversar sobre outros assuntos.

– Davi, eu queria ser daquelas pessoas que sabem exatamente o que vão fazer pelo resto da vida, sabe? – confessei.

– Olha, talvez você só precise de mais tempo para descobrir seu caminho – ele falou, sendo acolhedor com meu dilema.

– Ah, qual é? Eu já tenho quase 18 anos. Aposto que, nessa idade, você já sabia muito bem o que queria fazer – disse, em um tom desafiador.

– Não, Jasmine. Na verdade, eu também estava bem confuso, e tinha o lance da mudança de cidade da minha família... É assim com todo mundo. Não pensa que você é a única com dilemas. E olha que eu não estou me referindo só ao seu cabelo! – ele brincou comigo.

– Você está fazendo outra piada? Essa foi péssima tá? Tente novamente mais tarde – eu tentei brincar de volta.

– Agora só quando você acertar a próxima questão – ele falou, fazendo a gente voltar para o tom sério do estudo.

Quando meu pai foi me buscar e me viu com o cabelo diferente, achou divertido mas não deu tanta importância. Só que me alertou que minha mãe não teria a mesma reação, provavelmente. Chegamos em casa, entrei de fininho esperando que ela não me visse, mas uma coisa acontece quando você pinta o cabelo de cores diferentes: as pessoas te enxergam de longe. Minha mãe gritou meu nome lá da cozinha. Respirei fundo, deixei minha mochila no sofá, dei uma ajeitadinha nos fios olhando no espelho e fui ao seu encontro.

— Jasmine, como assim? O que é isso? — ela estava chocada.

— Como assim o quê? — tentei tirar a importância da coisa.

— Ah, nada, bobagem... Só você se transformar em um arco-íris ambulante sem avisar. Quando isso aconteceu que eu nem vi? — Não sei se ela estava mais espantada com as cores ou com o fato de eu não ter contado.

— Ah, sobre isso? — perguntei, segurando minhas mechas coloridas — Fala sério, mãe... Cabelo cresce de novo.

— A questão não é se ficou bom ou ruim, se o cabelo vai crescer ou não. A senhorita não me contou nada sobre isso. Nós costumávamos ser amigas, lembra?

— Mas nós ainda somos, mamãe. Nem a Nina sabe, ela também ainda não viu.

— Então pra que isso? Pra chamar nossa atenção? — minha mãe não estava entendendo nada, lógico, e perguntava com insistência.

— Claro que não, né? Se eu quisesse fazer isso, teria feito uma tatuagem — respondi rindo.

— JAS–MI–NE! Você ainda mora na casa dos seus pais, sabia? — ela falou, começando a ficar brava de verdade.

— Relaxa, mãe! Só queria te dar um referencial pra você perceber o quanto essa mudança de cabelo não é nada importante. Os fios vão crescer e, em alguns meses, você nem vai lembrar que teve uma filha com cabelo colorido — tentei mostrar que eu tinha autonomia sobre alguma coisa da minha vida, mas que aquilo não era o fim do mundo.

– Mas você não tem jeito mesmo, hein? – ela falou, já menos inconformada.

– Ah, fala sério? Até que ficou legal, não achou? Eu tô me sentindo uma das suas flores agora – eu disse, sabendo que aquilo desmontaria a dona Ingrid.

– Você é a florzinha que mais me dá trabalho, mas também a que mais alegra minha vida e deixa meu jardim completo – ela falou já toda carinhosa.

Então, se aproximou para me dar um daqueles beijos cheios de baba.

– Sou uma planta muito rara, mãe. E, para sobreviver, preciso muito de um jantar com costelinhas de porco e molho barbecue – falei brincando, mas minha boca salivou no instante em que eu disse aquelas palavras.

– Ah, então você é uma planta carnívora?

– Adivinhou! Sou *Jasmines muitofamintassis*.

Papai entrou na conversa pela primeira vez.

– Agora que vocês já fizeram as pazes, posso começar a contar sobre os clientes loucos que entraram no táxi hoje? – ele perguntou, ajudando a aliviar ainda mais o clima da conversa.

– Pode! – respondemos em uníssono.

Naquela noite, preparamos o jantar juntos e depois assistimos a séries policiais no Netflix. Papai adorava, principalmente aquelas com temas investigativos, então, de tanto assistir com ele, acabei aprendendo a gostar também. Mamãe ficava por perto para fazer perguntas ou comentários sem noção nas cenas com muito sangue. Ela até ficou enjoada com uma das cenas de *CSI*. Aqueles momentos em família tinham se tornado cada vez mais raros depois que passei a usar celular e computador, então, quando eles aconteciam, eu gostava muito e aproveitava mesmo.

Quando o episódio acabou, fui para o meu quarto, fechei a porta e deitei minha cabeça no travesseiro, desejando não estar de castigo e ter meu celular de volta. Queria ligar para a Nina e contar do meu cabelo. Queria também mandar uma mensagem para o Davi só para agradecer pela paciência na aula. E como andariam minhas redes sociais? Provavelmente, existiam teias de aranha no meu perfil do Facebook e do Instagram...

Que morte horrível ficar sem internet!

De repente, ouvi minha mãe batendo na porta e gritando.

– Jas, telefone pra você!

– Entraaa! – gritei, cruzando os dedos para que fosse a Nina me ligando. Eu havia acabado de pensar nela e, como somos amigas há anos, temos um tipo de sintonia mágica. Ela sabe quando eu estou precisando dos seus conselhos e vice-versa.

Minha mãe abriu a porta e me entregou o telefone sem fio. Atendi correndo e ouvi a voz familiar da minha amiga. Lógico que era a Nina!

– Jas, amiga, como você está?

– Tô bem, Nina. Consegui negociar com o diretor. Não vai acontecer nada comigo.

– Ai que alívio! Mas e o seu cabelo? Que estrago hein? Você ainda está muito triste? Sei o quanto ele é importante pra você. Ó, os meninos me mandaram dizer que até careca você é a garota mais interessante da escola toda.

– Ah, duvido. Eles correriam de mim se eu aparecesse careca na escola. Mas, olha, fica tranquila que isso está longe de acontecer. O que aquela idiota fez me deu algumas ideias. Mudei um pouquinho meu visual, você vai ver amanhã. Queria ter um celular com câmera pra te mostrar, mas como aparentemente vivemos no século passado aqui em casa, isso não será possível – falei desanimada.

– Ai, não faz isso comigo. Agora estou curiosa! Conta! – ela estava mesmo impaciente.

– Amanhã você vai ver, segura a ansiedade. Mas me diz: como a sala ficou depois que fui embora? – eu não falei para fazer surpresa.

– Ah, você conhece a turma. Todo mundo está falando sobre isso nas redes sociais. A Alice ficou com alguns arranhados feios no rosto – ela contou, com um ar grave.

– Sou uma flor com espinhos. Quem mandou ela brincar comigo? – respondi com um ar vitorioso.

– Dizem que ela está planejando uma vingança. Então, acho melhor você vir preparada para a aula amanhã. Aquela hiena não age sozinha, então provavelmente você precisará de reforço – Nina falou, preocupada.

– Ah, qual é, Nina? Não é uma guerra. O que ela pode fazer? Tentar me bater? Me chamar de boba? Se eu não me importar, perde a graça. É sempre assim – falei, tirando a importância, e mostrando que eu não tinha medo de ameaças.

– Ah, é verdade, Jas. Bom, e como foi a aula hoje? Você foi estudar com o garoto lá de novo? – ela perguntou, forçando um desinteresse para ver se eu contava mais detalhes dessa vez.

– O nome dele é Davi – falei.

– Isso! – ela disse, demonstrando que queria ouvir mais.

– Foi ótimo. Pela primeira vez na vida posso dizer que estou entendo a matéria de verdade. E ele é um fofo! – disse, dando um sorriso bobo com o telefone na mão, mas que Nina não podia ver, claro.

– Então quer dizer que você está achando alguém do sexo oposto muito fofo e encantador? – ela falou, já dando indiretas.

– Não começa, vai. Ele só está me ajudando – disfarcei.

– Então é amizade? Não sei se boto fé nessa coisa de amizade entre homens e mulheres não, viu? – ela provocou.

– A maioria dos meus amigos são homens, Nina. Não viaja, vai – disfarcei de novo.

– Mas você nunca fala que eles são fofos. E eles são praticamente como seus irmãos – ela constatou, o que era mesmo verdade.

– Chega! Para de colocar palavras na minha boca, Nina! Você não vai conseguir me convencer de que eu estou interessada nele – falei e, por um segundo, pensei que aquilo poderia mesmo não ser verdade.

– Mas eu nunca disse isso. É você que está dizendo – a Nina me conhecia de fato.

– Não. Na verdade, eu estou reproduzindo o que você insinuou – eu disse, tentando sair pela tangente.

– Eu te conheço, amiga – ela falou. E tinha toda a razão.

– E eu me conheço também. Convivo com este cérebro e com este coração há quase 18 anos – eu falei, querendo me convencer de alguma coisa que eu não sabia bem.

– Acontece que, às vezes, as coisas mudam e nós estamos perto demais pra perceber. Uma visão de quem está apenas observando deve ser levada em consideração – Nina falou.

– Você andou lendo os livros de autoajuda do meu pai? Sério, acho que fomos trocadas na maternidade. Você parece com ele quando dá conselhos – eu disse a ela.

– Eu e seu pai sabemos das coisas, Jas. Escute a voz da experiência – ela provocou.

– Que experiência? Você não sai com garotos há séculos! – provoquei de volta.

– Você sabe que é porque estou focada em fazer intercâmbio no próximo ano. Não faz sentido nenhum começar a namorar agora – Nina disse.

– O amor não faz sentido nenhum, amiga. Tenho certeza de que, em algum momento dessa conversa, você é que disse isso – falei.

– Para de zombar de mim, Jas. Amanhã conversamos mais e você me conta todos os detalhes dessa aula de reforço e desse rapaz que mal conheço, mas já considero pacas – ela brincou.

– Desenterrou esse meme, hein? – brinquei de volta.

– Sou vintage, querida. Você sabe – ela terminou a conversa com classe.

Voltei pra cama assim que desliguei o telefone, mas o que a Nina disse me tirou o sono. Será que eu realmente estava a fim do Davi?

Mas, assim, tão rápido?

TESTE PARA SABER SE VOCÊ ESTÁ SE APAIXONANDO POR ALGUÉM

(1) Você sente que ele conseguiu deixar sua vida mais leve depois que vocês se conheceram?

○ sim   ○ não

(2) Você já falou com ele sobre algo que nunca teve coragem de falar com outra pessoa?

○ sim   ○ não

(3) Você acha que o tempo passa mais rápido que o normal quando está perto dele?

○ sim   ○ não

(4) Ele olha você diretamente nos seus olhos? Você consegue se lembrar da cor dos olhos dele?

○ sim   ○ não

(5) Você tem medo de parecer idiota perto dele e fica ensaiando o que dizer?

○ sim   ○ não

(6) Você se sente confortável quando está junto dessa pessoa? Sente uma sensação esquisita quando se encontram?

○ sim   ○ não

(7) Existe alguma música que te faz lembrar dele?

○ sim   ○ não

(8) Você lembra do perfume dele ou o reconhece em outras pessoas?

○ sim   ○ não

(9) Você fica pensando nele durante muito tempo quando não está com ele?

○ sim   ○ não

(10) Tem vontade de ficar perto dessa pessoa? Não vê a hora de vocês se encontrarem de novo?

○ sim   ○ não

Se você respondeu SIM a todas essas perguntas, temos más (ou boas) notícias: você ESTÁ SE APAIXONANDO POR ESSA PESSOA! Ou já se APAIXONOU e não sabe!

Eu sabia que as pessoas comentariam sobre mim quando eu voltasse para o colégio no dia seguinte. Então, mudar radicalmente o visual foi um jeito de fazer com que elas parassem de falar da briga com a Alice e focassem nas diferentes cores do meu cabelo. Essa é uma ótima técnica: quando você dá um novo assunto para os fofoqueiros, o antigo perde totalmente a graça segundos depois.

– Você está parecendo aquelas garotas do Tumblr. Como fez isso no cabelo, Jasmine? Conta pra gente, vai.

Foi o que uma das meninas da turma do 9º ano veio perguntar antes mesmo de o sinal bater e eu entrar na sala. Fingi que nem era comigo, mas deu para perceber que elas estavam me olhando e se empurrando para definir quem seria a corajosa que faria a pergunta.

– Vi na internet há algumas semanas. Posso ensinar a vocês se quiserem. Ou, sei lá, fazer um vídeo e postar na internet. Mas precisa ser depois da prova de matemática, okay?

Logo depois, outras meninas ficaram em volta de mim para fazer perguntas tipo: quanto tempo a cor dura, se o cabelo pode ter química, se dá pra misturar outras cores, etc. No meio do interrogatório, vi Nina de longe, pedi licença e fui na direção dela.

– E aí, gostou? – fui perguntando, louca para ver a reação da minha amiga.

– MEU DEUS! Esse cabelo é tão a sua cara que você deveria ter nascido assim! – ela falou entusiasmada.

– Eu sabia que você ia curtir! No começo, fiquei com medo, porque normalmente só as meninas com cabelo liso colorem os fios. Mas lembro de ter visto algumas fotos no Tumblr. As cacheadas também podem brincar de colorir o cabelo.

– É claro que sim. Ficou ainda mais diferente e interessante em você. Estou ansiosa pra ver a cara da Alice quando te ver linda assim – ela disse, rindo.

– Na verdade, ela já me viu. Enquanto eu estava ali explicando para as meninas, ela passou do outro lado e ficou me olhando com aquela cara de psicopata que só ela sabe fazer – contei.

– Invejosa. Terá que lidar com o fato de que você agora é tendência e tem o cabelo mais *cool* do colégio.

– Também não é para tanto vai. Acho melhor deixar ela falando sozinha, pois preciso focar na prova de matemática.

– Na prova de matemática ou no seu professor?

– Nem começa, Nina. É cedo demais pra tantas especulações.

O sinal bateu e entramos na classe. Cada vez que a turma ficava em silêncio, eu conseguia ouvir um cochicho vindo lá do fundo. Na verdade, eu estava começando a me acostumar com aquilo. Eu não queria perder o controle outra vez, então virei a folha do caderno em que estava anotando a matéria e comecei a desenhar duas hienas bizarras e deformadas. Cada traço que desenhava me tranquilizava um pouco e, quando eu terminei, soltei até uma risadinha, pois elas surtariam se soubessem que as representei daquele jeito. Espalhar aquele desenho por todo o colégio seria uma vingança divertida.

Os ponteiros do relógio andaram em câmera lenta pelo resto do dia, provavelmente porque eu estava ansiosa para chegar a hora da aula de reforço de matemática. Meu Deus! Eu estava ansiosa para estudar equação polinomial. Como era possível?

– Por que a senhorita não responde às minhas mensagens? Sempre escrevo perguntando se você tem alguma dúvida na matéria – Davi perguntou assim que chegou à biblioteca para a nossa terceira aula.

– Er... Meu celular ainda não voltou da assistência técnica. Eles deram o prazo de uma semana! – falei, dando uma desculpa, para não contar do meu castigo.

– Achei que a senhorita estava me ignorando – ele falou, fingindo dar uma bronca.

– Existe uma lei: você não ignora quem te faz entender matemática – respondi sorrindo.

– Ah, é? E essa lei diz algo sobre aceitar um convite para sair? Sei lá, ir ao cinema ou comer alguma coisa gostosa no shopping? Tá com vontade de jantar alguma coisa especial amanhã? – ele perguntou, cheio de charme.

Não acreditei no que ouvi. Ele estava me convidando para sair?

– Hummm. Posso mudar um pouquinho aquela frase da Audrey Hepburn? *Comer* é sempre uma boa ideia! Mas pode ser cinema também, se você quiser – eu respondi, tentando ser o mais natural possível.

– Fechado. Amanhã, depois que terminarmos de estudar, vamos para o Shopping Santa Cruz assistir a um filme. É pertinho daqui. Você conhece a região? Já foi até lá? – ele perguntou.

– Na verdade eu moro perto daqui também – respondi, sem perceber o que falava.

– Ué, como você sabe que eu moro perto? – ele perguntou, intrigado.

– Ah, é... Eu imaginei... Porque você sempre chega cedo... – fiquei nervosa, porque quase contei tudo sobre tê-lo visto antes no metrô, e logo mudei de assunto – Você não tem aula amanhã? Eu vi um cartaz no mural da entrada...

– Não, não tenho mesmo. Recebemos um aviso de manhã falando que o professor vai ter um congresso não sei onde.

– E você vai vir pra cá mesmo assim? – eu quis saber.

– Claro, oras. Eu tenho um compromisso com você – ele falou, e abriu um sorriso.

Aquilo fez meu coração palpitar. Provavelmente, meu sangue estava circulando pelo meu corpo mais rápido do que o normal e, se minha pele fosse um pouquinho mais clara, ele perceberia. Obrigada mãe, pelo tom bronzeado de nascença.

– Bom, agora chega de papo. Quero ver se você consegue resolver este exercício aqui sem minha ajuda. – Ele abriu a apostila dele, me passou papel e lápis e começou a marcar tempo no cronômetro do seu celular. – Um, dois, três... valendo!

Pela primeira vez na vida, eu queria ter um guarda-roupa menos colorido e estampado. Com o cabelo novo, qualquer peça com mais de uma cor ou textura me fazia parecer um letreiro aceso. Vesti e tirei *looks* umas mil vezes e, ao me olhar no espelho, a sensação era de que nenhum seria bom o suficiente para um primeiro encontro de verdade com o Davi. Eu estava nervosa.

Depois de tantos meses, era como se meu coração tivesse enferrujado ou eu não soubesse mais como agir ao lado de alguém que eu queria beijar. Até aquele dia, ninguém tinha conseguido me fazer querer arriscar de novo. O amor é como um jogo que você entra sabendo que vai perder, mas ainda assim é divertido tentar, só pra ter certeza. Ele era sensível, se importava comigo e, ainda por cima, em vários aspectos diferentes, era mais maduro que eu, três características opostas às do meu ex, o Antônio.

Saí de casa para a aula de reforço no horário de sempre, mas comecei a me aprontar tão cedo que minha mãe desconfiou e veio conversar comigo.

– Você está indo para o colégio?

– Sim. E depois vou ao cinema no Shopping Santa Cruz – falei com a maior naturalidade.

– Ah... Com quem? – ela quis saber.

– Com um amigo – respondi, na esperança de que ela não perguntasse mais detalhes. Doce esperança...

– Da sua sala? – ela continuou o interrogatório.
– Não, um amigo mais velho – respondi sem responder.
– Bem na época das provas, filha? Não dava para esperar só mais um pouquinho?
– Não dava, mãe. Você sabe que eu estou me dedicando como nunca. Um pouquinho de distração só vai me ajudar – respondi, com argumentos que sabia que eram muito bons.
– Então leve seu celular. Vou te devolver, okay? Pra que você me mande mensagens dizendo que está tudo bem. E porque estou vendo que você está se esforçando mesmo, fazendo por merecer – ela falou.
– Sério? Ai, mãe, obrigada! – eu disse, sem acreditar no que estava ouvindo.
Fui empurrando mamãe com um abraço para fora do quarto até conseguir trancar a porta. Liguei meu celular, deitei na minha cama, por cima de todas as roupas que deixei espalhadas, e comecei a escrever uma mensagem para o Davi.

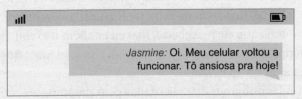

Jasmine: Oi. Meu celular voltou a funcionar. Tô ansiosa pra hoje!

Dois segundos se passaram quando uma mensagem dele pulou de volta.

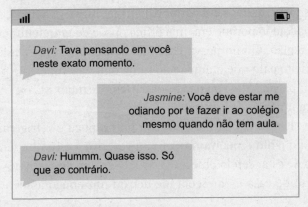

Davi: Tava pensando em você neste exato momento.

Jasmine: Você deve estar me odiando por te fazer ir ao colégio mesmo quando não tem aula.

Davi: Hummm. Quase isso. Só que ao contrário.

Eu estava doida para ler minhas redes sociais e ver tudo o que tinha perdido na internet durante todos aqueles dias, mas eu não teria tempo naquele momento. Tinha que terminar de me arrumar e voar para a escola. Eu veria tudo depois.

Depois da aula de reforço, fomos para o cinema, no shopping. Quando descemos na estação Santa Cruz, que já fica dentro do shopping, saindo do metrô, Davi segurou na minha mão pela primeira vez. Assim, de uma hora para outra, como se ele houvesse ensaiado a melhor forma de fazer isso por muito tempo e não tivesse encontrado uma técnica boa. Ele simplesmente pegou na minha mão e fomos andando, como se já fizéssemos isso há séculos.

Eu levei um susto, mas, no segundo seguinte, deixei escapar um sorrisinho de aprovação. A mão dele era quentinha e macia, e os dedos dele faziam movimentos circulares na minha pele, deixando os pelos do meu braço arrepiados. Eu não queria que ele percebesse, mas eu também não conseguia disfarçar meu nervosismo em estar ali com ele, mas não para uma aula de matemática.

Caminhamos de mãos dadas pelo shopping até o cinema, que estava relativamente cheio, mas o Davi tinha feito questão de comprar os ingressos antes pela internet, então não nos preocupamos em correr para pegar lugar. O Santa Cruz vivia lotado porque era uma ótima opção de entretenimento na região. Como ficava na saída do metrô, era um destino perfeito para quem ainda não tinha dinheiro suficiente para ficar pagando táxi ou não tinha carteira de motorista ou carro para ir dirigindo.

Entramos na fila para comprar pipoca e refrigerante e, enquanto esperávamos a nossa vez, tive a estranha sensação de estar sendo observada. O fato de aquele shopping ser perto de casa e da escola me deixou um pouco apreensiva no começo, pois não queria encontrar ninguém conhecido, principalmente do colégio. São Paulo é uma cidade grande, mas quando você nasce e cresce no mesmo bairro, fica impossível não encontrar alguém da sua região. Olhei para os lados várias vezes, e não tinha nenhum rosto familiar. Todos à minha volta pareciam só preocupados em decidir o que pediriam à atendente mal-humorada.

Entramos na sala de cinema e sentamos em nossos lugares. Ainda faltavam alguns minutos para começar a sessão, e o Davi puxou um assunto que não costumávamos falar.

– Então, quer dizer que este é o nosso primeiro encontro de verdade? – ele estendeu o saco de pipoca para eu me servir, muito cavalheiro.

Fiquei meio sem jeito com a pergunta, peguei as pipocas para disfarçar meu nervosismo, mas na verdade estava adorando estar bem perto dele, sentindo mais ainda seu perfume e seu calor.

– É... Bom, é o primeiro sem a matemática toda e tal, né? – respondi e virei meu rosto para olhá-lo diretamente, e vi o quanto nossos rostos estavam próximos.

– Mas você calculou que ia se interessar por mim? – ele mordeu o lábio inferior, me olhou profundamente nos olhos, e deu um sorriso lindo.

– Acho que não dá pra calcular uma coisa dessas né? Não é questão de lógica. Na verdade, acho que estamos falando da matéria errada. Tem mais a ver com química – eu disse, enquanto senti que minhas bochechas ficavam levemente coradas.

– Você também está precisando de pontos em química ou isso foi uma cantada? – ele falou e abriu um sorriso largo.

– Interprete como quiser – respondi, também sorrindo.

Então, ele passou o braço por trás do meu ombro, e me puxou para junto dele, me abraçando. Deitei a cabeça junto ao seu ombro e pescoço, e senti de perto seu perfume delicioso. Naquela noite, ele tinha cheiro de lavanda, grama molhada e gerânio. Uma onda de arrepio percorreu meu corpo e senti meu estômago gelar. Davi começou a acariciar meu rosto suavemente, com a ponta dos dedos, e então, depois de alguns segundos, levantou meu queixo, aproximou seus lábios dos meus, encostando-os muito devagar, e me beijou. Foi um beijo lento e suave, mas ao mesmo tempo firme e tranquilo. Sua boca tinha gosto de baunilha, e seus lábios eram incrivelmente macios, como se tivessem sido feitos sob medida para mim.

Quando o beijo terminou, ele me olhou nos olhos e sorriu, como se estivesse muito feliz. Sorri de volta, e nos abraçamos por alguns instantes, e uma sensação de tranquilidade e ao mesmo tempo euforia invadiu meu peito. Em seguida, o trailer começou, e logo depois o filme, que assisti com a cabeça no ombro de Davi. Mais algumas vezes, entre uma cena e outra do filme, ele se aproximou e, no escuro do cinema, me beijou intensamente. São cenas que eu nunca cheguei a assistir. O filme? Não me lembro nem do título, mas acho que foi o melhor que "vi" em muitos anos.

Os dias daquela semana passaram voando e, quando me dei conta, já era a última sexta-feira antes do início das provas finais. Se tudo desse certo, aquelas seriam minhas últimas horas dentro da sala de aula como aluna do ensino médio. Minha vida parecia estar começando a dar certo. Eu estava com um cara incrível, que, além de estar conquistando meu coração, estava me ajudando a recuperar minha confiança para eu poder ir bem na prova de matemática, e eu tinha muita esperança de conseguir tirar uma boa nota na prova. Entreguei o trabalho para o professor Carvalho com muito orgulho, pois todas as questões foram feitas e totalmente compreendidas por mim. Era louco pensar que, de certa forma, meu professor de matemática havia me apresentado um cara maravilhoso, com quem eu estava saindo, e que estava me acompanhando nesse momento tão importante da minha vida. Se alguém me contasse isso há algumas semanas, certamente eu jamais acreditaria.

Eu não tinha um estilo preferido de garoto, mas ficar com alguém tão inteligente começou a me fazer mudar de ideia. Davi sempre tinha algo a dizer sobre todos os assuntos, e ouvi-lo falar não era irritante como quando alguém quer provar que sabe mais que você. Muito pelo contrário. Ele me explicava as coisas como se aquilo fosse a questão mais simples do mundo e era impossível não prestar atenção. Além de tudo, estar com ele fazia eu me sentir leve e segura, e tudo era muito bom.

Entrei na sala de aula de fininho porque estava atrasada e corri logo para a minha carteira. Era óbvio que Alice tinha feito questão de fazer o professor de geografia, que estava virado de costas escrevendo no quadro, notar que eu havia entrado depois de o sinal bater. Ela tossiu tão alto que o professor se virou e me pegou em flagrante.

– Atrasada no último dia de aula, Jasmine?

– Desculpe professor. Não vai acontecer de novo.

A sala inteira riu. Era óbvio que não iria acontecer de novo. Afinal, aquele era o último dia de aula. Nina me cutucou para me fazer cair na real e perceber o quão idiota era bater de frente com o professor de geografia. Respirei fundo, abri meu caderno e comecei a anotar o que estava escrito no quadro.

– Então quer dizer que vocês estão namorando? – Nina perguntou, sendo direta e franca.

– É claro que não – respondi meio indignada.

– Mas ficar por cinco dias consecutivos é o que? – ela quis saber, tendo de cochichar para não ser ouvida pela classe toda.

– É aproveitar a vida e agir como uma garota de praticamente 18 anos – disse com convicção, também cochichando.

– Mas você acha que ele fica com mais alguém?

– Não sei, Nina. Eu ainda nem tive coragem de perguntar o nome daquela música.

– Mentira! O que aconteceu com toda aquela curiosidade? – minha amiga perguntou, com ar de deboche.

– É que eu estou com medo de estragar tudo. Digo, se eu contar que eu o vi no metrô antes, e que fiquei com isso na cabeça, ele pode achar que eu sou meio doida, já disse – confessei.

– Ah, pelo amor de Deus, escuta o que você está falando. Quanta besteira! Ele vai é achar fofinho vocês já terem uma música – Nina falou em um tom mais alto, e eu fiz sinal com as mãos para ela falar baixo.

– Shhhhh! Não grita! É que eu tô esperando o momento certo pra perguntar. Acho que, depois da prova, vou me sentir menos pressionada, sabe? – falei.

– Então... Você está gostando dele de verdade? – ela quis saber.

– Errr...

– Sim! Você está! E também está insegura – ela falou, enquanto ria.

– Não é insegurança. É medo de descobrir que eu gosto mais dele do que ele de mim, e de não conseguir mandar bem na prova. As coisas estão indo bem nessa velocidade. Não quero mudar nada – eu falei, não querendo ser forçada.

– Ser sincera com alguém não muda a velocidade das coisas. Você apenas está dizendo a verdade. Parece que não, mas as pessoas gostam disso.

– Tudo bem. Prometo que assim que encontrá-lo vou perguntar da música e dizer que eu me apaixonei por ele primeiro, antes mesmo de ele me conhecer.

– Agora sim, estamos falando da Jasmine que eu conheço. Adoro te ver apaixonada, amiga. Você fica até mais bonita! – ela falou, fofa.

– Vamos criar uma empresa de cosméticos então? Você compra um blush e se apaixona. Assim, a cor dele será única na sua pele, porque você terá um corante natural.
– Nossa! Você teve essa ideia sozinha?
– Na verdade, eu tenho um caderninho cheio de ideias geniais para usar. Você sabe, preciso ficar rica antes dos 25 anos para poder conhecer o mundo todo antes dos 30 e, até os 40, já ter meu casal de filhos e um labrador chamado Tom Hanks.
– Você é louca.
– E você será a madrinha do casamento.

Quando o sinal da última aula tocou, todos os alunos saíram da sala imediatamente. O clima era de despedida, então eles pareciam mais eufóricos e barulhentos que nunca. Nina começou a olhar o celular e, de repente, olhou absolutamente preocupada para mim, como se tivesse visto algum tipo de fantasma.
– Jas, acho que você tem um problema – ela falou em tom grave.
– Lógico que eu tenho, você sabe né? Só que, na verdade, não tenho só um. Tenho muitos – falei brincando, mas ela estava me olhando muito assustada. – O que aconteceu dessa vez, Nina? Fala logo, que eu já estou preocupada.
– Jas, está todo mundo falando de você – Nina respondeu como se estivesse me dando uma notícia fúnebre.
– Ué, ainda não superaram meu cabelo? A cor já está até desbotando...
– Na verdade, seu cabelo não tem nada a ver com isso. Ou pelo menos não diretamente. Nas fotos, ele é basicamente o que nos faz ter certeza de que é você.
– Que fotos? – comecei a ficar preocupada de verdade.
– As que publicaram no grupo da escola. E que pelo jeito já vazaram para as redes sociais.

– Esse grupo ainda existe?

– Não só existe como está bombando neste exato momento. Agora exatamente está com, mais de... duzentos comentários! – ela me olhou sem querer acreditar.

– Mas que saco! Onde está...

Antes que eu pudesse completar a frase, Nina já estava com o celular na mão apontando em minha direção e fazendo aquela cara de que "o mundo está acabando" que só ela consegue fazer.

– O que pode ter aí de tão estranho? Eu não tenho fotos nuas depois dos 5 anos de idade. Isso aí só pode ser montagem... Pera aí... – eu nem conseguia acreditar no que estava vendo.

Aparentemente, alguém tinha me seguido quando eu fui ao cinema com Davi e fotografado o momento em que eu e ele ficamos. Eram fotos da gente se beijando, se abraçando e havia algumas também enquanto estudávamos na biblioteca.

– Mas que diabos está acontecendo aqui? Agora temos uma *Gossip Girl* no colégio?

– A foto é o de menos. O problema é que quem publicou insinuou que o cara está assediando você, obrigando você a sair com ele, e isso é crime, porque ele é maior de idade, seu professor, e você ainda não completou 18 anos. Não vai acontecer nada com você, eu acho, mas provavelmente ele está muito encrencado.

– Mas é óbvio que isso é uma mentira completamente sem fundamento. Eu estou sim beijando o cara da foto, isso não é segredo, mas é claro que ele não está me obrigando. Isso fica bem claro quando a pessoa dá zoom na foto. – Peguei o celular da mão dele e dei zoom. – É só ver meu sorriso...

– Sim, mas o boato já se espalhou e tá todo mundo comentando. É uma questão de tempo pra chegar até a faculdade dele...

– Meu deus, se isso chegar na faculdade, ele pode mesmo ter problemas... Eu preciso falar com o diretor o quanto antes, para ele falar com os diretores da faculdade, e garantir que nada aconteça. Com o professor Carvalho também!

Peguei meu celular, abri no grupo do colégio e corri para a diretoria naquele mesmo instante. Eu não me importava com o que os outros alunos pensavam de mim, não mesmo. Mas colocar o Davi no meio daquela confusão poderia estragar a vida dele. E por minha causa!

No corredor, algumas pessoas estavam me encarando, mas não do jeito que eu gostava. Não era espanto ou admiração, era pena. Será que elas realmente pensavam que o Davi havia forçado a barra comigo? Que idiotas. Eu já estava no corredor que leva à diretoria quando trombei com as duas últimas pessoas que eu desejava encontrar em uma situação já tão ruim como a que eu estava vivendo: as hienas magricelas. E eu ia passar sem nem olhar para a cara delas, ia ignorar aquelas presenças desagradáveis, mas meu caminho foi bloqueado. Elas começaram a impedir minha passagem de propósito.

— Podem me dar licença, que eu estou com pressa? — falei bem seca, sem olhar nos olhos delas, mas com educação, na medida do possível.

— Onde você vai com tanta pressa? Encontrar seu professorzinho? — Alice falou com tom de deboche, parando na minha frente para que eu não pudesse passar.

— É, parece que agora ela prefere os caras mais velhos! — Giovana disse e fez sinal com as mãos para que eu parasse de andar, como se eu estivesse dirigindo um carro acima da velocidade permitida e ela fosse um policial na estrada.

— Isso não é da conta de vocês. Minha vida não é da conta de vocês. Agora saiam da minha frente que eu tenho mais o que fazer! — eu estava irritada.

— Hum, parece que a sua vida agora é "da conta" de muita gente... Você é o assunto da vez! E seu queridinho também! Mas não me parece que o que vocês estavam fazendo é permitido, hein? Professor com aluna... Não pode! — Alice estava com um ar de vitória, como se ela tivesse conseguido se vingar de mim.

Eu não precisei pensar muito para ter certeza absoluta de que tudo aquilo era coisa daquelas duas. Elas deviam ter feito as fotos, armado toda a confusão para me prejudicar, para que eu não conseguisse fazer a prova direito, para perder o ano, sei lá. E eu com pena de espalhar um desenho bobo delas. Afe!

Meu sangue ferveu.

— Foram vocês, né?! – falei furiosa.

— Nós o quê? – Alice respondeu com um sorriso cínico.

— Vocês tiraram as fotos e espalharam esse boato absurdo! Escuta, qual o problema de vocês comigo, hein? O que eu fiz pra vocês?

— Você está sempre no nosso caminho, menina! Está sempre atrapalhando! E a gente não gosta de pessoas que ficam no nosso caminho – a Alice respondeu. A Giovana só concordava.

— Do que você está falando? Eu nunca fiz nada contra vocês, menina! – Eu sabia que elas eram idiotas, mas aquilo era marcação demais comigo.

— Ah, não? Roubar o cara de quem sua amiga gostava é algo totalmente normal no seu planeta? Aliás, de onde você vem, esse seu cabelo é legal? – Alice mostrou finalmente suas garras.

— O cara de quem "minha amiga" gostava? De quem você está falando? – eu não conseguia lembrar de ninguém que pudesse se encaixar na conversa. Mas eu nem sabia se deveria realmente levar a sério o que ela dizia. Aquela menina era doida.

— O Antônio, Jasmine. Você roubou o Antônio da Giovana no 8º ano! Você sempre rouba tudo da gente, as amizades, a atenção dos professores, o interesse das pessoas... Sempre querendo ser mais que eu! – ela falou, como se estivesse possuída.

— Eeeeiii! – Giovana a interrompeu – Não quero falar sobre esse assunto aqui. Você prometeu que nunca contaria pra ela – os olhos de Giovana se encheram d'água, mas eu não pude ter certeza, porque ela nem conseguia me encarar direito. – Não dá mesmo pra confiar em você, Alice! Não dá pra confiar em ninguém!

– Para de drama, Giovana. A Jasmine precisa escutar umas verdades – Alice respondeu, ainda furiosa.

– Olha, escuta aqui, eu também não gosto dela! – Giovana explodiu. – Mas você precisa arrumar outro motivo pra fazer essas suas loucuras. Esse assunto é delicado pra mim e eu não quero ninguém falando sobre isso por aí. Imagina se ele descobre? – ela gritou, e, de uma hora para outra, a conversa não era mais sobre mim, e sim sobre elas.

– Sério que você está se importando com o que aquele idiota pensa? – falei, irada. – Você sabe o que ele me fez? E, pelo amor de Deus, eu não vou contar nada pra ninguém. Eu não tô aqui pra assistir DR de vocês ou ficar vendo vocês falando do passado. Eu só quero chegar até a diretoria.

– Pra mim chega, Alice. Deu. – Giovana saiu andando. Alice ficou irritada.

– Você me faz brigar com a minha melhor amiga e acha que vai sair impune? – Alice respondeu. – Quer apanhar de novo?

– Olha, vontade de brigar com você não me falta, Alice. Mas não vou fazer isso porque é exatamente o que você quer, né? Você quer que eu me ferre. Mas eu não vou quebrar minha promessa para o diretor e não vou arrumar encrenca. Eu vou agir como uma garota madura e, em vez de arrumar mais um escândalo e de partir para agressão física, eu vou mostrar para o diretor agora quem está certa e quem está errada. Tchau, Alice, espero não te ver nunca mais! – falei com segurança, e com um certo orgulho de minha atitude digna de alguém madura. Mandei bem!

Virei as costas e voei em direção à diretoria, mas chegando lá descobri que minha correria foi em vão. Quando cheguei à sala do diretor, a secretária disse que ele havia saído mais cedo para participar de uma reunião fora da escola. E que provavelmente não voltaria mais naquele dia, apenas na segunda-feira. Droga!

Pelo menos eu precisava avisar o Davi de tudo o que estava acontecendo, se é que ele não sabia. Peguei meu celular, acionei o número dele nos contatos e liguei. Uma vez. Duas vezes. Três vezes. Dez vezes. Chamava, chamava e caía na caixa postal. Resolvi deixar mensagens.

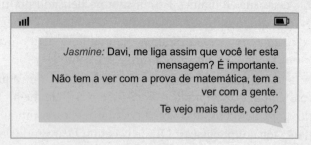

Jasmine: Davi, me liga assim que você ler esta mensagem? É importante.
Não tem a ver com a prova de matemática, tem a ver com a gente.
Te vejo mais tarde, certo?

Fiquei esperando uma resposta rápida, mas ela não veio. Resolvi ir para casa. Pelo menos, no fim do dia, eu "teoricamente" iria ver o Davi na nossa última aula de reforço, e poderíamos conversar.

Cada barulhinho que meu celular emitiu durante aquela tarde soou como tortura. As notificações das minhas redes sociais não pararam de chegar, e, apesar de todas serem sobre o que aconteceu entre mim e Davi, nenhuma havia sido enviada por ele.

Acessei o perfil dele pelo menos umas cem vezes, mas não havia nada de novo. Ele não era aquele tipo de cara que fica compartilhando coisas nas redes sociais, o que, no começo, achei legal, mas naquele momento eu queria muito um novo *post*, um sinalzinho de fumaça que fosse, só para ver se ele já sabia o que tinha acontecido.

Acabei adormecendo no sofá com o celular na mão, e acordei com o barulho da porta batendo forte por causa do vento. Minha mãe sempre deixava tudo aberto pela casa, para as flores respirarem. Olhei no relógio e dei um pulo: eram 17h30, horário em que eu já tinha que estar saindo para a aula de reforço. Peguei meu material de cima da mesa e voei para a rua. Nenhuma nova mensagem no celular. Pelo menos não do Davi. No metrô, fiquei reparando nas pessoas para ver se encontrava com ele por coincidência, como quando o tinha visto pela primeira vez. Não aconteceu.

Quando caminhei pelo corredor da escola, reparei que os alunos da faculdade estavam me encarando mais que o normal. Até olhei no reflexo do vidro da janela para ver se havia alguma coisa de errada comigo, tipo uma mancha de molho no meu uniforme, um risco de lápis de olho na bochecha ou algo assim. Nada fora do comum, além do meu cabelo, claro. A biblioteca estava mais movimentada que de costume, provavelmente porque, assim como eu, a maioria dos alunos tinha deixado para estudar no final do semestre. Varri o cômodo com olhos para ver se encontrava o Davi, mas eu já sabia: ele não estava lá.

Perguntei para a bibliotecária se ela havia o visto naquela tarde, afinal eu estava atrasada e ele poderia ter desistido de me esperar, mas ela respondeu que provavelmente ele não havia ido naquele dia, pois ele sempre chegava e a cumprimentava, e ela não o tinha visto. Meu coração começou a bater mais acelerado, e senti algo ruim. Sabe quando você tem um mau pressentimento e suspira forte? Chequei meu celular mais uma vez. Nenhuma mensagem do Davi. Olhei para o relógio, eram 18h25. Fiquei mais alguns minutos em pé olhando para a porta, na esperança de vê-lo entrar a qualquer momento. Não aconteceu.

Antes que as lágrimas que estavam se formando escorressem e eu chamasse mais atenção das pessoas que estavam me observando, decidi ir embora. Peguei meu fone de ouvido na bolsa, fechei os olhos por alguns segundos e aumentei o volume no máximo. Com a música é sempre mais fácil ignorar o resto do mundo. Meus lábios estavam tremendo e a testa enrugando. Isso acontece quando você sabe que vai chorar, mas tenta segurar. Só mais alguns passos e eu estaria fora da escola.

Estava esperando o semáforo abrir na faixa de pedestres quando avistei o Davi de longe. Já estava escurecendo, então apertei os olhos pra ter certeza de que era realmente ele. Meu coração já tinha absoluta certeza, tanto que começou a bater mais rápido e mais rápido e mais rápido. Ele vinha na outra direção, então, quando a luz verde acendeu, eu fiquei sem saber se caminhava ou o esperava me alcançar. Meus pés não saíram do lugar e eu o observei caminhar em minha direção. Era ele mesmo, mas a expressão em seu rosto era diferente da que ele tinha em todas as outras vezes em que nos encontramos. Ele estava triste. Não abriu um sorriso ao me ver. Apenas começou a estalar os dedos, exatamente como fazia quando não sabia direito o que dizer.

– Você veio! – dei um sorriso meio de lado, na esperança de conseguir disfarçar tudo o que eu estava sentindo e tudo o que eu queria dizer.

– Sim, estou aqui – o corpo dele estava a alguns centímetros do meu, e a cada instante eu tinha a sensação de que a distância entre a gente aumentava.

– Mas por que você não respondeu às minhas mensagens, Davi?

– É que hoje foi um dia complicado... – ele nem conseguia olhar nos meus olhos direito.

– Aconteceu alguma coisa? Quero dizer, eu sei que aconteceu, mas... aconteceu alguma coisa com a gente? Você me ignorou o dia todo. Eu queria muito conversar com você.

– Não sei como dizer isso. Acho que é porque eu não quero dizer isso... – ele respirou fundo e começou a despejar as palavras em mim. – Você é especial pra mim, Jasmine. Em uma semana, conseguiu me fazer sentir coisas que outras garotas tentaram durante meses e não conseguiram nem chegar perto. Mas nos encontramos no momento errado da vida. No episódio errado, da temporada errada. A gente vai ter que se afastar por um tempo.

– Como assim? Vamos ter que simplesmente deixar tudo pra lá? Você vai me ignorar? – eu não estava acreditando no que ouvia.

– Não é tão simples quanto você imagina. Sabe o que estão falando sobre a gente por aí? – ele disse, sério.

– Eu não sabia que você se importava tanto assim com o que dizem – eu tentei argumentar.

– Olha, eu fui chamado pelos meus chefes do departamento de Engenharia e pelo diretor da faculdade agora à tarde. As fotos e os boatos vazaram mesmo, e chegaram até eles. Eles falaram que isso tudo é muito delicado, e que eles precisam investigar os fatos.

– Mas foi um mal-entendido. Eu já sei quem fez essas fotos, Davi. Foi uma armação para me prejudicar, mas que vai prejudicar mais você. Eu tentei ir atrás do diretor do ensino médio, mas ele só volta segunda. E segunda-feira bem cedo eu vou até a sala dele e conto a história toda, a gente tenta esclarecer isso.

– A história não importa mais, Jasmine. O boato de que eu me aproveitei de você se espalhou pela escola e chegou até os pais das alunas. O diretor sabe que eu não sou culpado, mas com essa quantidade de crimes de assédio nas escolas expostos nos jornais, você acha que vão acreditar? No início eles falaram até em me expulsar. Se acharem que houve mesmo conduta irregular da minha parte, eles podem vetar minha bolsa na faculdade e eu provavelmente vou perder o estágio. Só que eu dependo disso para viver, você sabe. Sem essa grana, não tenho como morar aqui em São Paulo e não tenho condições de pagar uma faculdade. O aluguel vai vencer e, se eu não tiver o dinheiro, vou ter que voltar pra minha cidade, e sem meu diploma. Minha vida acaba, Jas – a voz dele estava triste e desanimada.

– Isso não é justo.

– Eu prometi a eles que me afastaria de você. Prometi que ninguém nos veria juntos mais. Ou seja, não era nem pra gente se encontrar aqui.

– Vamos dar um jeito nisso. Eu juro!

– Pra você tudo é fácil. Seu pai e sua mãe sempre estiveram perto de você pra te apoiar. Se as coisas não vão bem, você continua fora das grandes responsabilidades. Mas se coloca no meu lugar por um minuto. Você acha que é fácil pra mim? Minha cabeça tá explodindo. Eu já tentei encontrar mil maneiras de sair dessa situação, mas a melhor forma é nos afastarmos mesmo. Pelo menos por enquanto.

– Não fale assim comigo. Eu sei que não é fácil pra você – ele estava me machucando, mas eu tentava entender.

– Então, por favor, não torne as coisas mais complicadas. Há uma semana eu era um completo desconhecido pra você.

– Mas agora você não é – eu comecei a chorar quando o imaginei novamente como aquele desconhecido do metrô.

– Então é melhor que eu me torne um desconhecido de novo. Se você achar que está sendo difícil, tenha certeza absoluta que pra mim está sendo um milhão de vezes mais. Além de ter que me afastar de você, estou lidando com a culpa. Fui muito ingênuo em te chamar pra sair tão cedo. Devia ter esperado você terminar o colégio. Mas não adianta imaginar como as coisas teriam sido. Agora só temos o passado e o futuro. Foi legal ter te conhecido. Eu nunca vou esquecer das nossas conversas e do seu perfume de flores. Vai ficar como uma doce lembrança desta primavera. E agora, desculpa, mas minha aula vai começar em alguns minutos e eu preciso ir. Sinto muito. Eu queria muito ter opção.

– Mas sempre temos opção – resmunguei.

Ele se virou e saiu andando sem dar tchau. Eu fiquei ali, parada, no meio da calçada. Não sei exatamente quantos minutos se passaram, mas meu cérebro estava tentando processar tudo aquilo que o Davi havia me dito, e estava ocupado demais para mandar meu corpo fazer algum movimento.

Bem nessa hora, senti alguém puxar minha bolsa das minhas costas e sair correndo. Em um segundo, ela estava nas minhas costas, e no outro não estava mais. Um garoto, provavelmente de 14 ou 15 anos, me roubou. Mais essa! Se aproveitou da minha distração! Eu gritei. Algumas pessoas até tentaram alcançá-lo, mas já era tarde demais. Ele sabia todos os atalhos da praça e desapareceu.

Eu comecei a chorar compulsivamente. Todos os que estavam ali tentaram me acalmar. Chamaram a polícia e o guarda do shopping que fica na região também apareceu. Todos acharam que as lágrimas eram por conta do assalto, mas na verdade aquilo foi um grande pretexto para eu colocar para fora, de uma vez só, toda a tristeza que estava dentro de mim. Em um momento, o cara que eu gostava estava lá, no outro, não estava mais.

A ficha só caiu quando meu pai apareceu e me levou pra delegacia. Eu contei como o roubo aconteceu e expliquei que não havia aula de reforço naquele dia, por isso estava voltando mais cedo. Fiz a queixa, cumpri toda a burocracia, mesmo com a certeza de que jamais encontrariam minha bolsa de novo. Mas o que estava doendo mesmo é saber que eu não poderia ficar mais perto do Davi. Minha mãe quase teve um treco quando soube o que aconteceu.

Quando cheguei em casa, fui para o meu quarto, fechei a porta e instantaneamente comecei a chorar de novo. Eu não tinha mais celular para ligar para a Nina ou para qualquer outra pessoa. Ou para responder uma possível mensagem do Davi. Liguei o meu computador e abri o Facebook. Queria conversar com algum amigo, mas nenhum estava online. Eu sabia que se contasse para Nina ela largaria o que estivesse fazendo e iria até a minha casa para falar comigo até eu ficar bem. Não aguentei e acessei o perfil do Davi mais uma vez. Jurei que aquela seria a última. Mesmo sem nenhuma nova atualização, ver a foto dele de perfil me deixava um pouquinho mais feliz. Era como se, apesar de a gente não poder estar junto, as coisas continuassem exatamente como antes.

De tanto chorar, adormeci e tive um pesadelo terrível. Sonhei que todas as pessoas importantes pra mim não me conheciam mais. Eu ia para a escola e a Nina me ignorava. Voltava para casa e minha mãe não me reconhecia como filha. Papai parava o táxi bem na minha frente e perguntava se eu precisava de uma corrida, como cliente.

Acordei chorando muito. Achei que minha vida não poderia ficar pior.

De repente, mamãe apareceu na porta do quarto e me deu um daqueles abraços fortes que só ela conseguia. Chorei ainda mais. Eu já estava ficando sem forças e minha barriga doía de tanto soluçar, e minha mãe me abraçou como se soubesse o quanto era difícil lidar com tudo aquilo. Ela tentou me acalmar, e eu finalmente consegui parar de chorar e contar os detalhes do que estava acontecendo. E ela perguntou pela terceira vez os detalhes, para ver se entendia.

– Mas então você estava namorando seu professor de reforço? – ela perguntou, tentando encaixar as peças da história.

– Nós ficamos, mas eu estava realmente gostando dele. Antes que você comece a brigar, ele é um cara legal e estava me ajudando muito mesmo com a matéria. Pela primeira vez na vida, eu estava entendendo matemática.

– E ele vai ter que se afastar de você justamente agora? Dias antes da prova final?

– Ele foi obrigado a fazer isso.

– Mas por causa do boato?

– Sim, aquelas duas idiotas espalharam o boato nas redes sociais e na escola de que ele havia se aproveitado de mim, que havia sido assédio, de que eu tinha sido obrigada. Porque ele é professor e eu sou aluna, teoricamente. E eu sou menor de idade.

– MEU DEUS! Mas esse assunto é muito sério. Então, ele está correndo o risco de perder o emprego e a bolsa na faculdade?

– Exato. E eu te disse, eu estava gostando dele. Nós saímos e ficamos. Simples assim. Eu queria beijá-lo. Eu estava me apaixonando por ele de verdade.

– E por que aquelas duas espalharam isso de vocês dois?

– É uma longa história, coisa de um assunto do 8º ano ainda, acho que a menina é doente da cabeça, aquela Alice. Ela cortou meu cabelo e espalhou esse boato todo no colégio para me prejudicar, para me fazer ir mal na prova. Mas foi ela sim que tirou as fotos, mãe. Ela praticamente confessou. E como eu te disse, a Giovana ficou bem brava com ela, saiu virando as costas pra amiga. Talvez pra ex-amiga a essa altura.

– E por que você não me contou nada antes, Jasmine?

– Eu achei que conseguiria me virar sozinha. Eu queria me virar sozinha.

– Você pode se virar sozinha sim, mas não tem nada de errado em desabafar ou pedir ajuda das pessoas que se preocupam com você. Eu teria ido até o colégio. Elas não teriam coragem de fazer mais nada contra você. Nada disso estaria acontecendo agora.

Minha mãe provavelmente tinha razão. Se eu tivesse sido sincera e contado tudo desde o começo, provavelmente ela arrumaria uma solução antes de a coisa chegar nesse nível.

– Eu não sei o que fazer, mãe. Eu gosto muito dele. Meu coração está doendo de imaginar que eu nunca mais vou conversar com o Davi. E que ele vai se prejudicar por minha causa. Eu não posso deixar isso acontecer, mãe. Ele não pode perder a bolsa e o estágio, e ter que ir embora... – eu estava quase começando a chorar de novo.

– Calma, Jas. Olha, a gente só precisa provar que não aconteceu nada. Se foi armação daquela Alice, ela tem as fotos no celular dela. E a Giovana é testemunha, e podemos pedir para ela nos ajudar, já que ela está brava com a Alice, como você disse.

– Verdade, mãe!

– Olha, Jas, vamos fazer o seguinte. Você vai me prometer que passa o fim de semana estudando, esquece tudo isso, coloca sua cabeça só na prova, foca em matemática, e na segunda-feira eu vou te ajudar a esclarecer toda essa história, vou atrás da Giovana, falo com o diretor, pode ficar tranquila. A gente vai provar pra faculdade que não houve assédio, que está tudo bem, e o Davi não vai ser prejudicado. Tá bom?

— Ai, mãe, obrigada!

— Estou com você, querida! Como sempre!

Ela me abraçou e me aconchegou de uma maneira reconfortante, e passamos o resto da noite conversando na minha cama. Mamãe me contou histórias da sua adolescência, os piores e os melhores momentos. Era estranho imaginar que, há alguns anos, ela tinha a mesma idade que eu e passava por situações complicadas da mesma maneira. Era bom saber que eu podia contar com ela, e que eu tinha minha família para resolver situações difíceis.

Acho que crescer e amadurecer é assim mesmo. Às vezes, a gente sabe o que fazer, às vezes não. Eu havia sido madura ao não agredir novamente a Alice na escola, e tinha agido bem sozinha; mas nessa situação complicada do Davi, ter a ajuda da dona Ingrid seria fundamental, ainda mais quando eu ainda tinha pela frente o desafio enorme de estudar e fazer a temível prova final de matemática. E aquilo eu iria, na verdade, enfrentar sozinha.

Com a garantia da minha mãe de que ela me ajudaria na segunda-feira a resolver toda a confusão com o Davi, consegui passar o final de semana estudando, o que, de certa forma, até me distraiu. Estudar matemática me lembrava dos momentos gostosos que passei com o Davi. Eu acertei praticamente todos os exercícios que fiz, consegui entender os conceitos, e terminei meu estudo com a segurança de que iria sim conseguir os pontos para passar de ano.

Meu estudo foi assim: a cada quatro horas de matemática, assistia a um bom episódio das minhas séries preferidas.

Não queria mais conversar ou desabafar com ninguém. Então, ver séries e me colocar no drama das personagens até me fez perceber que eu não estava tão mal assim, e que, no final, as coisas se acertariam.

Na segunda-feira, mamãe foi à escola comigo. Enquanto eu me dirigia à classe para a prova de matemática, ela ia até a diretoria, para conversar com o diretor. Parecíamos duas policiais em missão, como em um episódio de seriado.

Entrei concentrada, fui até minha carteira, me sentei em silêncio, apenas aguardando o professor Carvalho distribuir a prova. Quando ele se aproximou para me dar minha folha de questões, me disse com um olhar amistoso:

– Eu acredito em você, Jasmine. Você vai conseguir. E eu acredito no Davi. Já estou sabendo de tudo e tenho certeza de que ele não fez nada de errado. Não tenho autoridade o suficiente para resolver sozinho a situação dele na faculdade, mas farei o possível para que isso termine da melhor maneira possível, ok? Boa sorte!

– Obrigada, professor Carvalho.

Aquilo me tranquilizou muito, e comecei a fazer a prova bastante otimista. Quando calculei o resultado da última conta, e o encontrei nas opções, já que as questões eram de múltipla escolha, respirei aliviada. Revisei a prova umas cinco vezes antes de me levantar da carteira e entregar a folha para o professor Carvalho. Só restavam dois ou três alunos na classe quando acabei. Saí da sala com a sensação de missão cumprida. Eu ainda estava triste por motivos óbvios, mais ou menos como quando alguém sai ferido da batalha, mas a sensação de estar perto de vencer a guerra e ter pontos suficientes para conseguir passar de ano me deixava esperançosa.

Nas provas finais, os alunos não podiam ficar no corredor da escola. Então, normalmente os grupinhos iam se formando no portão do prédio, na saída, e os alunos ficavam comparando seus resultados com os dos colegas, e por aí já dava para ter uma noção do quanto você tinha ido bem, se soubesse as respostas dos alunos mais inteligentes da sala. Mas eu não queria falar da minha prova para ninguém. Não era medo, sabe? Só não queria comemorar ou chorar antes da hora.

Encontrei Nina e alguns outros colegas e fomos caminhando até um mercadinho que ficava na esquina da rua. Eu estava faminta e mentalmente exausta, então comprei um refrigerante e um pacote de batatinha.

– Como se saiu, Jas? – Nina perguntou, enquanto pagava seu salgado.

– Bem o suficiente para esfregar na cara daquelas meninas que o plano delas não funcionou. Pelo menos não o plano todo, por enquanto.

Eu precisava ir embora para conversar com a minha mãe e saber se ela tinha conseguido algo com o diretor. Fui direto da escola para a floricultura, pois sabia que a minha mãe deveria estar lá àquela hora.

Quando ela me viu chegar perto da porta, ainda na rua, saiu de lá de dentro e veio correndo me encontrar.

– E então, filha? Como foi na prova?

– Oi, mãe! Ah, eu acho que fui bem. Ainda não temos o resultado, mas as questões estavam bem parecidas com as que treinei durante todo o tempo do reforço. Se eu não errei nenhuma conta besta, provavelmente em breve vamos ter motivo pra comemorar.

– Ah, que notícia boa! O professor já disse quando vão divulgar as notas?

– Vai sair no site da escola. Provavelmente na sexta-feira à noite – falei.

– Ai, filha, nem acredito que todo esse pesadelo acabou. – ela abriu um sorriso e me abraçou.

– Mais ou menos né, mãe? Ainda tem o pesadelo do Davi pra resolver. Como foi a conversa com o diretor? – Eu não estava tão tranquila ainda.

– Querida, acho que vai ficar tudo bem. Eu consegui explicar tudo para o diretor, contei toda a história da Alice e da Giovana desde o 8º ano com você, da discussão, e falei que a prova da armação toda eram as fotos que provavelmente estavam com a Alice, que ela tinha tirado. Mas que, se isso não fosse suficiente, ou se ela tivesse apagado do seu celular, a Giovana era testemunha de que a Alice tinha tirado as fotos.

– E o que o diretor disse?

– Que ele ia chamar as duas e os pais delas, que ia tirar a história a limpo e que ia falar com o pessoal da faculdade para que o Davi não fosse prejudicado pelo menos na bolsa de estudos – ela falou, me tranquilizando.

– Ai, mãe, obrigada! Você tinha razão! Eu não ia conseguir resolver essa sem ajuda! Te amo! – eu falei, abraçando minha mãe.

– Te amo também, filha! – ela me apertou no abraço – Agora você já pode pensar na formatura!

– Ai, mãe! Tanta coisa aconteceu que eu fiquei meio sem cabeça pra pensar nisso. Aliás, se eu pudesse voltar no tempo, teria pegado o dinheiro pra mim e viajado para algum lugar legal. Aposto que a festa vai ser chata...

– Ah, não diga isso, querida. Você batalhou tanto! Agora mais do que nunca merece estar ali.

– O resultado ainda não saiu, né...?

– Mas eu tenho certeza que você passou! Hoje os botões de rosa aqui da floricultura estão especialmente lindos. Isso sempre acontece antes de uma boa notícia.

– Mãe, você é incrível! – e abracei-a mais uma vez.

A semana passou muito lentamente e foi preenchida por uma rotina interminável que se resumiu a: fazer prova bem cedo, voltar para casa ainda de manhã, estudar, almoçar, continuar estudando durante a tarde, parar um pouco para jantar e tomar banho, e estudar mais um pouco para a prova do dia seguinte até a hora de dormir.

Quando a sexta-feira chegou, e eu já estava em casa depois da última prova, não acreditei que meu ensino médio também havia chegado ao fim. Passei a tarde só desenhando, assistindo séries e fazendo nada. Lá pelas 18 horas, abri meu computador e recebi uma mensagem da Nina pelo Facebook.

> Jas, as notas saíram no site da escola. Entra lá!

Mais que voando, entrei no site. Na frente do nome de cada uma das disciplinas estava uma nota, e ao lado, bem grande, a palavra APROVADO. Não sei, mas acho que nunca na minha vida tinha sentido uma emoção igual e tão intensa. Uma mistura de alívio, alegria e felicidade ao mesmo tempo. Liguei para os meus pais, contei no mesmo momento, e à noite, quando eles chegaram em casa, tivemos muitas comemorações.

O mês de novembro, no entanto, ainda não tinha terminado, e eu tinha mais quatro provas para fazer. Sim, quatro: o Enem e três vestibulares. Eu ia prestar para Psicologia, como meu pai queria, Biologia, como minha mãe queria, e Design, como eu queria.

Depois do resultado, eu iria decidir o que fazer, em mais uma decisão difícil que o amadurecimento me obrigava. Por enquanto, meu foco era passar nas provas. Mais uma vez.

– Filha! Jasmine! Você passou! – era a voz do meu pai gritando, que me fez despertar. Ele esmurrava a porta do meu quarto como se o mundo fosse acabar.

Quando me chamou, eu estava dormindo. Acordei com a euforia dele. Meu travesseiro estava molhado de baba, então provavelmente cochilei enquanto desenhava.

– Espera, pai, vou abrir – gritei completamente sonolenta.

Era uma sexta-feira do início de dezembro, e tinha acabado de anoitecer. Assim que abri a porta, ele me agarrou e me abraçou, me erguendo para o alto, e me cumprimentando como se eu tivesse feito um gol.

– O que foi, pai? – eu perguntei pra saber os detalhes.

– Você passou nas duas faculdades, filha! De Psicologia e de Biologia! Acabei de ver seu nome no site, na lista de aprovados! Saíram os dois resultados agora! Parabéns, filha! – ele estava pulando de alegria.

– Ah... obrigada, pai! Que bom... – eu estava completamente sem jeito, porque não queria decepcioná-lo. Então fingi que também estava feliz como ele.

– Eu já liguei para a sua mãe, ela vem pra cá já já, e a gente vai comemorar! Agora o seu único problema é decidir qual das duas faculdades você vai fazer! – ele falou, sem saber que esse não era o meu único problema.

Na verdade, no dia anterior, eu havia descoberto o resultado do terceiro vestibular que eu tinha feito, para a faculdade de Design. E meu nome estava na lista de aprovados. Mas tinha acontecido mais que isso. Eu tinha me inscrito para pedir uma bolsa de estudos para a faculdade, para não precisar pagar. E havia chegado um e-mail com o resultado da bolsa. Precisei ler o e-mail três vezes para acreditar. Eu realmente havia ganhado a bolsa – integral – na faculdade que sempre sonhei.

Por um momento, pensei que aquilo poderia ser um sonho e que eu logo acordaria, e ainda estaria na véspera da prova de matemática, mas depois de me dar um beliscão (doeu de verdade!), comecei a acreditar no que estava acontecendo. Minutos depois, a ficha caiu. Eu não havia contado para os meus pais sobre a minha inscrição para o vestibular daquela faculdade. Eu não podia nem festejar com eles. Eles sempre me apoiaram, mas também sempre deixaram claro que queriam pra mim uma vida melhor que a deles. Então comecei a ficar desesperada e andar de um lado para o outro no quarto. Liguei o som e coloquei na música "Seven Day Mile" da banda The Frame. Eu queria chorar. Queria ligar para o Davi e contar tudo aquilo. Ele certamente teria algo inteligente a dizer. Algo que me tiraria daquela situação da melhor forma possível. Mas eu não podia fazer isso. Então, peguei o telefone e liguei para a Nina.

– Eu passei!

– Passou?? Em qual delas?

– Na de Design. E consegui a bolsa, Nina. Integral!

– MENTIRA! Cara, eu sempre soube que você conseguiria. Você tem talento. Leva jeito pra coisa e vai ser a melhor designer de São Paulo em poucos anos.

– Já pode parar de viajar, amiga.

– Não estou viajando. Você já reparou nos seus desenhos? Eles são lindos e únicos. Ninguém tem esse traço. Não é à toa que você é sempre a responsável pela parte estética dos trabalhos escritos e apresentações na escola. Estou muito feliz por você, amiga.

– Meus pais ainda não sabem.

– Eles vão adorar a notícia. Tenho certeza absoluta.

– Mas eu não posso decepcioná-los, Nina. Eles têm muita esperança que eu faça Biologia ou Psicologia. Eles sempre me apoiaram em tudo. Minha mãe acabou de me ajudar na maior confusão que eu já me enfiei na vida. Além disso, eu menti, não contei que fiz esse vestibular, eles vão se sentir traídos.

– Jas, mas é a sua vida. Essa é a hora de pensar nisso. Você vai estudar pra profissão que vai ter para o resto da sua vida, ou pelo menos pra que você quer ter agora, e é uma coisa que você ama fazer. Como você vai poder trabalhar com alguma coisa que você não gosta, só para agradar seus pais?

– Mas...

– Não tem "mas" agora, Jas. E se você mentiu é porque não se sentia segura. Pensa nisso pra se livrar da culpa.

Sinceramente, você precisa aprender mais com as séries que tanto assiste.

– Aprender o quê?

– Que a gente faz escolhas e arca com as responsabilidades. E que a gente pode ir atrás dos nossos sonhos.

– É, Nina, é meu sonho.

– Então, você tem que lutar por ele, mesmo que isso decepcione seus pais. E falando em sonhos, preciso te contar uma coisa. Meus pais me deixaram fazer intercâmbio. Em algumas semanas, estarei morando em Nova York.

– Mentira!!! Mas vai ficar quanto tempo?

– Um ano, mas se eu gostar fico mais tempo. Quero fazer um curso intensivo de inglês e outro de moda.

– Mas então você não vai pra faculdade na mesma época que eu?

– Ah, amiga, não seja tão egoísta, vai?! Eu sempre sonhei em estudar fora. Queria muito entrar na faculdade, mas morar em outro país é uma oportunidade ainda mais incrível. E eu ainda sou nova. Posso entrar na faculdade nos próximos anos.

– Mas outro dia mesmo você usou esse discurso pra me incentivar, Nina. Poxa! Eu estava fazendo planos. Sei que não estudaríamos na mesma faculdade, mas que graça as festas vão ter se você não estiver aqui?

– A-lô-ou! É pra isso que inventaram a internet e as redes sociais. Nós podemos nos falar todos os dias!

– Bom, eu não sei o que dizer, mas estou feliz por você. É o seu sonho, né? Só não quero que faça novos amigos e se esqueça de mim, ok?

– Amiga, a despedida não é agora. Vai rolar uma festinha depois da formatura e aí você escreve um discurso emocionante pra mim, ok?

O fato era que eu tinha conversado com a Nina no dia anterior, ela tinha me encorajado a seguir meus sonhos, e eu já estava decidida, mas ainda não tinha tido coragem de falar com meus pais. Na verdade, não sabia ainda muito bem como contar para eles. Então, eu não tinha falado nada. Estava esperando uma oportunidade, ensaiando mil coisas na cabeça para não brigar com eles e nem decepcioná-los.

Quase uma hora depois que meu pai havia entrado no meu quarto para me contar a "novidade", minha mãe chegou em casa. Trouxe pizzas, bolo, docinhos, e chegou toda feliz, fazendo festa, e me abraçando. Ela e meu pai arrumaram a mesa rapidamente, e sentamos para comer e conversar.

O que estava apertando meu peito não era culpa. Também não era tristeza. Era um sentimento que eu nunca havia experimentado antes. Algo que me sufocava, mas ao mesmo tempo me libertava. Não sei se existe uma palavra no dicionário para descrevê-lo, pelo menos não na nossa língua, mas tem a ver com o fato de eu estar prestes a comunicar uma decisão que mudaria completamente a minha vida.

Eu respeitava a opinião dos meus pais e tinha certeza que, ao me aconselharem sobre os cursos da faculdade, eles estavam querendo o melhor para o meu futuro. Só que, pela primeira vez na vida, eu tinha certeza de que eles não estavam tão certos assim. Era como se eu, finalmente, tivesse sido Jasmine por tempo o suficiente para tomar minhas próprias decisões.

– Ai, filha, que felicidade, nem acredito! Além de ter passado de ano bem, conseguido a nota em matemática, você é aprovada nas duas faculdades que prestou! – minha mãe começou a falar, totalmente entusiasmada, e já me servindo um pedaço de pizza.

– Sim! Parece que tudo o que passamos foi só para aumentar a alegria deste momento – meu pai filosofou.

– Bom, filha, mas a pergunta que não quer calar é: o que vai ser, Psicologia ou Biologia? Porque agora você vai ter que decidir, não é? – minha mãe perguntou.

– Sim, mãe. E eu já decidi. – eu falei, tomando coragem.

– É mesmo, filha? Então diga, que estamos muito curiosos! – meu pai falou, com entusiasmo na voz.

– Vai ser Design! – eu disse com toda a convicção do mundo, e de um fôlego só.

Eles ficaram em silêncio por alguns instantes e se olharam, completamente confusos.

– Design? O que você está falando, Jasmine? – minha mãe não estava entendendo nada.

– É. Eu acho que vocês vão ficar tristes e bravos comigo, mas eu me inscrevi em um vestibular de Design e passei. O resultado saiu ontem.

– E você não falou nada com a gente por que, minha filha? – meu pai parecia desapontado.

– Olha, faz tempo que eu queria falar sobre isso. Mas vocês sempre disseram que desenhar não é profissão, que isso não serve pra ganhar a vida. E eu não queria desapontá-los.

– Mas filha... – minha mãe parecia chocada.

– A verdade é que eu gosto muito de desenhar e, do começo do ano pra cá, passei a assistir alguns tutoriais na internet e aprendi bastante coisa nova. Publiquei alguns desenhos meus num grupo de ilustradores e falaram que eu tenho talento e que deveria investir na área. Eu não levei a sério no começo, mas depois pesquisei sobre as faculdades aqui de São Paulo e decidi me inscrever só pela experiência. Eu sei que não é o que vocês sonharam pra mim, mas preciso que confiem em mim dessa vez. Eu posso não gostar do curso, e se isso acontecer eu juro que tento a faculdade e o curso que vocês escolherem.

– Jasmine, faculdade é uma coisa cara. A gente juntou dinheiro a vida toda pra poder pagar pra você um curso superior! Não é questão só de não gostar e desistir. E tudo o que a gente vai ter investido, vai para o ralo? – minha mãe parecia não aceitar.

– Mãe, eu ganhei uma bolsa integral – contei para eles, com muito orgulho.

– Você ganhou bolsa?! – ela perguntou, incrédula.

— Sim, mãe. Eu fiz a prova, passei e ganhei a bolsa integral. Vocês não vão precisar gastar nada. E eu mudo de curso se for preciso, já disse — falei.

— Você não vai fazer isso. Você não precisa fazer isso, minha filha — meu pai falou. — Desculpa se nós te pressionamos muito. A ideia não era limitar suas possibilidades, era te ajudar a escolher.

— Verdade, pai?

— Sim. Estamos muito orgulhosos. Você conseguiu bolsa em uma faculdade de Design de São Paulo, isso é um grande feito. Parabéns, Jasmine! — meu pai me abraçou.

Sem falar nada, minha mãe também nos abraçou. Suspirei aliviada. Agora sim, eu sabia que não estava sonhando. E estava muito feliz, pois tinha tomado uma decisão por mim mesma, escolhendo o que fazer da minha vida.

Minha alegria só não era maior porque faltava uma peça no quebra-cabeça para dividir comigo aquela alegria e aquelas conquistas.

Mas já não dependia mais da minha escolha.

A porta do meu quarto estava trancada e eu coloquei uma *playlist* especial com músicas das meninas do Fifth Harmony para tocar. Queria me animar para minha formatura! Havia um vestido longo azul royal esticado na cama, alguns itens de maquiagem espalhados na penteadeira, e eu estava na frente do espelho há quase uma hora tentando copiar um penteado que vi na internet. Eu tinha digitado *prom hairstyle* no Google e começado a me divertir. A realidade ficou meio diferente da expectativa, como sempre, mas graças às cores dos diferentes tons de azul e roxo dos meus fios, a trança lateral destacou a maquiagem e mostrou um pouco mais do formato do meu rosto. Quando vi o resultado no espelho, me senti orgulhosa!

Respirei fundo e continuei me aprontando. Eu estava de olho no relógio e, para não me atrasar, cronometrei todos os passos daquele fim de tarde. Eu não podia chegar atrasada de jeito nenhum porque, bem no começo da festa, haveria aquele ritual besta de entrar no salão com o pai. Eu até votei contra isso nas reuniões que a turma teve com a comissão de formatura ao longo do ano, mas a sala inteira achou que seria emocionante. Quando desci as escadas, às 19 horas, papai e mamãe estavam na cozinha conversando. Fui até lá tentando me equilibrar no salto e, quando atravessei a porta, eles me olharam boquiabertos.

— Você está tão linda. Parece uma pétala de íris.

— Não dá mais tempo de mudar meu nome, mãe.

— Ah, mas dá tempo de mudar uma outra coisa, Jasmine. E eu acho que você vai ficar muito feliz com isso — mamãe falou olhando para mim e para o meu pai. Toda enigmática, foi até o armário da sala de jantar, abriu-o, pegou um embrulho prateado e veio sorridente entregando-o para mim.

— O que é isso? — perguntei, surpresa.

— É um presente de formatura, querida! E também por você ter se esforçado tanto e ter entrado na faculdade.

— É algo para marcar essa ocasião especial, algo que sua mãe e eu achamos que você merecia muito! E que precisava também... — meu pai falou, todo feliz.

— Ai, nem sei o que dizer, obrigada! — falei, olhando para os dois, ainda sob o impacto da surpresa.

— E você não vai abrir? — minha mãe disse, ansiosa por ver minha reação.

— Claro! — e fui logo rasgando o embrulho prateado. Quando vi o que era, não podia acreditar. — Um celular novinho!! — gritei — Ai, obrigada, obrigada, obrigada!! Vocês são o máximo! — disse, já ligando e configurando minhas informações para mandar uma mensagem para a Nina contando a novidade do celular e também uma foto para mostrar meu lindo vestido de formatura.

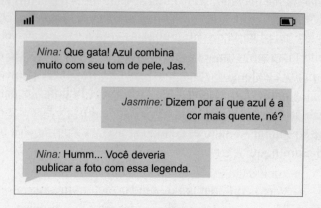

Nina: Que gata! Azul combina muito com seu tom de pele, Jas.

Jasmine: Dizem por aí que azul é a cor mais quente, né?

Nina: Humm... Você deveria publicar a foto com essa legenda.

    Aquilo me pareceu uma péssima ideia inicialmente, mas quando pensei na possibilidade de o Davi me ver tão bonita assim, abri o Instagram, escolhi o melhor filtro e postei. Logo começaram a surgir likes e comentários de alguns amigos e familiares. Era ótimo receber elogios de pessoas que normalmente nem falavam comigo, mas a verdade é que minha esperança, que nunca morria, era algum contato do Davi. Mas não aconteceu. Nunca mais eu tinha tido notícias dele.

    Antes de sairmos de casa, meus pais fizeram questão de tirar uma foto nossa. A foto não saiu tão boa assim, mas dava pra ver que eles estavam muito orgulhosos de mim. Seguimos para o local da festa e, quando estacionamos o carro, reparei que do estacionamento já dava para ouvir a música. Nina já havia chegado, então enviei uma mensagem para dizer que em alguns minutos eu também estaria lá. Aquela era a última semana dela no Brasil, e nós estávamos mais unidas que nunca.

    Logo na entrada do salão, havia um mural gigante na parede com fotos, bilhetes e todas as lembranças da turma desde o ensino infantil. Passei o olho e logo me lembrei de vários momentos malucos que vivemos. O ambiente estava lindamente decorado e em cima de cada mesa havia um vaso de flores com diferentes cores de lírios e, no centro, uma vela acesa. Tudo estava realmente lindo!

Depois de dançar algumas músicas fui ao banheiro ver se a minha maquiagem estava no lugar. Eu não tinha costume de usar sombra colorida, então, quando passava, precisava ficar olhando para ver se não esqueci e esfreguei os olhos. Quando entrei, notei que a Giovana estava lá dentro. Pensei duas vezes antes de continuar andando, mas resolvi simplesmente ignorá-la. Havia muitos espelhos ali.

– Você está linda, Jasmine. – Fiquei em silêncio, porque aquele elogio foi uma surpresa para mim. Mas ela continuou – Queria pedir desculpas...

– Tudo bem, Giovana. Você não tem que pedir desculpas. Eu é que tenho, talvez. Eu nunca quis te magoar. Se eu soubesse que você gostava do Antônio, eu jamais teria ficado com ele...

– A questão não foi o que aconteceu. Você não tinha culpa mesmo, não sabia que eu gostava do Antônio. É que a Alice passou os últimos anos dizendo o quanto você era a responsável por eu não ter um namorado, e eu acreditei. Hoje eu sei que ela estava errada. Na terapia, agora, eu consegui ver isso muito bem. Quando a gente é carente e precisa se sentir valorizada, a primeira pessoa que nos dá atenção e nos elogia consegue nos manipular igual brinquedo.

– É sim, Giovana. E é muito triste quando a gente cai nas mãos de gente como aquela menina. Mas espero que você não passe mais por isso – falei, sem ressentimentos.

– Mas obrigada, Jasmine. A Alice nem veio na formatura, acho que você sabe.

– Ah, não sabia não – respondi, surpresa.

– E, olha, espero que eu tenha ajudado a esclarecer o caso com seu namorado, err... desculpe..., quer dizer, professor. Eu espero que nada de ruim tenha acontecido com ele, viu? Se eu ajudei, de alguma maneira, vou me sentir bem melhor, depois de tudo – ela falou, e eu me surpreendi.

– Ah, bem... obrigada! – eu não sabia o que dizer, porque não sabia nada do que tinha acontecido, de verdade. Não tinha notícias do Davi. Mas era bom saber que ela tinha tentado ajudar. – Vou voltar para a festa. A gente se vê!

– Sim! A gente se vê.

Saí do banheiro mais aliviada por saber que a Giovana, que era uma boa garota, afinal, havia se livrado daquela manipuladora. E que, talvez, nada de ruim tivesse acontecido com Davi. De repente, senti um cheiro familiar. Era um perfume, e parecia muito com o que o Davi usava. Era óbvio que ele não era a única pessoa do mundo que usava aquela fragrância, mas secretamente comecei a procurá-lo em cada garoto da festa.

Resolvi me juntar a um grupo de amigos e fui dançar. Quando cansei, me sentei em uma das mesas próximas à cozinha e pedi que o garçom me trouxesse um pouco de água gelada. Havia uma divisória de vidro entre essa parte e o salão da festa. Eu estava olhando alguma coisa no celular enquanto esperava até que algo me fez voltar a prestar atenção na festa.

De onde eu estava dava para ver a pista de dança. Começou a tocar uma música lenta, e os casais se abraçaram e começaram a dançar coladinhos, no ritmo. Meus olhos já estavam começando a se encher de água, porque eu gostaria de estar lá também, dançando com o Davi. De repente, levantei meus olhos e achei que estava tendo uma alucinação.

Enxerguei Davi.

Fixei meu olhar e vi que era o Davi mesmo. Ali, ao meu lado. Em carne, osso e perfume, usando um terno que o deixava ainda mais bonito. Seu cabelo estava penteado de uma maneira linda e a barba estava por fazer, o que o deixava com cara de mais velho. Me levantei no mesmo instante, e fiquei olhando para ele.

– Oi, Jasmine!

– Você? Aqui? – foi só que eu consegui falar.

– Pois é. Recebi um convite de última hora. Eu não podia perder, né?

– Mas quem mandou o convite?

– Uma amiga sua. A Nina.

– Ahhh, ela sempre apronta! – eu falei, entre feliz e intrigada.

– Mas você não gostou da minha presença aqui? – ele falou, fingindo estar desapontado.

– Lógico que gostei! Quer dizer, eu não te convidei porque não sabia se podia... Ai, nossa, tentei tanto falar com você! – falei, meio confusa.

– É, na verdade não podia. Eu evitei mesmo o contato porque me obrigaram. Desculpa, Jasmine – ele falou, todo fofo.

– Eu que peço desculpas por não ter te convidado. Eu devia ter insistido, e mandado um convite, mesmo sabendo que você nem iria ver. Porque, na verdade, eu só estou aqui, nessa formatura, porque você me ajudou, você sabe, né? – falei, e dei um sorriso tímido.

– Eu ajudei, mas, no final, você fez tudo sozinha. E foi incrível, mérito seu. Só não sei quanto você tirou na prova...

– Tirei 9,5.

– Uau! Nada mal pra quem dizia não saber absolutamente nada, hein?

– Mas eu não sabia mesmo! – falei.

– E a Nina me disse que você passou na faculdade...

– Sim. Entrei em Design. Passei em Biologia e Psicologia também, como meus pais gostariam, mas escolhi o que eu queria fazer, como a gente tinha falado.

– Estou muito orgulhoso de você, Jas. Parece que as coisas se resolveram – ele falou sorrindo.

– Quase – suspirei. – Como ficaram as coisas pra você? Eu queria muito ter conseguido te ajudar de alguma forma. Porque eu te prejudiquei, e isso não é justo!

– Não, Jas, você me ajudou. E muito! – ele falou, entusiasmado.

– Ajudei? – perguntei, espantada.

– Sim! Eu soube que a sua mãe foi falar com o diretor do ensino médio, que esclareceu a situação com aquelas meninas e mostrou que tinha sido uma armação. E eu não perdi a bolsa.

– Ai, Davi! Que bom! – eu me alegrei!

– Mas e o estágio? – eu quis saber.

– Na verdade, o professor Carvalho se adiantou e, com medo que eu perdesse o estágio, ele acionou uns contatos e arranjou, não um estágio, mas um emprego de verdade pra mim em uma ótima empresa de engenharia de uns conhecidos dele. Eu comecei na semana passada. Eu estou ganhando mais, e agora eu vou ganhar experiência na área que eu pretendo trabalhar. Ou seja, você me ajudou, e as coisas terminaram da melhor maneira possível – ele sorriu.

Eu não aguentei e dei um abraço apertado nele, que retribuiu, me envolvendo em seus braços. E nós ficamos assim, por mais tempo que um abraço "normal" dura. De repente, começou a tocar uma música. Mas não era qualquer música. Era aquela música! A música do Davi! Eu não acreditei na coincidência.

– Davi! Olha a música que está tocando!

– Que música?

– A sua música! – falei, como se ele já soubesse.

Então eu contei do metrô. Contei que tinha visto ele com fones de ouvido e tentado descobrir o que ele escutava. Falei do meu segredo, que nunca havia revelado a ele.

Sem dizer nada, ele deu um passo à frente e colocou as mãos na minha cintura, puxando meu corpo contra o dele. Nós estávamos tão perto que eu nem consegui focar nos seus olhos, mas não precisei fazer isso porque ele foi aproximando os lábios nos meus. E antes que nos beijássemos, perguntei baixinho.

– Mas agora pode?

– Pode. Você agora não é mais estudante do colégio, lembra? Não temos mais restrições.

E, no segundo seguinte, nossos lábios finalmente se encontraram. E foi um beijo doce, desejado e com muitas saudades. Quando o beijo terminou, ele me olhou bem e disse.

– Eu também tenho um segredo.

Então ele abriu o paletó e pegou um cartão no bolso.

Para a garota mais especial que já conheci, um trechinho de uma música especial, que diz um pouco do que estou sentindo agora.

Now that I've tried to
Talk to you and make you understand
All you have to do is
Close your eyes and just reach out your hands
And touch me,
hold me close don't ever let me go...
(More Than Words - Extreme)

Quer namorar comigo?

Quando terminei de ler o bilhete, uma lágrima escorreu involuntariamente. Eu podia sentir o gostinho salgado dela nos meus lábios. Aquela letra era da nossa música! O Davi gostava de mim tanto quanto eu gostava dele e, por uma coincidência do destino, aquela era a música misteriosa que ele estava escutando no metrô. A nossa música!

– Mas como pode ser? – perguntei.

– A Nina me disse que havia uma música. E, depois de olhar toda a minha playlist, consegui descobrir qual era. Nenhuma outra canção diz tanto sobre a gente quanto essa. Eu simplesmente soube.

– Passei tantos dias tentando lembrar dessas notas. Encontrar uma resposta para finalmente me sentir livre de você. Mas aqui estou eu... – enquanto o refrão da música tocava, tive a sensação de que meu corpo estava enfeitiçado.

– Você ainda não respondeu à minha pergunta!

– A resposta é SIM! Eu quero namorar com você hoje e pra sempre!

Eu estava organizando minha escrivaninha naquela manhã de dezembro, último dia de primavera. O Davi ia almoçar lá em casa, então minha mãe estava preparando algo especial. Meu estômago roncou alto quando senti o cheirinho de bife à milanesa no ar. Eu estava folheando a agenda do ano anterior para descobrir se ela poderia ir direto para o lixo ou se havia algo comprometedor escrito ali, quando meu celular fez o barulho de novo e-mail. Era da Nina.

Ela já estava em Nova York, ia passar o Natal e o Réveillon lá, e combinamos que escreveríamos e-mails semanalmente falando sobre as coisas legais que estavam acontecendo na nossa nova vida.

De: nina.siqueira@hotmail.com
Para: jasmine@gmail.com
Enviada: 20 de dezembro
Assunto: saudades!!

Hello, dear friend!

Este e-mail está sendo escrito de um Starbucks (é incrível como tem um em cada esquina aqui). Está tão frio que eu nem consigo sentir as pontinhas dos meus dedos direito, então se eu digitar alguma coisa errada, ignore.

Esta cidade é incrível, Jas. Meu curso fica a duas quadras de onde estou morando, então nem vou precisar pegar o metrô pra chegar. Ganho alguns minutos de sono, mas preciso confessar que acordar com a temperatura negativa é uma tarefa quase impossível. Fiquei meio doente esta semana, graças ao bendito aquecedor, mas minha mãe diz que é uma questão de tempo para o meu corpo se acostumar.

Sei que você vai me perguntar sobre as pessoas que eu já conheci, então lá vai: um garoto loirinho da Alemanha me chamou atenção no meu prédio, ele é meu vizinho. E se parece um pouco com o Macaulay Culkin (antes das drogas) e já mora aqui há alguns meses, então tem o inglês fluente e conhece bastante a cidade. Conversamos um pouco e ele prometeu que me levaria para conhecer um restaurante incrível que aparece um episódio de "Glee". Chama Ellen's Stardust Diner. Lembrei de você!

Como estão as coisas por aí? O Davi tem sido um bom namorado?

Espero que ele cuide de você enquanto eu estiver longe.

Com amor,
Nina

De: jasmine@gmail.com
Para: nina.siqueira@hotmail.com
Enviada: 20 de dezembro
Assunto: Re: saudades!!

Oi!

Tô com tanta saudade de você! Consigo ouvir sua voz e imaginar suas expressões lendo seu e-mail, sabia? É como se você estivesse me contando tudo ao vivo. Fico feliz que tenha se interessado por alguém. Quando acontecer, quero um relatório completo de como é ficar com um gringo. Ouvi dizer que eles são meio lentos e, como te conheço muito bem, provavelmente ano que vem ele estará segurando sua mão pela primeira vez. Lembre-se: você já está no intercâmbio, não precisa mais ter medo de encontrar alguém legal. Aliás, é bom que encontre pra poder se esquentar nesse frio bizarro. Vi no jornal que vai rolar uma nevasca aí em breve. Bom, agora vamos falar de mim...

Demorei pra achar alguém legal, mas dessa vez sinto que é pra valer. Outro dia, me peguei imaginado como seria o nosso casamento e conversamos noite passada sobre quais características físicas nossos filhos devem puxar de mim e dele. Não, eu não estou pensando em casar e ter filhos agora, mas é que o Davi combina tanto comigo que é automático. Eu sinto que posso fazer planos, mesmo que seja para daqui a dez anos, sabe? Como diria o Dr. House: esse é um novo sintoma pra mim.

Estou ansiosa pra começar a faculdade de Design Gráfico. Eu já dei uma olhadinha na minha grade curricular e nos próximos quatro anos estudarei: tipografia, ilustração, gravura, animação e, a cada semestre, vai rolar uma matéria de projeto gráfico. Ainda não decidi em qual área do design quero trabalhar, mas nas últimas semanas brinquei um pouquinho de ilustrar sites. A Giovana queria mudar o layout do blog dela e me pediu pra fazer um orçamento. Eu não fazia ideia do quanto cobrar e por onde começar, então pesquisei referências na internet e consegui começar o projeto. Quando estiver no ar mando o link pra você ver. Sim. É a Giovana da nossa sala. Sim, agora ela entrou para o time do bem.

Bom, por ora, é isso. Espero que você aproveite muito Nova York, amiga. Sinto sua falta todos os dias, então trate de postar muitas fotos nas redes sociais.

Amo você!
Jas

  O Davi bateu na porta do meu quarto segundos depois que eu cliquei em enviar o e-mail. Nós nos cumprimentamos com um beijo demorado e ele foi logo empurrando as coisas que estavam na minha cama para sentar. Eu gostava daquela intimidade. Era como se nós nos conhecêssemos desde sempre.

  – Decidiu mudar a decoração do quarto?

  – Não. Só estou organizando as coisas e separando o que não precisa mais estar aqui.

  – Então tudo isso pertence à Jasmine do passado?

  – Mais ou menos isso.

  – Você foi a bebê com as maiores bochechas que habitou esse planeta – ele disse, pegando a caixa com colagens que ainda estava na gaveta.

  – Como isso veio parar aqui? – era a mesma caixa que estava guardada no armário da sala há algumas semanas. Aquela em que minha mãe guardava meus desenhos do colégio. Não entendi direito por que ela estava no meu quarto, mas fiquei com vergonha de vê-lo olhando todas as fotos da família de uma vez só.

– Essa é a sua avó? – ele apontou para uma das fotos que estava na colagem. Era de um daqueles aniversários de criança, em que toda a família se reúne em volta da mesa para cantar parabéns. Dei risada quando reparei que o tema da festa era Aladdin (essa era a desvantagem de se chamar Jasmine).

– É sim. E esse é meu primo, meus tios... – e mostrei vários familiares.

Depois de olhar as minhas recordações, o Davi me ajudou a organizar o quarto e descemos para almoçar. Enquanto comíamos em família, conversamos sobre Design, Psicologia, flores e claro, Engenharia. Os números nunca me abandonaram de verdade, mas agora eles faziam parte da minha vida de um jeito muito bom. E então eu soube que eu não precisava ser de uma família de bruxos ou estudar em Hogwarts para encontrar a magia. Bastava sentir algo muito especial por alguém.

Terminamos o dia esparramados na sala assistindo muitos episódios de seriados seguidos no Netflix, exatamente como eu fiz durante boa parte daquela primavera, só que agora ao lado de pessoas que tornavam cada cena ainda mais divertida e interessante. Isso me fez perceber que a vida acontece sim, entre um episódio e outro da nossa série preferida, mas para ser realmente empolgante é sempre melhor acreditarmos e torcermos pelo nosso personagem da vida real também. E eu ia torcer para que a Jasmine terminasse aquela temporada feliz, e faria de tudo para que ela conseguisse o que queria.

Porque as coisas, afinal, já tinham começado a acontecer para mim!

THALITA REBOUÇAS

UM VERÃO INESQUECÍVEL

Amor de Carnaval

Era a primeira vez que Inha sorria com vontade em muito tempo: riso escancarado, uma quase-gargalhada, daquelas em que até o dente pré-molar mostra a cara, sabe? Finalmente, a alegria voltava a iluminar aquele belo rostinho sardento.

Fazia quase um ano que ela e Alex tinham terminado, mas só agora o sofrimento dava sinais de finitude. Tudo bem, ser traída publicamente e trocada pela menina mais metida e odiada da escola não deve mesmo ser uma experiência das mais agradáveis, mas suas amigas achavam que o Alex não valia tanta dor. Na verdade, ele não merecia dor nenhuma, nem uma lagrimazinha sequer, mas a paixão é cega, surda e burra, né?

Voltando à quase-gargalhada, Tati e Kaká, que formavam com Inha um trio inseparável desde sempre, mal conseguiam acreditar no que viam naquela gostosa praia de fim de tarde.

– Sério que você está rindo com a minha tragédia? – perguntou Kaká. – Eu conto uma parada supertriste, megadramática e megadevastadora e você só falta se jogar na areia pra rir?

A "tragédia" da Kaká tinha mesmo um quê de divertida. Afinal, não é todo dia que a primeira paixão de uma menina é interrompida por um cavalo.

Isso mesmo. Um cavalo.

Não, não se trata de nenhum tipo de metáfora. O Diogo a trocou por um cavalo mesmo (e os ombros de Inha e Tati, firmes, fortes e hidratados, amparam a amiga nesse momento difícil). O pai dele, rico-rico-rico, comprou uma fazenda no interior de São Paulo e levou para lá o primeiro amor da Kaká.

– Entende, Karina! O Ermenegildo Barbosa é tudo para mim! – explicou Diogo.

– Quem é o idiota que batiza um cavalo com esse nome ridículo?

– Meu pai. Ermenegildo Barbosa era o nome do meu avô! Ups!

É... Não tá fácil pra ninguém, mas pra Kaká as coisas pioraram depois da história do nome do cavalo. A morena de cabelos cacheados, olhos castanhos e sobrancelhas despenteadas xingou muito Diogo quando ele confessou que seu sonho era ter um cavalo, e não namorar uma menina que ouvia pagode sem qualidade.

É isso: Kaká gostava de pagodinhos de gosto duvidoso, sim; mas era uma boa menina.

Taí a história que fez Inha esquecer por alguns minutos seu coração partido. Kaká era ótima contando casos. Mesmo os mais "trágicos".

– Como é que você quer que eu não ria com uma pessoa trocada por um cavalo? Você arrumou um fim de namoro pior que o meu, que fui trocada pela Aline Brás porque, segundo o Alex, além de ser mais gata, ela é boa em Matemática, ao contrário de mim. E a garota passou tanta cola pra ele que o imbecil de dois neurônios conseguiu não repetir.

– Foi uma traição por interesse – definiu Tati, que também tinha rido muito com a "tragédia" de Kaká. – É péssimo, mas ainda assim é bem melhor do que ouvir que você tem mau gosto musical, e que um cavalo é melhor que a sua companhia.

– O Diogo vai se arrepender quando perceber o que deixou para trás! E eu quero que ele sofra muito quando conhecer meu próximo namorado. Ele vai morrer quando souber que estou namorando um príncipe.

– Você tá namorando um príncipe? – perguntaram Inha e Tati ao mesmo tempo.

– Ainda não! Mas vou namorar!

Você deve estar pensando: "Ah, todas as meninas querem encontrar um príncipe para chamar de seu". Verdade seja dita, o tal do príncipe encantado faz sucesso há muito tempo. Então, nada mais normal do que uma garota de 17 anos sonhar com um namorado príncipe.

– E não vai ter nada de encantado, não! Não mesmo! Agora, por exemplo, a gente não estaria na praia dos simples mortais. Estaria numa ilha megablaster, da família dele, claro. SuperVIP! Só eu, vocês e a natureza – explicou Kaká. – Anotem aí: vou namorar um príncipe de carne e osso. Meu objetivo é ser princesa de verdade!

Ui!

– P-princesa d-de verdade? – rebateu Tati.

– É! Vou batalhar muito pra isso! E vou conseguir, podem escrever!

Momento de mudez na areia.

O que dizer depois de frases como essas? Ainda bem que o silêncio durou pouco. Kaká queria continuar descrevendo sua nova meta de vida.

– Vou casar com o Harry.

– Potter? – zoou Inha. – Ele é um personagem, tá ligada, né?

– Dã-ã! Claro que não! Ele lá é príncipe, por acaso? Tô falando do Harry, irmão do William.

– Ele tá namorando, maluca!

– E daí, Tati? Pneu fura, unha quebra, roupa amassa, namoro acaba. É a magia da vida!

– Que horror, Karina Mendes...

– Que horror o quê, Tatielly Cristinny? Sou sincera!

– Não me chama assim que eu odeio! É Tati! Sem ípsilon, por favor!

Tati não suportava seu nome, assim como seu irmão, jogador do Flamengo, batizado de Wylson Kleybber. O pai,

Ygor, e a mãe, Meyre, adoravam os nomes dos rebentos. O ípsilon fazia parte da família, era uma marca, um orgulho. Mas Tatielly virou Tati e Wylson Kleybber simplesmente Wylsinho.

– Vocês estão achando que é brincadeira, mas já fui no Google e tenho uma lista dos seriamente pegáveis nas realezas.

Isso, isso mesmo. Ela foi ao Google catar príncipes mundo afora e classificou alguns deles de "seriamente pegáveis".

– Ai, Kaká! Não fala assim! – Inha estrilou. – Pegáveis? Pegar é tão feio de falar... não é nada romântico. Fala que você quer ficar com um príncipe, namorar, se apaixonar...

Kaká ignorou Inha solenemente.

– Antes de casar com o Harry, eu posso pegar o Albert von Thurn und Taxis, da Baviera, o Carl Philip, da Suécia, e o Andrea Casiraghi, de Mônaco! Me aguardem!

– Você é tão maluquinha, não sei como eu gosto tanto de você... – implicou Tati.

– É justamente por causa disso – Inha entrou na brincadeira.

Dessa vez, as duas foram ignoradas. Tudo bem, Kaká estava meio descontrolada no momento, mas tinha um bom coração.

– Quero ser rica, me vestir de grifes da cabeça aos pés, andar de iate com reis e rainhas, sambar de salto na cara da sociedade e postar no Insta pra matar a mulherada de inveja.

Juro que o coração dela era bom. Juro!

Quem nunca deu uma surtadinha e *desejou a todas inimigas vida longa para que elas vejam cada dia mais nossas vitórias*? Valeska não cantou uma coisa dessas à toa!

O fim do namoro de Kaká passou, no entanto a história dos príncipes durou, virou ideia fixa, assunto dia e noite, noite e dia, uma mala. Mas amigas de verdade nem pensam em sair de cena numa hora dessas. Afinal, elas juraram quando eram mais novas, numa noite de lua cheia, que estariam sempre juntas, na alegria e na tristeza. Era um trio inseparável e muito fofo, né não?

– Não aguento mais a Kaká falando de príncipe! Que chatice! Tô a fim de dar um tempo dela – Tati confidenciou a Inha. – Um gelo mesmo, pra ela se tocar que nem a gente, que ama, aguenta uma pessoa monotemática por perto.

A Tati não era má pessoa! De verdade! Ela só estava meio impaciente com a Kaká falando o tempo inteiro de sangue azul, Prada e Simon Cowell, o cara do *The X Factor* e do *American Idol*. É. Esse mesmo.

A Kaká queria muito que a mãe dela namorasse o Simon Cowell para que ele lhe apresentasse o Zac Efron, de quem ela queria ser melhor amiga. A morena ainda sabia todas as coreografias de *High School Musical*, e assumia que sabia. E dançava para as amigas! Ou seja, verdade seja dita, surtada ela sempre foi, estava só mais um pouquinho naquele momento. Ela também queria ser amiga da Taylor Swift, mas como não tinha um caminho para chegar nela, se contentou em ter amizade só com o Zac mesmo. Seu sonho era ter uma curtida dele no Face.

Tati também tinha alguns objetivos na vida, mas um deles, o mais importante, ela contou aos 13 anos, quando as amigas perguntaram o que ela queria ser quando crescesse. A resposta foi imediata:

– Atriz, cantora ou modelo de revista. Tipo capa de revista.

– Não existe essa profissão, modelo de revista – argumentou Inha.

– Mas eu sou baixinha. Não rola passarela.

– Não rola ser modelo com o seu tamanho, garota! Você é quase anã! Se enxerga! – Kaká foi sincera (e um tanto bruta).

– Se eu sou anã tô bem, tá?! Anão tá bombando! Só se fala em anão hoje em dia! Olha o Tyrion de *Game of Thrones*! Ninguém nem sabe quem é Jon Snow.

Tadinha, estava muito louca mesmo. TODO MUNDO sabe quem é Jon Snow. Todo mundo AMA o Jon Snow. Mas Tati estava certa, o Tyrion faz sucesso desde que a série estreou, em 2011.

— Então vou ser uma cantora baixa, Kaká!

— Você não canta!

— E por acaso a Britney canta, dona Flávia?

(Ah, sim! Um parênteses se faz necessário para explicar que Flávia e Inha são a mesma pessoa. Flávia, quando pequena, era conhecida por tocar a campainha de todos os apartamentos do seu prédio e sair correndo depois. Daí para Flávia Campainha foi um pulo. Campainha, Painha, Inha. E ela nem era baixinha. Só um pouquinho. E tinha olhos pequenininhos e a batata da perna acolchoadinha.)

Anos se passaram e Tati continuava encasquetada com a ideia.

— Vocês são muito chatas! Ficam podando meu sonho! Pelo menos é um sonho realizável, muito diferente de virar princesa — espetou Tati.

— Você quer é ser famosa, né?

— É! Muito famosa, Inha!

— Mas você precisa fazer algo relevante pra ficar famosa! — bronqueou Kaká.

— E você acha que essas fotos que eu boto no Insta são pra quê? Meu blog é pra quê?

Tati tinha cismado que postar o look do dia várias vezes por dia daria certo para ela. Fazia quase um ano que mantinha um blog com dicas de moda e maquiagem, que contabilizava umas seis visitas... Por semana! As amigas desconfiavam que nem sua mãe navegava por lá com frequência. O que ela queria mesmo era ser uma blogueira conhecida, dessas que dão entrevistas, posam para editoriais de moda, vão a desfiles em Paris e Milão, são queridinhas dos estilistas e das famosas e ganham roupas, muitas roupas.

– Eu arraso como blogueira. Meus posts são ótimos e meu humor também. Eu faço o tipo engraçada, sou hilária, sou incrível! Quando me descobrirem, só vai dar eu!

É muita autoestima para uma pessoa só, né não? O problema é que o gosto da Tati para moda não era, digamos, dos melhores. Misturava cores berrantes, abusava dos decotes, dos vestidos justos e curtos... E tinha o cabelo loiro-beirando-o-laranja. Quer dizer...

– Se meu blog e meu Insta não derem certo, é só eu namorar um famoso. Aí, sim, eu fico famosa logo.

– E se o Wylsinho ficar famoso? – indagou Kaká. – Também vai ser meio caminho andado.

– Aquele lá? Famoso? Jogando com os dois pés esquerdos que ele tem? Eu ia achar ótimo, irmãs de jogador estão com tudo nas redes sociais, mas acho que só nascendo de novo para o meu irmão sair do banco. Ele está fadado ao anonimato.

– Na boa! Tô de saco cheio de vocês com esse negócio de fama! – desabafou Inha.

– Eu não quero ser famosa, quero ser re-a-le-za, é diferente – corrigiu Kaká. – É superior, na verdade – arrematou, nariz em pé.

– Eu quero ser famosa, sim. Qual o problema? Vai dizer que você também não quer ser uma nutricionista famosa? Com livro de receitas famoso? Que dá entrevista na televisão? Chamada de Flá pelas atrizes mais incríveis? Duvidoooo!

– Flá? Nunca ninguém me chamou de Flá, Tati!

– Em São Paulo, o povo só fala as primeiras sílabas dos nomes. A gente seria Ta, Ka e I.

– I?

– Elementar, Kaká: I de Inha! Por isso que eu já projetei que o nome artístico dela em Sampa vai ser Flá, porque I é meio estranho. E pra bombar na vida, vocês sabem que tem que bombar em São Paulo primeiro, porque é onde está o dinheiro! Viram? Eu penso no futuro nesse nível, minha gente!

– Você é maluca nesse nível, minha gente! – brincou Inha. – Meu Deus, minhas duas melhores amigas são completamente doidas. Eu sou tão normalzinha! Queria tanto saber como é ter pessoas normais por perto...

Inha nunca quis nada do que Tati enumerou. Considerada pelas amigas "magra de ruim", ela era fã de comida. No seu perfil no Instagram, se definiu escrevendo: "Umas pessoas têm talento, outras têm um dom especial, algumas têm facilidade para aprender línguas. Eu tenho fome".

Apaixonada por empada de queijo e farofa de alho (que só comia quando sabia que não tinha a menor possibilidade de beijar alguém), habilidosa (aprendeu crochê com 13 anos e desde então gostava de se arriscar fazendo pulseiras, faixas de cabelo e tops, entre outras peças), louca por feijão com arroz e superchegada a um frango com quiabo, a menina sardentinha do nariz irritantemente perfeito, que cozinhava desde criança, sonhava em ter seu consultório, ajudar seus pacientes a se alimentarem bem e assim melhorarem sua qualidade de vida, estimulá-los na hora de fazer uma dieta com receitas saborosas... queria ser reconhecida pelo trabalho, bem diferente dessa necessidade insana de fazer sucesso só por fazer.

Por isso, Tati e Kaká vinham irritando tanto a garota, as duas beirando a insanidade com essa busca descabida por fama e realeza. Mas como se afastar de amigas de infância tão queridas, com a alma boa de verdade, parceiraças? Inha não conseguia. E nem queria muito, sabe? Quando pensava em não retornar as ligações, lembrava que não conseguiria viver sem elas.

– A Inha não quer ser famosa. Ela quer é negócio de aeroporto – comentou Kaká.

– Negócio de aeroporto? – Tati franziu a testa.

– É! Não lembra que o sonho dela é viver aquela cena clássica do mocinho ir se declarar para a mocinha no aeroporto quando ela já está dentro do avião?

– E aí os dois, depois de muito suspense, se beijam apaixonadamente e são felizes pra sempre... – suspirou Inha.

– Aposto que um monte de casais que ficam juntos nos fins dos filmes se separa depois. Ninguém aguenta tanta paixão, minha gente!

Inha e Kaká nada disseram, apenas olharam para Tati, chocadas com seu zero romantismo.

– Eu queria viver a cena de *Ghost* – opinou Kaká, suspirando.

– Credo! Beijar defunto? Depois eu que levo a fama de demente.

●

Deu para perceber que Inha, Kaká e Tati formavam um trio de amigas de botar inveja em qualquer trio de amigas, né? Alegres, divertidas, leves, sinceras e leais umas às outras, faziam tudo juntas: colégio, praia, academia, trabalhos escolares, shows, viagens, filmes lacrimejantes, tardes inteiras em shoppings, sábados de pipoca e piscina...

Naquele ano em que corações foram partidos e o blog inaugurado sem sucesso, nada demais aconteceu. Mas o que estava para chegar em poucos dias iria mudar esse cenário completamente.

Era noite de Réveillon, e as três amigas estavam em Búzios, reunidas na casa de um jogador amigo do Wylsinho, para celebrar o ano novo. Festa cheia, todo o tipo de gente, mulheres com a bunda na nuca, jogadores de futebol que elas desconheciam (as três preferiam vôlei, mais pela beleza dos meninos da seleção que pelo esporte em si), pagodeiros, modelos, atores, música boa, lua sensacional e animação infinita. O verão tinha acabado de começar, mas nenhuma delas esperava a surpresa que ele estava trazendo.

No dia seguinte, Tati acordou as amigas cedo.

– Sai daqui! Me deixa dormir, sua louca! – resmungou Kaká.

– Mas a gente precisa trabalhar a morenitude, e o sol matutino é o melhor para a pele! – explicou a sempre empolgada Tatielly. – Nossa, arrasei no "matutino", meu nome é conteúdo.

Era muita animação para uma pessoa só, viu?

– A praia não vai sair de lá! – disse Inha. – E matinal é beeeem melhor que matutino. Matutino rima com pepino e pepino é ruim.

– Pepino faz bem pra pele, idiota – Tati reagiu.

Tão meiga, tão fofinha! Ela estava com a macaca! Ligada no 220V, falando sem parar.

– Quando eu envelhecer, vou estar incrível de pele, de cabelo, de corpo, de tudo, e vocês caquéticas, enrugadas, flácidas e pelancudas, caindo aos pedaços. Não vou nem dar bom-dia, aviso logo.

– Bom dia pra você também, amor, e boa praia – Kaká debochou, sem abrir os olhos.

– A gente não pode sair de Búzios sem marquinha de biquíni!

– Odeio marquinha! – chiou Inha.

– Mas é muito anta mesmo! – Tati continuou o festival de fofurice. – E você também é uma burra, Kaká!

– A gente também te ama, amiga – ironizou a morena.

– Você é burra, devia querer ficar mais queimada, os príncipes branquelos que você quer pegar devem se amarrar numa pele bronzeada. Pele bronzeada, para eles, é uma coisa rara, é uma coisa divina, é do outro mun...

O discurso pilhado de Tati foi cortado por um som de ronco. Kaká, malandra como sempre, fingiu estar roncando alto para calar a matraca da amiga empolgada.

Funcionou. Bufando, Tati bateu a porta do quarto e saiu pisando forte.

Ufa! Inha e Kaká pensaram simultaneamente. A paz tinha voltado a reinar naquele quarto, o silêncio nunca havia sido tão aconchegante, o travesseiro babado de ambas não apenas parecia, mas ERA a melhor companhia do mundo. Um mundo em que não se ouvia a voz estridente de Tati. Um mundo em que mil palavras por segundo não eram ditas, um mundo em que...

– Para tudooo! Acorda, gente! Sério!

– Garota chataaaa! – Inha e Kaká resmungaram ao mesmo tempo. Kaká botou o travesseiro em cima da cabeça.

– Eu não quero ir para a praia! – gritou Inha.

– Nem eu! – rebateu Tati. Sim, ela mesma.

Ãhn?

Kaká tirou o travesseiro da cabeça para entender o que estava acontecendo.

– Quero que vocês leiam isso aqui! – gritou Tati, olhos espantados, com o celular na mão.

– O que foi? – perguntou Inha, preocupada.

– Meu irmão pegou a Keillinha Kero-Kero!

– A funkeira?

– É, Kaká!

– A do "Tu arruma teu jeito que o tumtumtum do meu peito não 'guenta' mais te esperar"?

– Exatamente, Inha!

– "Ansiedade não tem idade e se apaixonar é amar, amar, amar"? – completou Kaká.

– "Me segura que tô sem ar e me prende no teu calcanhar pra me amassar-sar-sar. Se eu te pego eu te tempero, não sou qualquer uma, sou a Kero Kero"? – cantarolou Inha.

– "Não precisa ser conto de fadas, mas, meu bem, tô desesperada, com seu amor não me sinto encalhada. Encalhaaaada! Encalhaaaaaada! Encalhaaaaada!"? – completou Kaká.

Como dá para perceber, Keillinha Kero-Kero cantava uma música complexa, de letra profunda e poética. E coerente, acima de tudo.

E Inha e Kaká sabiam cantá-la!

Todos sabiam! "Encalhada" era o hit do momento!

Essa juventude está perdida mesmo...

– É! É essa! Para de cantar e vem ver, gente! O Wylsinho tá na capa de todos os sites de celebridades! Meu irmão ficou famoso!

Kaká arrancou o celular da mão da amiga.

– Meu Deus! – exclamou ela.

– Não é um espanto o tamanho dessa foto? – reagiu Tati.

– Espanto é o tamanho da perna dessa menina! É maior que a do Wylsinho! – respondeu Kaká. – E a bunda? Será que é silicone?

– Ai, meu Deus! A gente vai saber DELA se a bunda DELA é ou não siliconada! É muita notícia boa pra uma manhã! Me abana, gente!

Como se vê, a Tati surtada tinha voltado com força total. Sempre sensata, a menina que sonhava ser nutricionista tentou evoluir o diálogo de forma mais serena.

– Será que o Wylsinho tá apaixonado? Será que a Kero-Kero vai ser sua cunhada?

– Espero que sim, né, Inha? Quanto mais o namoro durar, mais tempo ele vai ficar famoso! E depois do término, ele vai ser o "Ex de Keillinha Kero-Kero", e isso, por si só, já dá muita mídia! – explanou Tati, com um brilho nos olhos. – Já vejo as manchetes: "Namorado de Keillinha Kero-Kero atravessa a rua", "Namorado de Kero-Kero amarra cadarço no Leblon". Gente, que tudo!!! – comemorou, batendo palminhas.

– Tudo mesmo? O sonho dele era jogar no Flamengo e ele nunca saiu do banco... De repente o cara fica famoso por causa de uma ficada com uma funkeira. Será que ele tá feliz? – comentou Inha.

– Claro que tá! Vai tirar onda com os amigos dizendo que pegou a Kero-Kero, e ainda tá em tudo que é site.

– Eu estou falando de felicidade, Tati!

– E eu lá estou pensando na felicidade do Wylsinho? Tô feliz por mim! Que não sou famosa, mas sou irmã de famoso! Olha o ano começando bem, meu povo!

Inha revirou os olhos.

– Ah, nem adianta fazer essa cara de bunda, tá? Esquece historinha de amor. A sua com o Alex foi legal enquanto durou! Não é possível! Nem com meu irmão numa matéria bombástica você consegue esquecer esse idiota?

– Quê? Não viaja! Nem tô pensando no Alex!

– Arrã... – fizeram Kaká e Tati em coro.

– Agora vamos parar de falar e de ver foto e vamos ler a matéria? – sugeriu Kaká.

KEILLINHA KERO-KERO BEIJA MUITO NO RÉVEILLON

Funkeira do momento é flagrada aos beijos com jogador de futebol

O ano começou bem para o fenômeno Keillinha Kero-Kero, funkeira-revelação e vencedora do concurso Bumbum Tesouro Nacional por duas vezes consecutivas. A loira foi vista aos beijos em Búzios com o jogador Wilsinho, reserva do Flamengo. Apresentados por amigos em comum, os dois não se desgrudaram a noite toda. Será que agora a funkeira, de 21 anos, que diz ser a "gata mais encalhada do Brasil", desencalha, ou foi apenas uma ficada sem compromisso?

– Escreveram o nome dele errado! Sem o ípsilon! Tadinho do Wylsinho! – lamentou Inha.

– Tadinho nada! Se fosse uma foto minha e eles tivessem escrito meu nome com ípsilon, que eu odeeeio, eu estaria dando pulos de alegria.

– Você *está* dando pulos de alegria – constatou Kaká, rindo.

– Tô mesmo! Pela foto do meu irmão bombando nos sites e por ter acordado vocês. Bora pra praia comemorar o ano novo! – gritou, jogando os biquínis das amigas em cima de suas respectivas camas.

Enquanto se arrumavam, as três conversavam para escolher qual pedaço de areia do balneário seria seu destino.

– Voto Tartaruga. Adoro aquela praia! – sugeriu Inha.

– Vamos pra Azedinha, que é mais charmosa. Está cedo, vai estar vazia! – sugeriu Kaká.

– E eu lá quero praia vazia, garota? Vamos pra Geribá! Agora que comecei a malhar, só quero ir em praia com gente bonita e famosa pra exibir o *corpitcho*.

– Você está malhando há uma semana, Tatielly Cristinny! – implicou Inha.

– Mas já tô linda – rebateu, com sua habitual falta de modéstia, fazendo uma foto de corpo inteiro no espelho. Na legenda:

Look do dia: cunhada da @kerokerooficial. #Búzios #PartiuGeribá #KeroKeroeWylsinho #amoreterno #meamassa #soufeliz #obrigadavida

---

"Obrigada, vida"?

Hum... Sem comentários, sigamos em frente.

Assim, serelepemente, o trio partiu rumo à praia mais badalada do balneário. Ainda era cedo, e o mar calmo e gelado abrigava um sem-número de... mães e crianças.

Imagine a felicidade do trio.

– Só tem pirralho nessa praia? Fala sério! – comentou Kaká, irritada, como dava para perceber.

– Calma, ainda são 10h30. Aqui é praticamente a filial do Projac. Espera umas duas horinhas pra você ver.

Tati sabia das coisas. Quando o assunto era fama, famosos e afins, a garota era craque. Dito e feito. Às 11h30, começaram a chegar donos de corpos esculpidos em academias e celebridades em geral, de atores a modelos de segundo escalão, de cantores a ex-BBBs, todos buscando um lugar na areia de Geribá.

Parecia que as hashtags da aspirante a famosa tinham dado certo. Keillinha Kero-Kero em pessoa (ou algum assessor, vai saber) tinha curtido a foto pré-praia, o que gerou um ataque histérico, como se um dos meninos do One Direction tivesse aparecido na frente dela.

— Ai, meu Santo Antonio de Categeró, me sacode! A Kero-Kero gosta de mim!

— Ela não gosta de você! De onde você tirou isso? — Inha foi seca.

— Grossa! — rebateu Tati imediatamente. — Tá bom, tá perdoada. Sei que você passou a noite vendo o Insta da namorada do Alex e ficou mordida.

Tati tinha razão. Inha estava mal, demorou a dormir fazendo uma coisa que jamais deveriam fazer meninas deixadas pelo namorado: fuçar as fotos da atual do seu ex. No caso da loira, ela vasculhou o histórico fotográfico de Aline Brás, sua arqui-inimiga, a garota mais metida da escola, que agora ocupava o coração do seu ex-namorado. Pelo menos ela tinha cortado o cabelo e estava parecendo uma formiga de capacete. Mas era uma formiga de capacete que namorava o Alex, palhaço que ainda povoava seu pensamento, por mais que ela tentasse expulsá-lo de lá.

— Desculpa, eu falo a verdade, você sabe.

— Não foi só o dela que eu xeretei. Eles criaram um perfil juntos.

— Mentira! Ai, que cafona! Ai, que preguiça! — disse Kaká.

— Como é o perfil? Fotinhas romantiquinhas? — Tati sucumbiu à curiosidade.

— Isso. No perfil intitulado "AL-AL: Um Casal Sensacional", só fotinhas de beijos, corações, corações e beijos. Que ódiooo! — desabafou a loira.

— AL-AL? Você disse AL-AL?

– Arrã – respondeu Inha, irritada.

– Au-au quem faz é cachorro. Que coisa ridícula! Você não tem nem que perder seu tempo pensando nisso – opinou Kaká.

– Até porque, você sabe, quando um casal quer mostrar muita felicidade nas redes sociais, pode ter certeza de que, na vida real, eles não são tão felizes assim – categorizou Tati, dando aquele apoio moral para a amiga. – Mas chega! Vamos voltar o foco pra mim, por favor! A Kero-Kero me assumiu como cunhada!

Essa era a Tati! Os momentos de fofura duravam segundos.

– Ela não te *assumiu* como cunhada, ela só curtiu sua foto. Sinal de que é uma pessoa educada.

– Ai, Karina, você e a Inha estão é morrendo de inveja que eu e a Keillinha Kero-Kero vamos virar melhores amigas de infância!

Conhecendo Kaká e Inha como você já conhece, pode imaginar o imenso, o gigantesco tamanho da inveja, que as duas estavam sentindo. E, conhecendo Tati como você já conhece, dá para visualizar o escândalo que ela deu com a curtida. As amigas tiveram que comprar água de coco para acalmar os ânimos da irmã-do-quase-famoso-jogador-de-futebol. Quando a moça já estava mais tranquilinha...

– Hora do desfile.

– Tem desfile aqui, Tati? Tipo moda-praia, essas coisas? – perguntou Inha, ingenuazinha que só ela.

– Meu Deus, Inha! Acorda! Tá na hora do MEU desfile! A minha ida até a água e a volta da água para a canga. Me filma. Me fotografa. Me chama de Gisele.

Inha bufou. Por mais engraçada que a amiga fosse, sua paciência para ela estava ficando menor a cada dia. Mas o pior (ou melhor, dependendo do ponto de vista), ainda estava por vir. O tal "desfile" até o mar aconteceu, e Inha, como boa amiga fofa, tirou várias fotos, de vários ângulos. Tati indo. Tati levando caixote. Tati com água e areia saindo pelo nariz depois do caixote. Tati fingindo que nada aconteceu. Tati dando aquela ajeitadinha no biquíni. Tati mergulhando. Tati voltando para a areia. Tati olhando para um lado da praia. Tati olhando para o outro lado da praia...

Depois de ver os cliques, ela escolheu os melhores, fez uma montagem e postou com a legenda:

> Praia com as amigas. #nãoimporta #seabunda #nãoestánanuca #importanteéqueelaexiste #eestánolugardela #tenhopançasim #masépançadefelicidade
>
>

— O que é uma pança de felicidade? — implicou Kaká.

— Pança de quem foi muito feliz nas festas de fim de ano e comeu de tudo, sem culpa — explicou Tati. — Não ficou claro, não?

— Nem um pouco claro — Kaká respondeu de bate-pronto.

— Mas ficou engraçado — admitiu Inha.

As amigas deixaram os telefones de lado e emendaram um papo atrás do outro. Falaram de tudo: roupas, esmaltes, garotos, sonhos, beijos, areia, água-viva, dente sujo, bafo, sovaco não depilado, unha encravada, dor de barriga, pai, mãe, ouro de mina, família, novela, séries de TV, Alex, Diogo, cavalo, Face, Insta, receita de doce bobo, vida alheia (ah! Não julguem! Elas eram garotas de 17 anos muito fofas, mas, como todo mundo, falavam dos outros de vez em quando. Tá, tá! Quase sempre), pau de selfie, GoPro, Polaroid, festas, sapos, sapato velho, os corpos sarados à volta. Enfim, de tudo um pouco. Mesmo.

O tempo passou, a praia encheu mais ainda, alguns mergulhos foram dados...

— Acho melhor a gente ir daqui a pouco. Por mais que a gente esteja embaixo da barraca e com filtro solar, esse sol tá queimando grave! E não gosto de ficar esturricada – avisou Kaká.

– Eu topo. A gente pode ir para a Rua das Pedras comer um crepe e dar uma volta depois para ver as lojas e o movimento – concordou Inha.

Enquanto as duas conversavam, Tati pegou o celular na bolsa para fuçar as curtidas na sua foto. E veio a surpresa. Mais de duas mil pessoas tinham passado a segui-la. Ela levou um susto. Os comentários dos novos seguidores eram lisonjeiros: "gata", "quer namorar comigo?", "amei seu biquíni, de onde é?". Outros nem tanto: "baranga", "vai malhar antes de mostrar essas banhas", "eu nunca vi tanta celulite por metro cúbico de coxa".

Ah, a internet, esse lugar povoado de gente bacana, sempre com palavras doces e de incentivo!

– Gente! Gente! Gente! Minha foto tá bombando! De 12 curtidas passou para 767! 768! 769! 770! Caraca!

Inha e Kaká, tão surpresas quanto a amiga, queriam, como ela, entender o porquê da enxurrada de seguidores e *likes*.

– Deve ter sido a curtida da Kero-Kero. Ela tem quase 4 milhões de seguidores! – palpitou Kaká.

– Mas ela só curtiu, não ia levar tanta gente em tão pouco tempo – opinou Tati.

– Será que ela fez algum comentário no perfil dela? Falou do Wylsinho e marcou você? Ou deu alguma entrevista? Dá um Google no seu nome! Anda! – pediu Inha, prontamente atendida pela amiga.

Tati ficou de queixo caído por alguns infinitos segundos.

– O que foi? O que tá rolando? – perguntou Inha, *morrrrta* de curiosidade.

A mudez e a boca aberta continuavam, agora acompanhadas de um meneio de cabeça.

– Fala, Tati! – gritou Kaká, impaciente.

Tati apenas virou o telefone para que as amigas vissem com os próprios olhos: na página de entrada do famoso celeblindos.com.br, uma das manchetes dizia:

> **Irmã de ficante de funkeira exibe corpão na praia**

A foto que ilustrava a, hum... manchete, era a do Instagram, claro.

– Olha! Minhas fotos! Arrasei! – vibrou Inha (ao ler a hum... matéria).

– Gatas, vocês sabem o que isso quer dizer?

– Você tá no Celeblindos em destaque! – comemorou Kaká, feliz da vida, já que sabia o quanto a amiga desejava aquilo.

– Eu... Eu... Eu fiquei famosa! – constatou Tati, ainda em estado de choque.

– Não sei se ficou, mas pode ficar – concordou Inha, sorrindo.

– Vou ficar!

– Vai ficar! – disseram Inha e Kaká em coro, dando um abraço esmagado na "irmã de ficante de funkeira".

No subtítulo, a frase "Tati é blogueira e está com as amigas em Búzios".

– Falaram do meu blog! Falaram do meu blog! – comemorou enquanto digitava o endereço. – Gente! Mó galera vendo meus looks do dia e meus posts! Que é isso, minha gente?!

As três riram, o sonho da amiga começava a virar realidade. Não que ela tenha feito muito para realizá-lo, além do fato de ter nascido irmã do ficante da Keillinha Kero-Kero, claro.

O dia passou tranquilamente, apesar das notícias bombásticas da manhã e do crescimento do número de seguidores no perfil de Tati no Instagram. Apesar da euforia inicial, elas eram meninas em Búzios e queriam aproveitar ao máximo o lugar, já que voltariam ao Rio no dia seguinte. Passearam pela Rua das Pedras, a mais famosa do balneário, tiraram foto com a estátua da Brigitte Bardot, compraram roupinhas... E a noite caiu.

Já na casa em que estavam hospedadas, Tati tentou mais uma vez falar com seu irmão para saber novidades do romance. Mas só caía na caixa-postal.

– Será que aconteceu alguma coisa? O Wylsinho não atende! Liguei umas 800 vezes pra ele! Tô louca pra saber dos babados!

– Deixa seu irmão namorar!

– Será que ele tá namorando, Kaká? Ai... *Hashtag* sonho.

Pouco antes do jantar, veio a segunda surpresa do dia: o site das celebridades mais badaladas da última semana agora tinha uma notícia sem a qual os pobres mortais não poderiam viver sem:

> **Irmã de ficante de Kero-Kero faz compras em Búzios**

– Para tu-do! Que é que é isso, minha gente? Fui flagrada por um *paparazzo*! – Tati quase morreu de susto. – Nem precisei contratar um.

– Contratar um?

– É, Inha! Tem um monte de famosas que pagam fotógrafo para fingir flagra e passar para os sites!

– Menina, como você é informada! Nunca soube disso... – comentou Kaká. – Que gente louca! Eu nunca ia deixar você fazer um negócio bizarro desses!

– Ainda bem que eu estava na cabine experimentando roupa. Eu ia morrer se aparecesse num site assim! – admitiu Inha.

– Mas mesmo se aparecesse, ninguém ia falar nada de você. Nem da Kaká. A manchete sou eu, benhê – debochou Tati.

Da praia, no dia seguinte, elas constataram que a amiga não entendia tanto de sites de celebridades.

Cunhada de Kero-Kero curte praia com as amigas
(e elas batem um bolão!)

Irmã de jogador do Flamengo que ficou com funkeira se diverte no feriado Veja fotos

– Cu-nha-da! E você nem conhece ela!

– Claro que conheço, Karina!

– Pessoalmente, Tatielly! – espetou Kaká.

– Deixa eu ver as fotos! Ai, que vergonha! – disse Inha, deslizando o dedo para ver a galeria de cliques.

Isso aí. Tinha uma galeria de fotografias. Treze fotos. Treze!

– Cara, eu tô ótima! Pra quem não malha... estou mesmo batendo um bolão! – riu Kaká.

– Eu também. Pra quantidade de doces que eu como, tô parecendo até uma modelo – comentou Inha. – E olha o biquíni que eu fiz, ficou lindo nas fotos!

– Nossa, como são modestas as minhas amigas! – ironizou Tati.

– Ah, claro, modéstia é mesmo o SEU forte, né? – brincou Kaká.

– Pronto! Vocês ficaram famosas também! – constatou Tati.

Bonitinho... A menina não se importava de dividir seus 15 minutos de fama com as melhores amigas. Pelo contrário, estava comemorando o fato.

– Que ódio! – Tati completou seu raciocínio.

Ok, ok. Ela não estava comemorando o sucesso repentino das amigas. Ela estava se irritando com ele.

– Ódio mesmo! – rebateu Kaká. – Vê se ficar aparecendo em sites assim como amiga da subcelebridade vai ser bom pro meu projeto realeza?

– Subcelebridade é a sua avó! – atacou Tati, supermadura e cheia de argumentos.

– Vai ser péssimo, Kaká! – concordou Inha.

– Que nada! Vai chover príncipe! Vocês estão loucas!

– Claro que não, Tati. Nenhuma rainha vai gostar de ter uma nora que aparece de biquíni com irmã de ficante de funkeira. É deprimente demais!

– Relaxa, Kaká. Isso vai acabar logo, amanhã ninguém nem sabe quem é a Tati.

– É, né? Eles devem estar sem notícia nesse começo de ano...

– Eu tô aqui, tá, suas chatas? – Tati se irritou. – E virem essas bocas pra lá. Com meus looks do dia bombando no Insta, eu não saio nunca mais da mídia. Me aguardem!

●

Dito e feito. De volta ao Rio, com fotos de suas roupas na frente do espelho e legendas divertidas, Tati realmente prolongou seu tempo de celebridade. Assim como Wylsinho, que transformou uma ficada em um namoro badalado.

Isso mesmo, agora era oficial: Wylsinho, o jogador de futebol que ninguém conhecia, era o namorado de Keillinha Kero-Kero (que ainda não tinha sido apresentada aos sogros e à "cunhada"). O garoto agora frequentava pré-estreias, ia de helicóptero para Angra, andava de jet-ski e se acabava de dançar nas melhores festas do eixo Rio-São Paulo.

A irmã do namorado da funkeira estava eufórica com o relacionamento de Wylsinho. Não com a felicidade do irmão, claro que não, mas com a notoriedade que ela ganhou por causa dele. Em apenas um mês, era raro o dia em que ela não saía em sites, como o celeblindos.com.br, devidamente flagrada por *paparazzi*, que Tati já conhecia pelos nomes.

– A gente tem que parar de ir à praia! Sério, daqui a pouco eu estou queimada em todos os principados do mundo.

– Ai, Kaká, menos! – Tati se irritou.

– Menos o quê? Não aguento mais aparecer de papagaio de pirata! Pra mim já deu! – estourou.

– Eu também, já tô legal de sair todo dia nesses sites. Odeio ficar encolhendo a barriga por causa desses fotógrafos – reclamou Inha, poucos dias antes de estampar uma matéria só dela.

Irmã de namorado de Kero-Kero toma água de coco na praia com amiga

---

– Isso é muito fim de carreira. Amiga de irmã de namorado de cantora de funk? Ninguém merece!

Tati caiu na gargalhada. Inha também riu.

– Pensa que o idiota do Alex vai ver a foto, a idiota da Aline também. E os dois vão morrer por ver que você agora tá famosa.

– Porque sou amiga de irmã...

– ...de namorado de funkeira. Uhuuuu! É isso aí! – vibrou Tati.

A vida do trio correu normalmente, sem solavancos. Kaká sonhando com a realeza, Inha chorando escondida de vez em quando pelo banana do Alex, e Tati fazendo de tudo para se manter "na mídia". Até que o carnaval se aproximou e, ainda no posto de namorado da funkeira número 1 do país, Wylsinho comunicou que iria debutar na folia em grande estilo. Havia ganhado convites para vários camarotes da Sapucaí para os dois dias de desfile.

– Você pre-ci-sa me botar nesses camarotes! Eu e minhas amigas! Por favor, Wylsinho! Por favooooorrr!

E ao ouvir a súplica desesperada, Wylsinho, mudo até o momento (não que ele fosse um garoto de poucas palavras, é que este é um conto de verão bem feminino mesmo), falou pela primeira vez nesta história:

– Fala sério, Tati! Tá louca? Em camarote só entra gente com 18 pra cima.

– Claro que não, quando o menor vai com uma pessoa maior de idade pode! É que nem show, já me disseram.

– Não sei disso, não.

– Mesmo que não fosse assim, você acha mesmo que meninas menores de idade que chegam acompanhadas de Keillinha Kero-Kero vão ser barradas em algum lugar desse mundo?

Wylsinho respirou fundo. Os argumentos da irmã eram mesmo imbatíveis.

– Por favor! Por favor! Por favor! Arruma pra mim e para as minhas amigas, vai!

– Que amigas?

– Só minhas irmãs, Kaká e Inha.

– Vou tentar, mas acho que vai ser difícil. A Keikei vai levar umas amigas, não sei se vão dar tantos convites assim.

Keikei?

Kei-kei.

Quando você acha que o conto de verão feminino não podia ficar mais bizarro, ele fica, né?

– Quer que eu ligue pra Keikei? Eu falo com a Keikei! Explico pra Keikei minha situação.

– Como, se você não conhece a Keikei, Tati?

– Eu amo a Keikei!

– *Todo mundo* ama a Keikei. A Keikei é a mais amada do Brasil.

– Mas eu amo Keikei de verdade, Keikei do funk, sua Keikei, amo Keikei na essência. Amo Keikei, mesmo Keikei sendo o apelido mais ridículo da face da Terra!

– Ela odeia "Keillinha". Keikei é o apelido dela de infância. Vamos respeitar, por favor – pediu Wylsinho, sério.

– Tá, claro. Mas pede, irmãozinho mais lindinho do mundinho... Pede com jeitinho e dá na Keikeizinha muitos beijinhos... Por mim...

Obviamente, Tati não era louca por Carnaval como o diálogo acima pode fazer parecer, mas sabia que todos os fotógrafos estariam na avenida para cobrir a festa. Era sua chance de "causar" com o que chamava de "figurino bafônico" e "make escândalo".

Não demorou muito, Wylsinho deu à irmã a notícia de que tinha conseguido três convites para ela ir com as melhores amigas. Keikei estava com tudo mesmo. Só dava ela nas capas de revistas. Até clipe nos Estados Unidos ela ia gravar depois do Carnaval. Imagina se não ia conseguir três camisetas para a cunhada e suas amigas? Tati berrou, Wylsinho comemorou com ela, e, num piscar de olhos, já era domingo de Carnaval.

A camiseta do camarote tinha sido customizada com muito brilho e cortada como um top por Tati, que queria ser a sensação do Carnaval. Mas os fotógrafos nem ligaram para ela, que resolveu passar duas vezes por eles para ser notada. E nada. Bufando de ódio, a aspirante a celebridade foi juntar-se às amigas, que riam ao lado de Wylsinho e Keikei.

– Cara, a Keillinha é muito gente boa! – elogiou Kaká.

– Muito! Tô amando conversar com ela! – complementou Inha. – Ela é gente como a gente!

– Ela falou a palavra pum, Tati. Keillinha não peida, Keillinha solta pum. Own... – fez Kaká.

– Own... – fez Inha.

Tati revirou os olhos.

– Nem aí pra vocês e pra Keikei! E mais: nem aí pro pum da Keikei. Quero é ser fotografada, e até agora nenhum fotógrafo fez um clique na minha direção.

– É só ficar do lado da Keikei! – sugeriu Kaká.

– Eu não quero sair de papagaio de pirata da Keikei. Que óóódio!

Só ao fim da segunda escola, o camarote começou a encher de verdade com: celebridades de todo os calibres, ex-BBBs, ex-Fazendas, cantores de um sucesso só, subcelebridades e parentes/amigos de subcelebridades que querem ser celebridades, categoria na qual Tati se encaixava.

– Vi que tem um príncipe no Rio, só não sei se ele está aqui... – Inha puxou assunto.

– Se for pra conhecer meu príncipe hoje, vou conhecer – comentou Kaká, otimista. – Mas e você? Não tá na hora de beijar alguém? Nem que seja um sapo?

Inha fez cara de balde.

– Ninguém me interessa...

– Claro! Você nem olha para os lados! Tem tanta gente linda aqui...

Inha baixou os olhos. Uma lágrima tímida caiu sem deixar rastro. Mas amigas de verdade veem até as lágrimas desse tipo.

– Gata, você precisa sair dessa! O Alex não merece esse sofrimento todo! – afirmou Kaká.

– Eu não tô mais sofrendo!

– Não. Tá só esperando ele cair na real e voltar pra você, né? – Tati foi direta.

Inha baixou os olhos novamente. Dessa vez, tapou o rosto com as duas mãos. Era a mais pura verdade: ela dormia e acordava pensando no dia em que ele voltaria declarando amor eterno a ela. Meninas apaixonadas... Iguais em qualquer idade, em qualquer lugar do mundo.

– Não, pelo amor de Deus, nada de chorar aqui. Vai borrar a maquiagem toda, vai ficar horrenda, e aí é que ninguém vai querer te pegar mesmo! – a blogueira de moda fez graça.

– É tudo à prova d'água – sussurrou Inha, rindo de si mesma.

– Aê!!! – comemorou Tati.

– Vai no banheiro lavar esse rosto. E olha bem no espelho pra ver como você é linda, por dentro e por fora.

Simplesmente não tem nenhum motivo pra você ficar esperando o Alex voltar e te pedir desculpas, porque ele não merece uma garota como você – discursou Kaká.

– Você é incrível, Inha. E o Alex é... é... Qual o extremo oposto de incrível?

– Hum... Risível? – falou Kaká.

– Não, mas risível é ótimo – aprovou a loira, sorrindo fofamente.

– Vai lavar essa cara. A fila anda! E Carnaval é pra isso! Para esquecer paixões antigas e dar chance para as novas – incentivou Tati.

– Paixão e Carnaval? Existe pegação de Carnaval, mas ninguém se apaixona.

– Muita gente se apaixona no Carnaval! – rebateu Tati.

– Direto! Maior galera se apaixona e se casa! – acrescentou Kaká.

– Ah, é? Quantas pessoas vocês conhecem que engataram um namoro sério no Carnaval?

Silêncio das duas.

– Viram? Não existe. Quem vai para a rua ou vem para a avenida quer só ficar. Ninguém está pensando em namorar. Se tem uma época do ano em que eu jamais vou me apaixonar é o Carnaval.

– Tá bem, tá bem, sua mala! Mas custa dar uma melhorada na cara e ficar apresentável? Com a maquiagem maneira? Vai que alguém se apaixona por você... – incentivou Tati.

– É! Vai que... – Kaká deu força.

– Ninguém vai se apaixonar por mim, gente.

– Ai, garota chata! Tá bem, esquece paixão, mas vai para o banheiro voando, esse rímel virou uma meleca preta gigante no seu olho! Pelamorrrr!

– Pelamorrrrrr! – repetiu Kaká, exagerada.

– Tá ruim assim? – perguntou Inha, já botando as mãos na direção dos olhos.

– Péssimo! – responderam em coro as amigas.

– Tá praticamente um panda! E não mexe que vai ficar pior. Anda, vai logo! E olha para os lados! Não para se apaixonar, mas para apreciar a fauna, pô! – bronqueou Tati.

"A 'fauna' é óóótimo", Inha repetiu em pensamento.

Decidida e motivada pelas melhores amigas, a loira do nariz irritantemente perfeito caminhou até o banheiro olhando tudo e todos. Nenhuma figura masculina lhe interessava. Para ela, ninguém ali chegava aos pés de Alex. E olha que Alex era bem mais ou menos, viu? E andava quicando, como se acompanhasse o ritmo de uma música que só ele ouvia. E tinha um bigodinho bizarro que ele teimava em não raspar! E clareava o cabelo com água oxigenada e depois dizia que tinha sido o sol!

Aff! Não, mais que "aff". Aaaaaffffff! Isso, agora sim.

Rosto lavado e devidamente retocado com maquiagem, Inha resolveu pegar um pratinho com petiscos e um refrigerante antes de voltar para o lado das amigas. Encheu o copo com muito gelo para tentar aplacar o calor escaldante do verão carioca e, ao virar-se de modo nada delicado, derramou tudo na camisa de uma pobre coitada pessoa: gelo, refri, copo, pratinho com petiscos...

– Ai, meu Deus, desculpa! Desculpa! Desculpa! Desculpa! – pediu, sem nem olhar para a cara da pobre coitada pessoa, enquanto enxugava (tentava enxugar, na verdade) feito louca, com um mísero guardanapo vagabundo, a lambança que tinha feito.

Mas ela piorou o estrago, tadinha, já que o guardanapo estava se desfazendo com os movimentos frenéticos de suas mãos nervosas sobre a camiseta.

– Ei, relaxa! Essa camiseta não é exatamente especial. Você reparou que todo mundo neste camarote tem uma igual, né? – disse a "vítima", tentando diminuir o constrangimento de Inha. – Prazer, Humberto. Mas pode me chamar de Guima.

E só aí, nesse momento, Inha olhou para cima e deu de cara com os olhos verdes mais verdes que já tinha visto até então. Um verde kiwi. Sabe kiwi? Então...

– Guima? Eu estudei com um Guima – foi tudo o que ela conseguiu dizer.

– A família Guimarães é bem grande. Todo mundo conhece alguém que conhece algum Guimarães. E sempre os Guimarães viram Guima. Fato.

– O nome dele era Marcelo, ele tinha o nariz gigante espinhudo e o dente da frente preto.

– Coitado.

– Coitado nada, ele inventou a maior mentira sobre a Aninha Araújo no 6º ano, disse que ela tinha mexido na mochila dele e tirado o... o... É... Opa! Caramba! Falei demais, perdi a noção.

Cê jura? Que nada, boba! Imagina! Assunto interessantíssimo para puxar com um estranho!

Tsc, tsc, tsc... Garotas...

– Desculpa. Saí falando e nem me apresentei. Meu nome é Flávia, mas pode me chamar de Inha.

– Inha? Que bonitinho... Mas me conta, fiquei curioso. A Aninha Araújo fez o quê com esse meu primo desconhecido e mentiroso?

Own... Mesmo com a verborragia louca da Inha, o Guima foi fofo. E espirituoso. Pelo visto, tinha gostado dela. "Inha que bonitinho"? Claro que gostou dela. Inha é, no máximo, peculiar. E olhe lá!

– Ah, ele acusou a garota de roubo, né? E ela mandou benzaço. Foi na direção, chorou, xingou, o diretor chamou os pais dos dois, foi o maior bafafá!

– Bafafá...

– É. Bafafá. Que é que tem?

– Há um tempão que não escuto essa palavra.

Inha baixou os olhos, tímida.

– A minha avó fala bafafá direto! – admitiu ela.

– A minha também! – Guima se empolgou. – E eu estava com medo de dizer isso e você se achar velha, mesmo sendo novinha. Porque vocês, mulheres, são esquisitas, sabe?

– Sei. Ô, se somos... – concordou a loira, sorrindo. – Tenho 17, estou na flor da idade, como diz a avó do bafafá.

Mais risos. De ambos dessa vez. E nem tinha tanto motivo pra rir, fala sério.

– Não tem como você se achar velha, então.

– Não, não tem... E você? Quantos anos tem?

– Dezenove.

– Jura? Achei que tinha mais!

– É a barba. Ela engana.

Sim, ele tinha uma incrivelmente sensacional barbinha rala.

– Você... você está sozinha?

– Eu? Não! Estou com um grupo. E você?

– Vim com um amigo. Mas, pra falar a verdade, não ligo muito para Carnaval.

– Nem eu. Vim mais pra fazer companhia para uma amiga que queria muito estar aqui hoje.

– E... e... sozinha?

– Menino, acabei de falar que estou com o grupo.

Ai, Inhaaaa!

– Sozinha... Sozinha na vida, eu quis dizer.

Aê, Guimaaaa! Clap! Clap! Clap!

– Na vida? Não! Eu estou sempre muito bem acompanhada! Eu e minhas amigas somos um grude só!

Acorda, Inhaaaaa!, é o que você deve estar querendo berrar no ouvido dela, né?

– Não! – disse Guima. – Eu queria saber se você t... Se você tem... Se... Tem... É... Nada. Deixa pra lá.

Inha não acordou. Garota burra!

– E essa camiseta? – perguntou ela. – Não é melhor você passar uma água? Acabei destruindo o guardanapo nela e piorando o desastre.

– Água. Boa ideia. Quer ir ao banheiro comigo? Não! Essa pergunta ficou péssima! Desculpa! Eu quis dizer que...

Inha riu. Começava a achar aquele menino dos olhos de kiwi e dentes robustos muito fofo. E que cabelo brilhoso!

– ...Que... que eu queria que você fosse comigo. Não! Guima, para! Respira, cara!

Inha achou muito bonitinho ele dar bronca em si mesmo.

– Eu e você no banheiro! Não! Não é isso! Meu Deus! Eu no banheiro e você...

– Para, entendi! Você quer que eu vá pra te ajudar – disse Inha.

– Na verdade, eu... eu... Eu não queria perder você de vista neste formigueiro humano.

Uau! Agora Guima tinha sido perfeito com as palavras. E prosseguiu:

– Já perdi meu amigo, mas ele tudo bem. Amigo a gente substitui em dois tempos.

Atônita, Inha nem piscava. O olho de kiwi não queria perdê-la de vista, superfofo, ok. Mas amigo se substitui em dois tempos?

– É uma piada! Amigo é família! – corrigiu ele, parecendo ler seus pensamentos.

– Aaaah! Que anta! – fez Inha, se achando a personificação da loira burra. – Desculpa, é que eu...

– Não, eu que peço desculpas, sou péssimo fazendo piada, ninguém entende minhas piadas, sempre preciso explicar as piadas e, se tem que explicar piada, não é piada. Na verdade é piada, mas é piada ruim.

– Você é uma piada.

– Sou? – indagou, com cara de ponto de interrogação.

– Isso foi uma piada em forma de elogio.

– Ufa!

– Nunca ouviu que garotas gostam de garotos com senso de humor?

– Eu tenho senso de humor?

– Claro que tem!

– Isso... Isso quer dizer que você gosta de mim? – perguntou, cheio de charme e veneno, parecendo que tinha saído de um anúncio de revista, de tão perfeito.

– Não! Quis dizer que achei fofo a sua falta de jeito e que... Que eu também tenho zero talento para piadas e que... O que eu tava falando mesmo?

– Perdão, mas não ouvi mais nada depois que você disse que não gosta de mim.

– Não! Não foi isso que eu quis dizer! Eu gosto de você!

– Gosta? – perguntou ele, sorrindo com todos os dentes.

– Não é gostaaar, gostar, porque acabei de te conhecer. Como é que vou gostar de você?

– Sei lá, gostando. Eu gosto de você.

– Gosta? – perguntou Inha, espantada.

Ela estava MORRENDO para contar para as amigas que um menino lindo de olhos verdes e barba ralinha, que certamente era dos mais bonitos ali, disse que gostava dela. Na sua cabeça, meninos lindos gostavam de meninas lindas. E ela não se achava assim, linda. Não se achava feia, que fique claro. Mas linda? Não.

Ficou mais vermelha que ketchup e esperou calada a próxima frase do diálogo carnavalesco.

– E então, Inha? Como fazemos? Você fica aqui me esperando ou vem ao banheiro comigo?

– Garotas que gostam de ir ao banheiro com as amigas, você sabe, né?

– Eu sei! Essa frase está muito mulherzinha! E eu não sou gay, tá? Nada gay. Não que tenha algo de errado com gays, pelo contrário, adoro gays, mais que adoro, amo gays, estou sempre com gays, vários amigos gays, gays são ótimos, gays são...

– Tá. Para de falar e anda, vamos logo pra esse banheiro! – gargalhou Inha, com vontade.

Aquele diálogo sobre gays estava engraçado, Guima a um passo de dizer que sim, era gay, sim, supergay, megagay, o presidente da associação brasileira dos gays, praticamente um travesti. O garoto bonito era desajeitado com as palavras e isso, por incrível que pareça, o deixava ainda mais bonito.

– Ok, essa frase também não ficou boa – Inha ruborizou. – Que menina diz para um estranho que quer ir logo para o banheiro, meu Deus? Foi péssimo!

Mais risos. Agora sem olhos para o chão. Os olhos dos dois se cruzaram por um, dois, três segundos.

O tempo parou.

– Eu te espero do lado de fora enquanto você limpa a sujeira que fiz. Combinado?

E Guima concordou sorrindo com aquela boca linda, cheia de dentes grandes e impecavelmente brancos, balançando o cabelo mais brilhoso que Inha já tinha visto.

Você deve estar se perguntando: e Tati e Kaká? Inha não estava morrendo de vontade de contar para suas melhores amigas que tinha, enfim, depois de longos e tenebrosos meses de sofrimento pós-fim-de-namoro, conhecido alguém interessante?

Vou te contar: Inha nem lembrava quem eram Tati e Kaká. Tá bem, tá bem, exagero. Claro que lembrava, mas não estava nem aí para a dupla. Naquele momento, só existiam ela e Guima. Além do mais, a menina do nariz perfeito sabia que jamais se perderia das amigas. Mas do Guima, ela não queria sequer correr esse risco.

Subiram rumo ao banheiro e, assim que chegaram na porta do masculino, Inha disse:

– O certo seria EU dar um jeito na sua camiseta, já que EU que derrubei coisas nela.

– Imagina! Não quero te dar esse trabalho.

– Trabalho nenhum. Me dá a camiseta que eu trago ela novinha pra você.

E, nesse minuto, se esta história fosse um filme, seria uma daquelas cenas em câmera lenta, sabe? O divo do Guima tirou a camiseta e Inha, disfarçadamente, claro, deu uma olhada e viu o tanquinho mais tanquinho que já tinha visto na vida real; a câmera faria uma festa com vários closes do guapo. Ela se esforçou para não deixar o queixo cair com tamanha beleza abdominal. Em ídolos adolescentes e revistas, a garota via sempre barriguinhas como aquela, mas em carne e osso, em músculos e gominhos, era a primeira vez. Sem *Photoshop*, ali, na sua frente.

Fez cara de paisagem, como se vivesse rodeada de meninos lindos de abdômen sarado, pegou a camiseta e entrou voando no banheiro. Lavou o que estava sujo com água e sabão e ainda secou com a ajuda de um secador de cabelos que estava à disposição da mulherada na bancada da pia.

– Uau! Linda e prendada? Assim eu me apaixono!

Uau! Ouvir "linda" e "apaixono" numa mesma frase tem o poder de derreter qualquer coração, mesmo os menos moles, mesmo os que ainda estão convalescendo de términos bruscos, como era o caso da loirinha. O "prendada" não precisava. A avó dele que falava "bafafá" deve ter lhe ensinado essa palavra. Ainda bem que Inha passou batido por ela.

– Prendada?

Ok, Inha não passou batido por ela.

– Você tá falando isso agora porque não me viu na cozinha. Ninguém faz uma mousse de chocolate melhor do que a minha.

Olha aí! Inha toda saidinha! Fazendo propagandinha da moussezinha!

– Quer dizer que além de ser ótima limpadora de camisetas de camarote você também cozinha?

– E costuro, tá? Faço crochê. Sabe crochê?

Gente do céu! Inha estava impossível! Danadinha! Não, "danadinha" é coisa de vó que fala "bafafá". Pilantrinha! Não! Pilantrinha é péssimo!

– Se eu já estava encantado com você antes de saber disso tudo, imagina agora... – suspirou Guima. – Casa comigo?

Oi?

– Oi?

– Oi? – repetiu ele, sem graça. – Q-q-que é isso! Tô brincando! É que você... Você... Você é uma coisa linda, Inha.

Dito isso, Guima, o divo dos dentes grandes e olhos de kiwi, se aproximou de Inha. Inha, por sua vez, começou a morder os lábios, nervosa. Guima segurou seu rosto com as mãos, ela sentiu no rosto o arzinho que saía do nariz dele (ele estava muito, muito perto mesmo), respirou fundo, fechou os olhos e...

– Tenho que descer. Minhas meninas devem estar preocupadas me procurando.

– Suas meninas? – pontuou Guima, ao ouvir a maneira carinhosa de Inha se referir às amigas. – E seu menino aqui?

Bonitinhooo!

A loira suspirou. (Quem não suspiraria?) O divo dos olhos de kiwi estava seriamente empenhado em conquistá-la.

– Guima... Cara, eu não sou dessas. Desculpa, mas... eu... eu não beijo por beijar, não curto clima de pegação, não sou de ficar... E Carnaval é isso, eu sei. Me perdoa se te passei a mensagem errada, mas vim só pra fazer companhia para uma amiga mesmo. Sou antiga, como diz minha mãe. Nasci na época errada.

– Eu entendo, eu só queri...

– Desculpa, sei que muita gente acha ridículo, mas não consigo. Esse negócio de beijar alguém que acabei de conhecer não combina comigo. Não posso me violentar... Desculpa... Você é muito gente boa, foi ótimo te conhecer. Mas tchau.

Mas tchau?

"Mas tchau", foi terrível!

Dito isso, Inha saiu em disparada rumo ao andar de baixo, onde esperava encontrar Tati e Kaká apreciando as escolas de samba.

Era muito doida mesmo! Menino lindo, sorridente, bem-humorado, fofo e cheiroso. Falei que ele era cheiroso? Era. Muito. Não de perfume. Cheiro bom de sabonete bom. Sabe como é?

Você deve estar se perguntando se ele foi atrás dela.

– Ei! Como "tchau"? Eu não quero me despedir de você agora.

Sim! Ele foi atrás dela!!! Oba!

– Se não quiser me beijar tudo bem – falou ele. – Vai ser um desperdício, porque meu beijo é ótimo, mas...

Inha riu, entre sem graça e encantada. Como era fofo aquele garoto!

– E não vim aqui pra pegar ninguém! Vim para tentar me divertir. Não estou num momento festivo, digamos assim – desabafou Guima, agora com o semblante opaco, que em nada combinava com a energia que tinha demonstrado até então.

Percebendo sua tristeza, Inha achou melhor não se aprofundar no assunto, não lhe fazia bem ver o menino do cabelo brilhoso cabisbaixo.

– Carnaval é isso aí. Alegria. Que bom que você veio dar uma chance para a diversão.

Kiwi deu um sorriso de boca fechada, daqueles em que os olhos sorriem mais que qualquer outra parte do rosto, que deixou bambos os joelhos de Inha.

– Que tal a gente procurar suas amigas e meu amigo e ficarmos todos juntos no mesmo grupo?

– Combinado. Mas antes eu preciso fazer uma pergunta.

– Não vou te beijar, Inha. Não adianta insistir! – brincou ele.

– Paraaaaa! – ruborizou ela, rindo boba.

– Não, não tenho namorada.

– Ai, que metido! Eu jamais faria essa pergunta, nem tava pensando nisso – ela mentiu descaradamente. Por dentro, Inha estava dando 897 pulinhos de felicidade, comemorando o fato de Guima ser solteiro! Solteiro! Solteiro!

– Desculpa... Viajei... Você nunca perguntaria uma coisa dess...

– Que xampu você usa?

– Quê?

– Que xampu você usa? Essa é a pergunta.

Entre surpreso e extasiado, o garoto da barbinha rala sensacional respondeu apenas:

– Sei lá.

Meninos, esses seres que não entendem nada de xampu... Tsc, tsc, tsc...

Em busca dos amigos perdidos, desceram para o primeiro andar e nada. Procura daqui, procura dali... Tati, Kaká e companhia tinham evaporado. Subiram de novo para procurar mais. Nenhum deles estava no andar de cima. Mais um lance de escadas e os dois deram de cara com o Jorge Ben Jor cantando sambinhas que todo mundo sabe cantar. Assim que pisaram na pista para procurar as meninas, o rei do sambalanço começou Ive Brussel (aquela do "eu quero Ive Brubrussel, brubrussel, brubrussel").

– Quando eu era pirralha, eu cantava "eu quero ir livre pro céu, pro pro céu, pro pro céu"... – cantou Inha.

Guima riu. E disse a fofura das fofuras.

– Que céu, o quê? Quero você aqui comigo. Livre, mas em terra firme – comentou ele. – Dança comigo?

Como dizer não para aqueles olhos, aquele sorriso, aquilo tudo?

Ambos estavam com as mãos geladas, apesar do calor. Ambos tensos, apesar de não haver nenhum motivo aparente para tensão. Mas uma tensão boa, uma mistura de pontos: interrogação, exclamação e reticências. Uma loucura gramatical.

E não é que, além de tudo, Guima dançava bem? Não pisou nem uma vez no pé de Inha, tinha ritmo, molejo. E não tentou beijá-la nem uma vez, o que significava muito no mundo particular em que vivia a futura nutricionista.

A cada compasso, os dois relaxavam mais. A cada verso, a cumplicidade dançante crescia, a ponto de Inha se permitir encostar o rosto no ombro de Guima. Assim, sentiu mais uma vez seu cheiro. Cheiro de banho. E o xampu que ele não sabia o nome também era cheiroso à beça.

Ele, por sua vez, se permitiu fechar os olhos, enquanto dançava, com seu nariz levemente pousado no pescoço de seu par. O perfume de Inha era bom, leve como ela. Por um minuto, Inha também fechou os olhos. E sorriu sem perceber que estava sorrindo.

Acabou a música.

– Uau! Adorei subir e dar de cara com o Jorge Ben Jor cantando. Minha mãe vai morrer quando eu contar – disse Inha.

– Meus amigos vão morrer quando eu contar.

– Seus amigos?

– Meus amigos gringos. Estudei lá fora e conheci um bando de gringos loucos por samba. A nossa música é muito boa, né? Neguinho lá pira. E o povo aqui só gosta de ouvir coisa de fora. Vai entender o brasileiro!

– Eu acho a mesma coisa! Minhas amigas só querem saber de música internacional, e eu AMO nossa música, amo nossos artistas. Céu, Roberta Sá, Maria Rita, Criolo, Clarice Falcão...

– Karina Buhr, Tulipa Ruiz, Érika Martins, Marcelo Jeneci...

– Eu amo Jeneci! Amo muito! Coisa mais linda...

– Ele ou a música dele?

– Ele *e* a música dele – entregou Inha, envergonhadinha. – E Moska? Você gosta? Eu sou louca por ele! O Moska é... é...

– Gênio!

– Isso! E pouca gente da minha idade ouve Moska. E ele é O cara! Que letras são aquelas?

Que sintonia era aquela?

Os dois ficaram um tempão conversando sobre música, versos inesquecíveis, Chico, Caetano, Zé Keti...

– "Vou beijar-te agora, não me leve a mal, hoje é Carnaval..." – cantarolou Inha, em alusão à pérola "Máscara Negra", do mestre Zé Keti, entoada há tantos carnavais.

– Isso foi uma indireta? Aquele papinho de "não sou dessas que beijam no primeiro encontro" era mentira? Diz que era...? – Guima fez piada.

"Diz que era, por favor?", repetiu dentro de sua cabeça. Ou de seu coração, vai saber.

Inha ruborizou. Mas ruborizou num grau! Virou um pimentão.

– Não! Claro que não! Por que eu ia mentir? Eu não preciso ment...

Foi a vez de Guima vermelhar.

Ai, que fofoooos!

– Calma, eu estava brincando. Desculpa... Às vezes, eu esqueço que sou ruim de piada.

Ela baixou os olhos balançando a cabeça, embaraçada.

– Eu que peço desculpas... É que a gente tava falando do Zé Keti e eu amo tanto essa música que cantei sem perceber.

Estava difícil para Guima disfarçar seu encantamento ao ouvir Inha se explicar. Seus olhinhos de kiwi pareciam soltar purpurina.

– Olha que ironia... Você queria saber o nome do meu xampu naquela hora, mas tudo o que eu quero saber agora é qual o seu defeito. Porque não é possível, algum você tem, não pode existir uma garota tão perfeita.

Os olhos de Inha acenderam. Ela estava louca para saber qual era o defeito daquele garoto simpático, lindo, divertido, que dançava bem, sambava com charme e gostava das mesmas músicas que ela. E logo ela descobriu que curtiam os mesmos filmes e livros, a sintonia era absurda. Parecia que se conheciam havia anos. O encantamento era mútuo e evidente. Mas, machucada com a história de Alex, algumas feridas ainda abertas, Inha estava com o pé atrás. Os dois pés atrás.

Por mais que ele já tivesse dito que não tinha namorada, como é que um menino perfeitinho como aquele estava sozinho e solteiro num camarote?

– Fala sério, Guima! Tô te procurando há horas, cara! Só mulher filé neste camarote!

– Paçoca, Inha. Inha, Paçoca.

– Ah... Oi. Prazer. Desculpa.

– Paçoca? – perguntou Inha.

– Apelido de criança – contou o garoto, ainda sem graça pelo "só tem mulher filé".

– O Paçoca conseguia botar na boca umas mil paçoquinhas, daquelas quadradinhas, sabe? E cantava o hino do Flamengo sem engasgar nem cuspir um farelinho – explicou Guima.

– Uau. Isso é que é talento – ironizou Inha.

– Eu chamaria de dom – Paçoca fez graça. – Meu pai faz paçoca. Então eu tinha que incentivar meus amigos a comerem a paçoca do meu pai, poxa.

– Ele não simplesmente "faz" paçoca. Ele é O cara da paçoca no Rio de Janeiro. Tem fábrica de paçoca, emprega um monte de funcionários com o negócio chamado paçoca – esclareceu Guima. – Explica direito, cara!

Inha riu.

– Foi mal, mas você falou do Flamengo, tá cheio de jogador aqui, o Zico tá aqui, mermão! Ou seja, Deus está entre nós! – contou, visivelmente abalado com a presença do ídolo rubro-negro.

– Eu vi. Tá com a família toda – falou Guima.

– A turma do futebol tá em peso neste camarote, até o que tá pegando a Kero-Kero veio.

– Você viu o Wylsinho? – indagou Inha.

– Tu é flamenguista também? Toca aqui, sangue bão!

– Claro que não. Tricolor de coração.

– Eu também! – exclamou Guima.

– Mentira! Que máximo! – vibrou a loira.

É. Vibrou. Vibrou mesmo, você não leu errado. Foi uma vibração tipo um quase-pulinho e palminhas empolgadas acompanhadas de sorriso escandalosamente escancarado.

— Sério! Quando eu era pequeno, meu avô me levava para ver os trein...

— Iiiih... Entendi tudo. Olha só, gente, bonitinho, saquei, vocês estão naquela fase de time, signo, músicas, filmes. Vou nessa.

— Não! Onde está o Wylsinho? — insistiu Inha.

— Tu é tricolor e quer tietar o rubro-negro?

— Não!

— Já sei! Tu é fã da Kero-Kero! Aposto que sabe cantar "Encalhada" de trás pra frente.

— Imagina! Taí um tipo de música que nem passo perto.

— É? Eu acho que tem seu valor, sabia? Tem partes bem divertidas.

"Ai, que máximo! Ele ouve Kero-Kero e diz que ouve pra uma garota que mente descaradamente dizendo que não ouve... Quero esse menino pra mim!", maquinou o cérebro de Inha, em parceria com o coração, claro. "Será que quero mesmo?", voltou atrás, com medo.

Ainda doía ter sido abandonada por Alex. O amor interrompido de uma hora para outra, o fato de ter sido trocada, a humilhação na escola, a decepção imensa, a mágoa... Ela ainda não conseguia pensar em se apaixonar de novo. Sim, paixão! Não sabe como são as garotas românticas? Elas se apaixonam, são intensas de nascença, sonham, montam castelos, fazem filmes na cabeça... Mesmo que seja com uma pessoa que elas acabaram de conhecer.

A cada minuto que passava, mais Inha gostava de Guima. Ele era tudo! E pensar que um dia ela havia acreditado que Alex era tudo. Mas ele era nada. Nada, nada, nada!

O diálogo continuou:

— Paçoca, eu estou com a irmã do Wylsinho. E se você o viu por aí, certamente viu a minha amiga e eu vou finalmente encontrá-la. Tô procurando eles há séculos.

– Jura que você tava procurando alguém? Não deu pra perceber. Mas deve ser porque sou distraído demais... – debochou Paçoca.

Inha e Guima se entreolharam, cúmplices. Eles sabiam que não estavam procurando ninguém, nem Paçoca, nem Tati e companhia.

– Acabei de cruzar com eles – disse o gaiato amigo de Guima. – Estão aqui neste andar mesmo.

Não demorou muito para os três acharem a funkeira, sempre rodeada de muitos flashes. Em pouco tempo, a turma toda estava reunida.

– Por onde você andou, Inha? O banheiro fica numa realidade paralela, por acaso? – interrogou Tati.

– Hum, já entendi o motivo da demora... – falou Kaká, perspicaz que só ela, apontando discretamente para Guima, cutucando a subcelebridade incessantemente.

Inha se fez de sonsa. Riu sem querer rir, baixou a cabeça, botou os cabelos para trás das orelhas, riu boba de novo, olhou para um lado, olhou para o outro.

– Caraca, que espetáculo! Ficha completa, anda! – pediu Tati.

– Ãhn? O quê?

– Não se faça de sonsa, dona Flávia Torres! Desembucha! Quem é o bofe? – pediu Kaká.

– Ah! O Guima? – a loira fingiu surpresa. – É uma longa história.

– Longa? Tá louca? Você sumiu há pouco mais de uma hora! Não dá pra EXISTIR uma história longa em uma hora! – implicou Kaká.

– Não importa se é longa ou curta! Conta! – insistiu Tati.

– Conta o quê? – quis saber o kiwi ambulante. – Oi, muito prazer, meu nome é Guima.

Opaaaa!

Tati teria que esperar um pouco para saber do curioso caso do esbarrão que virou um encontro cheio de sintonia.

Narrado com riqueza de detalhezinhos, claro. Inha era uma garota, e garotas são especialistas em detalhezinhos.

– Guima, essa é a Tati e essa é a Kaká. Minhas melhores amigas.

– Meu irmão é namorado da Kero-Kero. Te vi olhando para o coxão dela. Ela tem dono, tá? – brincou Tati, matando Inha de vergonha.

– Impossível. Não tenho o menor interesse em meninas saradas desse jeito. Gosto assim, do jeitinho da Inha.

– Morri! – exclamou Tati. – Arrasou na resposta, bofeee! Eu sei que você não olhou, estava só te testando! Isso aí, tem que dar valor pra minha amiga!

Inha chutou com força a canela da tagarela.

– Ai! Que agressividade é essa, *fia*?

Arregalados, os olhos da loira fuzilaram os da amiga sem filtro. Kaká salvou a pátria.

– Aquele que está conversando com o Wylsinho chegou com vocês. É seu amigo, Guima?

– É meu melhor amigo. A gente se conhece desde criança. Flamenguista doente. Tô vendo a hora que vai pedir uma foto com o seu irmão, Tati.

– Ih, ele vai ficar todo bobo. Ninguém quer saber dele, só da Keikei.

– Keikei? – repetiu Guima.

Neste momento, a voz grave do locutor da Sapucaí anunciou que a azul-e-branco de Oswaldo Cruz cortaria a avenida em instantes. Aplausos gerais, bandeirinhas estampadas com a águia mais famosa do samba eram sacudidas freneticamente nas arquibancadas.

– Gente, vai começar a Portela! Vamos lá pra frente catar um lugar! Preciso ver! É a minha escola!

– A minha também, Inha! – disse Guima.

– Paraaaa! – reagiu ela, dando um tapinha bobo no peito do garoto.

– Ai! Não precisa me bater! – ele reclamou de brinca-deirinha. – É verdade! Não ligo nada pra Carnaval, só para a Portela.

– Eu também!!! – sorriu Inha, com faíscas pulando de suas pupilas.

Kaká e Tati se entreolharam, satisfeitas. Era a primeira vez que viam a amiga genuinamente feliz, flertando com alguém depois do término com Alex. E que alguém!

– Bem feito pro Alex! Ele vai morrer quando vir esse deus grego com a Inha! – Tati sussurrou para Kaká.

– Tomara que dê em alguma coisa, né? Ia fazer tão bem pra Inha esquecer aquele idiota. E com um garoto bonito desses fica mais fácil, né?

– Engraçado... A cara dele não me é estranha, sabia?

– É, Tati? Pois eu nunca vi esse menino na vida.

Inha comunicou às amigas que estava indo para a frisa ver de perto sua escola do coração.

– E aí? Tá rolando?

– Não tá rolando nada, Tati. Ele é um cara muito legal e a gente está só conversando.

– Muito besta mesmo! Um divo desses e você perdendo tempo conversando. Aff!

– E o amigo dele?

– Ah, Paçoca, vem cá! Deixa eu te apresentar para as minhas amigas. Kaká e Tati, esse é o Paçoca.

Paçoca, gaiato e galante, beijou a mão de ambas como um cavalheiro do século retrasado.

– Encantado – disse, solene.

As meninas sorriram.

– Kaká, confesso que, quando te vi, pensei que seu nome era Tamara.

– Por quê? Eu tenho cara de Tamara?

– Não, é porque você *tá mara*vilhosa!

Kaká revirou os olhos, fingindo achar graça da bobeira pseudoconquistadora.

– E você? Como você se chama, Paçoca? – ela continuou a conversa, mesmo depois da cantada infame.

– Arlindo. Mas pode me chamar de lindo, porque o ar eu perdi quando te vi.

Meu Deus!!!

– Vai ser isso a noite toda? – questionou Kaká. – Não é por nada, só quero saber para me preparar psicologicamente para tanta... poesia – ironizou.

– Não – Paçoca riu, sem graça. – Prometo me comportar. Mas é que a sua beleza é... Deixa pra lá... Meu nome é Fábio. Fábio Gustavo, mas esquece o Gustavo, isso é invenção da minha mãe, que queria ter filho com nome duplo pra meter mais medo na hora da bronca.

– Não implica com seu nome, não! Podia ser pior! Você podia ter nascido menina e sua mãe ter te batizado de Tatielly Cristinny – Tati se intrometeu na conversa.

– Aí não vi vantagem! – gracejou Paçoca.

Os três riram. A sintonia estava boa, todos ali pareciam se conhecer havia muito tempo.

– Beleza, gente. Ainda bem que vocês já estão entrosados. Tô indo lá pra frente com o Guima – avisou Inha, já dando as costas para as amigas.

E com a rapidez de um voo do Super-Homem, ao virar-se para caminhar em direção à grade da frisa, a menina sentiu sua mão esquerda ser "raptada" por outra mão. Uma mão firme, macia, forte e carinhosa ao mesmo tempo: a mão de Guima.

De costas para ele, ela arregalou os olhos, surpresa, com o coração mais acelerado do que a bateria da escola que se fazia ouvir, mesmo ainda distante. E de olhos arregalados e sorriso abestado no rosto, caminhou, seguida de perto por ele, com os dedos entrelaçados com os dele! Sim, os dois estavam de dedos entrelaçados! Dedos entrelaçados! Dedos entrelaçados!

– Se a Inha não pegar esse garoto eu vou dar tanto na cara dela, mas tanto... – falou Tati, ao ver o entrelaçamento de mãos.

– Até parece que você não conhece a Inha! Essa aí não beija na primeira vez nem por um decreto!

– Será que ela vai resistir ao charme do Guima? Não é porque é meu amigo, não, mas se eu fosse mulher casava com ele! – brincou Paçoca.

A grade da frisa, como era de se esperar, estava lotada. As pessoas, espremidas, se acotovelavam para ver a Portela passar. Estava difícil conseguir um lugar vago por ali.

– Quer que eu te levante um pouquinho?

Inha ficou tão sem graça, mas tão sem graça...

"Por que minhas bochechas ficam vermelhas toda hora com esse menino?! Que vergonha!", pensou a loirinha, ficando mais vermelha ainda.

– Que foi? Sou forte, garota!

Ela apenas sorriu e fez que sim, timidamente com a cabeça, dando a deixa para Guima pegá-la pela cintura e levantá-la para que ela visse sua escola preferida começar a riscar a Sapucaí.

– Pode me botar no chão? – pediu ela, depois de alguns instantes, ao sentir os braços fortes de Guima tremerem.

– Posso ficar com você aí em cima a noite toda.

– Não pode não! Me bota no chão! A escola ainda tá entrando na avenida, assim você vai se cansar – riu ela. – Ou ter um ataque do coração. Ou morrer. E eu vou te largar mortinho aí, porque não posso deixar de ver a Portela passar.

Guima sorriu. E debochou do comentário de Inha:

– Bom saber que posso contar com você nas horas difíceis. Bem legal imaginar meu corpo estirado no camarote e você sambando em cima dele.

– Não em cima. Perto! – Inha fez gracinha. – Sério, você foi um fofo.

– Fofo e forte, vai.

– Isso, fofo e forte. Quando a comissão de frente estiver chegando, vou querer ver de cima de novo, tá?

– Combinado!

– Brigada! – disse Inha, puxando Guima para um rápido abraço de agradecimento.

Rápido mesmo, para não ficar com a cabeça povoada de pensamentos românticos, como era de seu feitio. Mas, mesmo com tanta rapidez, enquanto sua cabeça repousava no ombro de Guima, Inha viu o que não queria ver e, desconcertada, a futura nutricionista deixou escapar um suspiro triste.

– Que foi?

– Nada.

– Nada? Uau! Não saber mentir é uma das suas mil qualidades, então... – afirmou Guima. – Desculpa, se não quiser falar, não precisa, eu só...

– Meu ex. Meu ex e a namorada estão aqui – contou Inha, surpresa por Guima já conhecê-la tão bem em tão pouco tempo.

Pense em uma bomba explodindo. Multiplique por dez e entenda como estava o coração da loirinha naquele minuto. Alex e Aline estavam no recinto, senhoras e senhores! Alex e Aline, o casal que a tirava do sério, que lhe trazia lembranças tristes, que a fez sofrer por meses, estava ali, a alguns passos de distância.

"Cabelo horrível, bolsa inacreditável, maquiagem tétrica. Garota mais sem graça! Perna de gazela, queixo ridículo, boca de pato... O que o Alex viu nessa água de salsicha?", Inha se perguntou, ao observar os dois posando para uma selfie.

A loirinha baixou os olhos. Não queria ter esse tipo de pensamento sobre a rival, mas ela era mesmo a maior água de salsicha da face da Terra! Só não deveria mais incomodar tanto a amiga da cunhada da Kero-Kero, gerar nela tanta raiva contida que não faz bem para ninguém. Até porque foi o Alex que quis terminar o namoro!

Kiwi a abraçou forte. Inha quase derreteu. Tudo bem, seu coração acelerou quando ela viu Alex e Aline juntos, mas parecia muito mais acelerado agora. E era um acelerado bom, gostoso de sentir. E, enquanto a bateria que morava no seu peito arrasava na evolução, ele deu um beijo carinhoso no espaço de pele que separa a nuca do ombro. E ela sentiu um calafrio.

É! Um calafrio!

"Que fofo! Será que ele queria me dar mais que um beijo na nuca e ficou com vergonha? Não, já falei mil vezes que não beijo fácil, que sou chata... Ele tá sendo amigo mesmo. Só", matutou Inha. "Que pena", concluiu, entre decepcionada e feliz. Feliz, sim! Por uns bons instantes ela esqueceu completamente o casal que até dois segundos antes a estava incomodando mais que um cisco gigante no olho.

"Será que fui longe demais com esse beijo? Foi tão espontâneo, me fez muito mal vê-la triste... Só quero mostrar para ela que estou aqui, que ela pode contar comigo, que sou amigo... Guima, quem você está enganando? Você tá doido pra beijar essa garota, mas ela é simplesmente a garota mais difícil do planeta! Espero que minha atitude não tenha espantado a Inha! Não quero que ela pense que avancei o sinal! Não, não avancei. Ela continua me abraçando forte! Que bom!", conjecturou Guima, com os olhos fechados e um sorriso indisfarçável nos lábios. "Não quero sair de perto dela..."

O abraço durou mais um tempo. Não um tempo que dá para se contar no relógio, mas um tempo que existe só no coração.

Ownnn...

Tá, parei!

A comissão de frente estava começando a passar diante do camarote, quando o abraço, enfim, terminou.

– Não acredito! A comissão de frente! – gritou Inha, empolgada.

E imediatamente Guima a pegou pela cintura novamente e a levantou. Sorrindo, encantada, a loirinha aplaudiu muito. E foi inevitável. Ela nem sabe como aconteceu, mas seus olhos encontraram os de Alex encarando-a firmemente.

E ela desviou o olhar para a avenida assim que isso aconteceu. E, imediatamente depois, olhou de novo para o ex. E ele continuava olhando para ela.

E ela nos braços daquele divo! A vida foi tão bacana com Inha naquele momento...

– Pode me botar no chão? Já vi bastante.

Em terra firme, ouviu de Guima uma proposta que a deixou em choque.

– Se quiser deixar seu ex-namorado com raiva e fazer ciúme, pode contar comigo, tá?

"Ai, será que peguei pesado?", pensou ele, arrependido. "Ah, como diz o samba, 'quem não chora, não mama'."

– Você faria isso por mim?

"Não acredito que falei uma coisa dessas! Eu não quero fazer ciúme pro Alex... Ah, que se dane! Quero sim!", considerou Inha.

– O sacrifício de ficar te abraçando e falando sempre bem pertinho do seu ouvido, mexendo no seu cabelo e te dando um monte de beijos? Respeitosos... Mas beijos? Faria – respondeu ele, maroto. – Beijos longe da boca, já entendi essa parte. Fica tranquila.

Inha olhou nos olhos verdes kiwi de seu parceiro de ziriguidum e sorriu, entre tímida e fascinada, e charmosamente virou-se para o lado oposto.

Peraí! Isso era um sinal! Sinal de que ela podia estar repensando sua convicção de não beijar no primeiro encontro.

Enquanto a Portela avançava na avenida, Guima foi para trás de Inha e, com os braços, envolveu seu corpo, como um casal fofamente carnavalesco.

E ela respirou fundo, bem fundo.

Lentamente.

E ele se viu respirando junto com ela, profundamente, no mesmo ritmo.

– Você foi apaixonada por ele?

Opa! U-opaaaaa!

Inha pensou pouco para responder:

– Fui. Muito apaixonada.

Pensou mais um pouco e, sem entender bem por quê, questionou seu parceiro de avenida:

– E você? Já se apaixonou alguma vez?

Guima deu uma bela pausa antes de responder:

– Não.

Algo estava acontecendo... Algo muito bom estava acontecendo. Algo inédito estava acontecendo. Algo...

Tá bom, parei! Até porque o que vem a seguir é muito melhor do que descrever o que estava acontecendo.

Ao pé do ouvido da loira do nariz perfeito, Guima fez uma simples pergunta:

– Será que ele está vendo nós dois abraçadinhos aqui?

– Quem?

Ups! Guima arregalou os olhos.

Inha arregalou dez vezes mais, espantada consigo mesma.

Como assim "quem"? "Quem"? A respiração de ambos estava suspensa.

– O seu...

– O meu... O meu Alex? O meu ex-Alex? O meu ex! – Inha o atropelou. – Claro que sei quem. Dã-ã! Tava brincando.

"Você mente muito mal. E gosta de mim! Você gosta de mim!", era tudo o que Guima gostaria de ter dito. Mas não disse. Nada disse.

Longos segundos de silêncio passaram-se vagarosamente. Silêncio que parecia interminável. Silêncio incômodo pra caramba! Tanto que Inha não aguentou. Virou-se para ele e quis saber:

– Que foi?

– Nada.

– Você mente mal, sabia?

Ele apenas sorriu. Mais silêncio.

Cortado por Inha, naturalmente.

– Sério, Guima, não vai dizer que não acreditou em mim. Obviamente, eu sabia que você estava falando do Alex!

– É você que está dizendo isso, eu não falei nada.

– Pois é. Por isso tô preocupada. Você fala. Digo, você é um garoto que gosta de falar.

Outro sorrisinho. Dessa vez indecifrável.

– Que foi?

– Que foi o quê, Inha?

– Esse risinho safadinho aí que você deu.

– Risinho safadinho? – repetiu ele, agora gargalhando. – Risinho safadinho nenhum! Me deixa, garota!

– Paraaaa! Você ficou estranho de repente! – comentou Inha, sentindo a bochecha ruborizar.

– Eu? Só porque não tô falando muito pra ver minha escola desfilar?

– Você não acredita que eu tava brincando?

– Por que eu não acreditaria em você? Espera, vou reformular a pergunta: por que você mentiria pra mim?

Muitas palavras invadiram o cérebro da loira sem pedir licença. "Pensa, Inha! Pensa e dá uma resposta inteligente! Esse menino vai achar que te fez esquecer o Alex! E ele não pode pensar isso, você acabou de conhecê-lo! Mas ele me fez esquecer o Alex! Espera, foca na resposta! Resposta incrível, resposta fenomenal, resposta madura."

– Você é bobo.

Oi?

Sério?

"Não acredito que mandei um 'você é bobo'! Gente, o que esse menino tá fazendo comigo?", questionou Inha.

Se livro tivesse trilha sonora, a música deste momento seria uma bem romantiquinha. Fica à sua escolha. Mas nem pense que vem beijo a seguir. Inha não beijava. Lembra?

Enquanto isso, no cercadinho VIP que o camarote improvisou para acomodar Kero-Kero e seus amigos, e assim livrá-la do assédio insano dos fotógrafos e dos fãs...

– Quer ficar comigo?

Uau, Paçoca estava mesmo de quatro por Kaká.

– Menino, para com isso! – ela riu, sem graça. Ele não fazia seu tipo. E não tinha nem um resquício de sangue azul correndo por aquele corpo avantajado. Sim, Paçoca era gordinho. Feliz e bem resolvido.

– Na boa, Kaká, se quiser ficar comigo dá um sorriso. Se não quiser, é só dar um mortal pra trás que eu paro de insistir agora.

Kaká não resistiu e riu. Aquele menino era mesmo uma figura.

– Ela riu, Brasil! Ela riu! Posso ter esperanças?

– Não! – ela respondeu, mas de um jeito tão fofo que deixou Paçoca mais encantado ainda.

– Vocês vivem dizendo que mulher gosta de rir. Eu, que sou feio e gordo, tenho que caprichar no humor.

– Você não é feio...

– Ela me acha lindo, Brasil!

Kaká só ria.

– Todo mundo fica me zoando, perguntando se, por causa da minha barriga, eu ainda consigo olhar pra baixo e ver meu pé. Qual a grande parada de ver o pé? A gente não vê nossa bunda, por que essa fixação em ver o pé, meu Deus?

– Você é engraçado, Paçoca...

A Beija-Flor já adentrava a avenida, e Inha e Guima ainda estavam lá, no mesmo lugar, conversando de pertinho, cada vez mais próximos.

– Não insiste, Guima... Por favor... Pode me chamar de velha, careta, antiquada... Mas eu... Eu...

– Eu não ouço a palavra "careta" há muito tempo. E quem disse que eu quero te beijar? Eu tava só querendo ajeitar seu brinco, bobona.

– Bobona?

– Bobona foi péssimo?

"Não, 'bobona' foi lindo! 'Bobona' foi a coisa mais linda do mundo! O que eu faço com você, garotoooo?", Inha gritou por dentro.

Passou a escola de Nilópolis e, em seguida, entrou a União da Ilha. No intervalo, comentários sobre o desfile, com direito a detalhamento de fantasias e evolução, conversas fofas, risos intermináveis, olhares cada vez mais demorados e desconcertantes. Quando a Unidos da Tijuca, a última escola da noite, foi anunciada...

"Eu quero beijar esse menino. Eu preciso beijar esse menino. O que está acontecendo comigo?", pensava Inha, quando seu celular vibrou. Era uma mensagem de Tati.

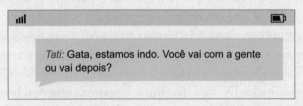

Tati: Gata, estamos indo. Você vai com a gente ou vai depois?

Olhando para o celular, Inha não sabia o que responder. Claro que não queria, mas sabia que o certo era ir com as amigas. Não só certo. Mais fácil, mais conveniente e mais correto do que ficar lá passando para o Guima a ideia de que queria ficar com ele. Mas, peraí! Ela QUERIA ficar com ele. Garotas... Tão complicadinhas...

– Que foi? – Guima perguntou.

– Tenho que ir... As meninas estão me chamando.

– Não... – lamentou com cada centímetro de pele de seu rosto irretocável.

– Sim... – fez Inha, sem esconder a tristeza.

"Fala que se eu for embora você também vai, que não tem sentido ficar aqui sem mim! Fala!", suplicou ela em pensamento.

"Quero tanto ir junto, mas se eu disser que vou também, ela vai achar que estou avançando o sinal, que quero ir só para tentar um beijo no caminho. E ela já disse mil vezes que não fica com ninguém que acabou de conhecer... Não tem o menor sentido continuar aqui sem você, Inha", ele disse para ela com os olhos. Mas com a boca, o que saiu foi o seguinte:

– Você me dá seu telefone? Telefone não é beijo, você pode dar...

– Claro que te dou meu telefone – respondeu Inha. – Mas antes eu queria te dar um beijo também...

– Queria? Não quer mais?

– Jura que você vai fazer piada agora? A-go-ra? – a loirinha debochou.

– Desculpa, sou péssimo mesmo de piada! Essa foi pior do que a do tiozão que pergunta se é pavê ou pra comer. Desculpa, é que eu nã...

Que coisa mais fofa! Guima estava nervoso e desandou a falar! Sim, garotos também ficam nervosos quando o assunto é coração! Seu discurso foi interrompido, claro. Lindamente interrompido. De supetão, Inha, a menina que não beijava e gostava de ser difícil, tascou um beijo no cara mais legal que tinha conhecido na vida. Um beijo rápido, mas intenso, emocionante, perfeito.

– Tchau.

– Posso te ligar quando acordar?

Sem esconder a felicidade com a pergunta, Inha respondeu que sim com a cabeça, e correu na direção da saída.

Guima foi atrás dela e a segurou pelo braço. E Inha a-mou a atitude dele. Sentiu-se protagonista de novela. Era praticamente a cena do aeroporto que ela tanto gostava nos filmes, que ela tanto sonhava viver: ser impedida de partir por um grande amor.

Dessa vez, foi ele quem deu-lhe um beijo, agora menos afoito e com mais afeto ainda que o anterior, com mais alma, mais tudo.

– Fica! Vamos ver a última escola juntos. Te levo em casa depois.

– Não dá... – disse Inha, na intenção de manter pelo menos um pouquinho a fama de menina difícil – Amanhã a gente se fala. Você vai me ligar ou é mais um desses que pede o telefone e não ligam no dia seguinte?

– Nunca fui desses, nem com meninas que não me interessavam. Imagina com você, que é a mais linda e especial que já conheci?

"Morrendo em 3, 2...", era a frase que ocupava a mente de Inha quando ela ouviu o que ele falou sobre ela ser linda e especial. "A mais linda e especial que ele já conheceu." Ele prosseguiu com a avalanche de fofurice:

– Te ligo assim que acordar, combinado?

Sorrindo, com corações vermelhinhos saindo em profusão de seus olhos, nariz e boca, Inha fez que sim com a cabeça e voou na direção da saída.

Chegou esbaforida na fila da van que levava os convidados para a Zona Sul. Estava acelerada de cansaço, de euforia, de medo e... de... paixão. Paixão de Carnaval, aquela que Inha tinha certeza que não existia, lembra?

– Não acredito que vim pra este camarote *bafo* e vou sair no zero a zero – resmungava Tati, trocando o salto alto por um chinelo distribuído na saída, para os pés exaustos.

– Você só quer pegar famoso! Fica difícil assim! – brincou Wylsinho.

– Não acredito que a Kaká beijou e eu não!

– Você beijou? Quem? – quis saber Inha.

– O Paçoca... – suspirou a ex-futura princesa.

– Não creioooo! – gritou a loira.

– Nem eu. Tanta gente linda e ela foi ficar logo com esse zé-ninguém.

– Ele não é zé-ninguém! Ele é muito gente boa... Engraçado, cavalheiro... – comentou Kaká, com o olhar lááá longe.

– Por que ele não veio com você? – perguntou Wylsinho.

– Porque ele não quis deixar o Guima sozinho. Mas amanhã a gente vai se falar assim que acordar. Estamos combinando de ir à praia.

– Pelo menos sei que não sou a única no zero a zero. Inha também não beijou ninguém.

– Quem disse que eu não beijei? – a loirinha bancou a enigmática.

– O quê? Até *você* beijou e eu não beijei? O mundo está perdido. Se-nhor! Conta tudo! Eu estava pronta pra te chamar de loira burra! Porque só muita burrice para não beijar aquele deus grego!

– Modos, Tatielly!

– Me larga, Wylsinho! Vai dar atenção pra Keikei, vai! – bronqueou Tati. – Anda! Desembucha! Detalhezinhos! Detalhezinhos!

– Nada pra detalhar. Foi um beijo super-rápido, de despedida.

– Burra. Loira burra!

– Tatiiii! – fez Inha, batendo docemente no braço da amiga implicante. – Tá, foram dois beijos. Super-rápidos. Mas superlindos... – suspirou.

Na manhã seguinte, tocou o telefone da garota que sabia cozinhar e fazer crochê. Ela mal tinha conseguido dormir, pensando num certo garoto. E eram 9 horas da manhã ainda!

"Não acredito que é ele! Já acordou e já está me ligando? Ownnn...", pensou, com um sorriso escancarado no rosto enquanto pegava o celular.

Mas não era Guima. Era a Tati.

"Ah, não! Preguiça! Vou atender não, depois ligo pra ela."

Virou para o lado para dormir mais, mas foi impedida com a quantidade de barulhinhos que o celular fez.

> **Tati enviou uma mensagem**
> **Tati enviou uma mensagem**
> **Tati enviou uma mensagem**
> **Tati enviou uma mensagem**
> **Tati enviou uma mensagem**

Tati queria mesmo falar com ela.

> **Kaká enviou uma mensagem**
> **Kaká enviou uma mensagem**
> **Kaká enviou uma mensagem**
> **Kaká enviou uma mensagem**
> **Kaká enviou uma mensagem**

Kaká também queria muito, muito mesmo, falar com ela.

– O que foi, Tati? – perguntou Inha ao telefone, enxugando a baba do canto da boca. – Você e a Kaká não param de mandar mensagem.

– Você leu alguma?

– Não, preferi ligar logo, fiquei preocupada. Aconteceu alguma coisa?

– Aconteceu.

Silêncio do outro lado da linha. E silêncio, vindo da Tati, não era bom sinal. A loira deu um pulo da cama.

– O que foi? O que aconteceu? Morreu alguém?

– Não! Ninguém morreu! Vira essa boca pra lá!

– Ai, que susto! Poxa, você está toda monossilábica, você não é assim! O que tá rolando?

– Você nem desconfia, né?

– Meu Deus, Tatielly! Claro que nem desconfio, por isso estou te perguntando! Garota doida! Anda, fala!

– Você está em todos os sites! Na capa do G1, inclusive!

– Ãhn?

– Você está em todos os sit...

– Entendi essa parte! Só não entendi o porquê!

– Porque, ao contrário do que você disse, você não beijou pouco...

– Mentira que meus mínimos beijos estão na internet! Que vergonhaaaa!

– Ai, amiga... a parte da vergonha não é essa ainda.

– Ah, não me diz que saí de novo como "Amiga de cunhada de Kero-Kero"! Isso é muita depressão para uma segunda de Carnaval.

Novo silêncio, mas dessa vez Inha conseguia ouvir a respiração ofegante de Tati.

– O que foi? Saiu pior que isso?

– Saiu... Não! Quer dizer... Assim... Ai, amiga...

– Falaaaa!

– Sim, eles te identificaram como minha amiga, mas...

– Mas o quê? Desembucha, Tati!

– Bom, você ia saber de qualquer jeito...

– Fala, garota! Tá me deixando nervosa!

– É o Guima.

– O que é que tem o Guima?

Nesse momento, Inha botou a mão no peito, como se quisesse segurar o coração lá dentro. Ele pulava tanto que parecia querer sair de lá para pegar um ar.

O que tinha o Guima? Seria ele um funkeiro famoso que ela desconhecia? Um ator novato de *Malhação*? Um ex-participante de *reality show*? Um apresentador de leilão televisivo?

– Ele... ele tem namorada.

– O quê?! – retrucou Inha, espantada, atônita, decepcionada.

– Isso mesmo que você ouviu. E ela é muito, muito famosa. Tipo... mundialmente famosa.

Inha suava mais que tampa de marmita, parecia que um sol de verão havia se instalado bem acima da sua cabeça.

– Espera, tenho que ver isso. Já te ligo! – disse antes de desligar, tremendo da cabeça aos pés.

Namorado de Carrie Catherine Shy Goldenblat beija muito em camarote

Eleita é amiga da cunhada de Kero-Kero

– Nãããããoo!!!!!! – gritou Inha, na solidão de seu quarto.

Solidão mesmo. Seus pais tinham viajado e ela estava completamente sozinha, quando tudo o que ela mais precisava tinha nome e sobrenome: Colo de Mãe.

Eram muitos sentimentos para um só coração palpitante. Raiva, mágoa, decepção, irritação. Guima mentiu quando disse que não tinha namorada! O site mentiu dizendo que ele tinha beijado muito (tinha sido só um microbeijo e depois um pequeno beijo, mais rápidos que lambida de cachorro antissocial). E foi a primeira vez na vida que ela beijou um garoto assim, de primeira. Que azar!

Ah! E Carrie Catherine Shy Goldenblat era simplesmente a mulher mais linda do mundo, a top mais bem paga, o abdômen mais sequinho, a *angel* mais invejada da Victoria's Secret!

O mundo de Inha tinha desabado em segundos.

Na matéria, que ela leu assim que desligou o telefone, fotos de Guima com Carrie Catherine Shy Goldenblat em cenas românticas rasgaram mais ainda seu peito. Eram momentos deles no Caribe, no show do Maroon 5, no camarim com Mick Jagger, na semana de moda de Paris, surfando no Havaí...

"Jura? Jura que você mentiu nesse nível pra mim, cara?", Inha se perguntava, sem entender como conseguiu ser tão estúpida, e, além disso, abismada por pensar em como alguns garotos nascem com o dom da mentira no sangue.

Ah, nota importante no fim da matéria:

> A australiana Carrie Catherine Shy Goldenblat e Humberto Guimarães se conheceram na Califórnia e, desde então, não se desgrudaram mais. Namoravam havia dois anos e faziam planos de casamento numa ilha do Pacífico.

Era muita tristeza para uma manhã só! O dia nem havia começado e a vida da garota do nariz perfeito já estava de cabeça para baixo! E Carnaval devia ser só alegria e ziriguidum! "Que mundo injusto!", ela resmungou.

Porém, no meio de toda essa tragédia, Inha teve um momento de lucidez e comemorou o fato de ter sido identificada como amiga de Tati. Por mais ridícula e deprimente que fosse a alcunha de "amiga de cunhada de Kero-Kero", sua privacidade estava preservada, ninguém sabia quem era ela. Ter seu nome estampado em todos os sites a mataria mais ainda de vergonha.

Tati enviou uma mensagem:

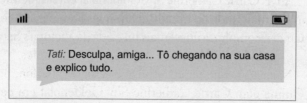

Tati: Desculpa, amiga... Tô chegando na sua casa e explico tudo.

Abaixo, havia um link para uma nova matéria, no qual ela clicou:

> ### Amiga de ficante de namorado de Carrie
> ### Catherine Shy Goldenblat conta tudo
>
> Românticos, Guima e Inha, como Flávia Torres é conhecida,
> passaram a noite toda abraçados

– EU VOU MATAR VOCÊ, TATIELLY! – Inha berrou, enraivecida, ao telefone.

– Não! Por favor, não me mata! Desculpa! Eu só falei que você não sabia que ele tinha namorada, que você é romântica, que não beija no primeiro encontro, que...

– EU LI A MATÉRIA! NÃO PRECISA ME LEMBRAR DE CADA PARTE DELA! POR QUE VOCÊ BOTOU MAIS LENHA NESSA FOGUEIRA? POR QUÊ?!

– Eu não ia falar de você! A repórter me ligou falando que queria fazer uma matéria sobre o meu blog, fez mil perguntas sobre moda, sobre a Keillinha, sobre meu irmão, e só no fim da conversa, como se já não estivesse mais me entrevistando, mencionou você – explicou Tati, claramente arrasada. – Acabou que a matéria foi toda sobre você. Só sobre você. Ai, amiga, eu tô morrendo! Desculpa! – concluiu, agora aos prantos.

– NÃO MORRE, NÃO! NÃO MORRE, NÃO, PORQUE *EU* QUE VOU TE MATAR!

– Para, Inha! Foi ingenuidade minha...

– E estupidez, burrice e ignorância! A gente não sai falando da vida para repórteres de sites de celebridades! Nem da nossa, nem da dos outros!

– Fica calma. Também falei pra ela que você faz biquínis.

– Oi?

– Ué, você não faz biquínis?

– Eu faço crochê! Tops, faixas de cabelo, pulseiras... biquíni eu só fiz um! UM!

Ô-ou... Tarde demais.
Kaká enviou uma mensagem

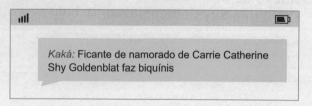

Kaká: Ficante de namorado de Carrie Catherine Shy Goldenblat faz biquínis

Inha voltou mais raivosa ainda à ligação com Tati.
– TATIELLY! VOCÊ PODE ME EXPLICAR QUE MANCHETE RIDÍCULA É ESSA QUE A KAKÁ ACABOU DE ME MANDAR?
– Qual delas?
"Qual delas" é pesado, hein?
– A DOS BIQUÍNIS!
– Ridícula onde?! Maior propaganda pra você!
– Propaganda de quê? Crochê pra mim é uma terapia, eu não vendo minhas coisas!
– Não vende AINDA! Mas pode vend...
– Eu não quero vender nada! Mas o pior não é isso! O biquíni que tô usando na foto é de lycra! Logo, NÃO FUI EU QUE FIZ!
– Mas...
– Tchau!
Não bastasse o ódio que estava sentindo por tudo, matéria, mentiras do Guima, ter caído no sorriso lindo dele e tal, agora Inha precisava lidar com o que sentia por Tati. Sabia que ela jamais faria o que fez por mal, sabia de sua sede por fama, sabia que tinha sido enganada pela repórter, mas, naquele momento, tudo o que ela queria era enforcar a cunhada da Kero-Kero.

A campainha tocou ao mesmo tempo que o celular mostrava a chamada de um número desconhecido. Não atendeu e foi voando para a porta, pronta para fuzilar Tati.

– Kaká, que bom que é você!

E ao se jogar nos braços da amiga, Inha enfim conseguiu chorar. Um choro escandaloso, doído, sofrido.

– Eu não mereço isso... Já tô legal de sofrimento, juro! – soluçou no ombro da amiga.

Kaká, como boa ouvinte, nada disse. Apenas deixou a amiga despejar nela a mágoa que sentia.

A campainha tocou novamente. Dessa vez era Tati.

– Me mata, mas não me machuca. Odeio sentir dor. Topo veneno, injeção letal...

A cunhada da funkeira estava com a cara inchada de choro e culpa.

– Vem cá, sua maluca! – disse Inha, puxando a doida para um abraço.

E mais choro. E mais uma ligação de número desconhecido.

– Só falta ser repórter me ligando para saber mais detalhes. Não, diz que eu tô sonhando, por favor.

O celular vibrou novamente. Dessa vez, o coração dela foi parar na garganta. Era ele, Guima.

Ela não atendeu. Ele ligou de novo. E de novo. E de novo. E de novo.

– Atende, Inha! – pediu Kaká.

– Pra quê? Pra ele me contar mais mentiras?

– Ele pode ter uma explicação!

– Ele pode me dar mil explicações que eu não vou acreditar em nenhuma, Tati!

– Gente, eu ia atender na mesma hora! – disse Tati.

– Pois é, eu não sou você.

– Eu tô louca pra saber o que ele tem pra dizer! Como você não tá? – questionou Kaká.

– Espera, é minha mãe ligando aqui. Tadinha, ela tá descansando com meu pai na Chapada dos Veadeiros e vem essa avalanche de notícias ruins. Espero que nada disso tenha chegado até ela – falou Inha antes de atender a ligação. – Oi, mãe. Quê? Ela me chamou de quê? Droga! Beijo, mãe, depois a gente se fala!

Tati e Kaká se entreolharam. Aquilo parecia não ter fim.

Inha correu para o computador.

– Não acredito! – exclamou ao ver o perfil de Carrie Catherine Shy Goldenblat no Instagram.

– Nem eu! – disse Kaká.

– Caraca, gastou! A Carrie Catherine Shy Goldenblat sabe seu nome! Que tudo!

Chocadas com o comentário surtado, Kaká e Inha viraram lentamente a cabeça ao mesmo tempo na direção de Tati e mataram a subcelebridade com os olhos.

– Sabe. Mas prefere me chamar de *BITCH* para os 9 milhões de seguidores dela.

A palavra *bitch* tem várias traduções. A mais amena delas? Cadela.

Estava assim a vida de Inha. Bacana, né? Mas, para quem tem uma amiga como a Tati, a vida pode piorar drasticamente em questão de segundos.

– 9 milhões só no Insta. Se somar com os do Face e os do Twitter, ela tem, no geral, uns 14 milhõ... Ok, me calei.

– Onde ela arrumou essa foto minha? Claro, na matéria dos biquínis! Vontade de matar você de novo. Sai de perto, Tatielly.

No post espalhado pelas redes sociais, Carrie Catherine Shy Goldenblat dizia que uma *BITCH* havia partido seu coração. A frase "Eu ia me casar com ele..." completava o texto que vinha abaixo da montagem que reunia uma foto de Guima e Inha se beijando, e outra de Inha na praia.

O telefone tocou de novo. Era Guima.

– Para de me ligaaaar! – berrou a loira ao apertar no botão para ignorar a chamada. – Gente, o que eu vou fazer? Preciso sumir, não quero prolongar esse assunto.

– Bora sair, vai tomar um banho, vamos dar uma volta na ciclovia, arejar a cabeça...

– Não tenho cabeça pra sair, Tati...

– Mas é preciso. Ficar aqui só vai piorar a sua angústia – atestou Kaká.

Inha pensou, pensou...

– Vamos, vocês estão certas. Ficar enfurnada em casa só vai me deixar mais triste, vou acabar lendo essas bobagens e não vou fazer mais nada o dia inteiro.

– Isso! E deixa o celular aqui! – sugeriu Tati. – Também vou deixar.

– O quê? *Você* vai ficar sem celular? – Inha se espantou.

– Pra você ver como eu te amo e como estou arrependida.

Tati era fofa. Maluca (bem, bem, bem maluca), mas fofa.

Em uma hora, sem telefone, sem lenço e sem documento, elas estavam na praia, o vento do mar descabelando as três e o visual arrebatador aplacando os ânimos aos poucos. Pararam num quiosque para uma água de coco, e Inha desabou. Chorou, chorou, chorou, chorou mais que mocinha de novela quando flagra a vilã com o mocinho. Aquela ali tinha muitas lágrimas para derramar até tirar toda a mágoa do peito, viu?

Passaram umas três horas na rua, caminhando, vendo o pessoal do *kitesurf* riscar o céu azul, falando, rindo (sim, Kaká e Tati conseguiram tirar alguns sorrisos de Inha), pisando na areia fofa, agradecendo ao sol por mais um dia lindo, molhando os pés no mar da Barra da Tijuca...

– E o Paçoca? – perguntou Inha, esforçando-se para tirar o foco dela e, assim, esquecer o tsunami que tinha invadido sua vida.

Kaká apenas riu, de cabeça baixa.

– Ah...

– "Ah!"? Jura que é nível "ah!"? – fez a loirinha, contente ao ver brilhar os olhinhos da amiga. – Tô bege!

– A incrível história da garota que queria um príncipe, beijou um sapo e foi feliz assim...

– Tati! Quem disse que ele não é príncipe? – rebateu Inha. – Pode ser príncipe nas atitudes, no jeito de falar, no...

– Louca! Ele *é* príncipe! Príncipe de verdade! Você está por fora! – cortou Tati.

– Oi?

– A gente deu um Google e descobriu que o pai dele é conhecido em todo o Brasil como o Rei da Paçoca, Inha. O cara é dono de um império!

– Mentira! – Inha se surpreendeu.

– Verdade! – confirmou Kaká, toda orgulhosa do "sogro".

– E filho de rei é o quê, minha gente? – gracejou Tati.

– Príncipe... – suspirou a morena, para logo depois enfiar a cara entre as mãos e rir boba.

– A incrível história da garota que queria ter sangue azul mas pegou sangue de amendoim. E foi feliz para sempre.

– Para, Tatiiiii! – Inha riu com vontade, como se o mundo não tivesse desabando sobre sua cabeça.

Como é bom ter amigas!

– Não podia ser rei de uma coisa mais *light*? – indagou a cunhada da Kero-Kero. – Paçoca entala, paçoca engorda, paçoca é...

– Paçoca é vida! – Kaká encerrou o assunto.

Sem comentários para "paçoca é vida". Vamos dar um desconto. Uma menina apaixonada é uma menina apaixonada, vai!

Ao chegar em casa, mil mensagens no celular de Inha. Repórteres do mundo inteiro (isso mesmo: do mundo inteiro, sem exagero) queriam conversar com ela. Amigos queriam falar com ela. Parentes queriam falar com ela. Até uma professora mais chegada queria falar com ela. E Alex queria falar com ela. Alex!

– O que esse idiota quer com você? – Tati se irritou.

– Você nem pense em ligar pra ele, hein? – reforçou Kaká.

Era só o que faltava: o Alex ressuscitar no meio do furacão!

– Tô nem aí pra esse Alex! Fofoqueiro, não me liga há séculos, e agora deve estar louco pra saber o que aconteceu pra contar pra sem graça da Aline. Aline da sobrancelha equivocada! – esbravejou a loira.

O que seria uma sobrancelha equivocada, meu Deus?

As coisas aconteciam na velocidade da luz. E quando Inha achou que teria tempo de respirar e tentar relaxar, eis que Tati coloca na sua frente a matéria de capa dos principais sites:

> **Ficante de Humberto Guimarães chora na praia e é consolada por amigas**

"Quando esse pesadelo vai acabar?", ela se perguntou ao ver as várias fotos que flagraram seu sofrimento.

– Gente, que vergonha! Que interesse isso tem para uma pessoa? É muita falta de assunto! – reclamou a loira. – Não saio de casa nunca mais. Nunca mais! – decretou.

– Tá doida? Deixa disso! Daqui a pouco todo mundo esquece, e já já outra celebridade faz algo mais interessante e isso vai morrer naturalmente – atenuou Kaká.

– Celebridade maior que a Carrie Catherine Shy Goldenblat? Du-vi-do! Essa história ainda vai durar horrores!

– Tati, meu amor, quando você não tiver nada melhor para falar, pode ficar calada. Não precisa ter problema com o silêncio. Ele é legal, tá? – bronqueou Kaká.

Infelizmente, Carrie Catherine Shy Goldenblat parecia não querer que o assunto morresse. A traição aumentou ainda mais o número de seguidores da modelo nas redes sociais, e ela passou a só falar disso – na internet e fora dela.

Vendo sua popularidade crescer vertiginosamente (traição dá ibope desde que o mundo é mundo, não tem jeito), ela não se fez de rogada e deu entrevistas nos principais *talk shows* da TV americana – Jimmy Fallon e Ellen DeGeneres inclusive! –, foi flagrada chorando antes de um desfile e saiu na capa de todas as revistas com cara de raiva, enquanto atirava pela janela as roupas do agora oficialmente ex. Isso mesmo, ela jogou as roupas do Guima pela janela. Como se vê, era uma pessoa fina, pessoa muito elegante mesmo.

Na capa da *People*, na *OK*, na *Star*, na *Hello*, em sites como o TMZ e Just Jared, matéria de quatro páginas na *Time*... só dava Carrie Catherine Shy Goldenblat. E a moça não tinha papas na língua. Disse para o mundo que Guima era bonito, mas não cortava as unhas dos pés, que ele roncava, que era apenas um filhinho de papai mimado, que queria se aproveitar da sua fama e que, pecado dos pecados, sonhava com o dia em que depilaria o sovaco com cera quente sem ser julgado pelos amigos.

Ela estava evidentemente muito chateada com o Guima, mas a traição lhe rendeu mais holofotes, mais campanhas publicitárias e mais visibilidade. Certamente seu cachê tinha aumentado com toda essa exposição. É... a danada resolveu faturar em cima da traição.

Enquanto isso, os perfis de Inha nas redes sociais foram descobertos pelos seguidores de Carrie Catherine Shy Goldenblat e eram alvos diários de ataques dos fãs da modelo. "Eu te odeio", "que você nunca seja amada por nenhum homem", "você é a pior pessoa do mundo", "como pôde fazer mal ao nosso anjo Carrie?", foram apenas algumas das frases escritas por internautas do mundo inteiro. Isso mesmo: Inha agora era mundialmente odiada.

Não estava fácil para a loira, mas para Guima também não. Não bastasse ser crucificado em praça pública e ser considerado a personificação do mal, como se referiu a ele numa reportagem uma modelo amiga de Carrie Catherine, o garoto do sorriso largo e olhos de kiwi ligava para Inha pelo menos umas 30 vezes todos os dias, desde que o escândalo estourou. Irredutível, a loira nem cogitava atender.

Enquanto os dias passavam-se lentos, ela tentava seguir sua vidinha normal, com uma única diferença: cada passo que dava era flagrado por *paparazzi*. Mas, para não enlouquecer, decidiu não mais ler as importantíssimas notícias que escreviam sobre ela. "Ficante de namorado de Carrie toma açaí", "Pivô de separação de Carrie Catherine Shy Goldenblat vai a bloco fantasiada de índia", "Ficante de Humberto Guimarães atravessa a rua".

– Por que eles só têm interesse em me fotografar? Por que não fotografam o palhaço do Guima? – questionou Inha.

– Porque ele deve estar recluso. Se com você tem esse batalhão de fotógrafos e repórteres querendo falar, imagina com ele! Ele deve estar morrendo de vergonha.

– Vergonha, Kaká? Quem tem vergonha tem sentimentos, quem tem sentimentos tem sangue correndo no corpo, e aquele ali não tem nenhum. É oco, vazio.

– Oco e vazio mas tem no currículo um namoro com a Carrie Catherine Shy Goldenblat. Com a d-e-u-s-a Carrie Catherine Shy Goldenblat – resumiu Tati (quem mais diria uma coisa dessas?). – Que foi, gente? Não é pouca coisa!

– De novo, eu tenho fé que um dia você aprenda: o silêncio é legal, não tem problema nenhum ficar calada de vez em quando – debochou Kaká.

– Na boa, eu acho muito melhor a namorada do cara ser uma diva famosa como a Carrie Catherine Shy Goldenblat, do que uma mocreia anônima qualquer. O cara traiu a Carrie Catherine Shy Goldenblat com *você*, Inha! Sabe lá o que é isso? Estamos falando da Carrie Catherine Shy Goldenblat! A inacreditável Carrie Catherine Shy Goldenblat! A mais linda do mundo Carrie Catherine Shy Goldenblat. Cara, eu amo falar o nome dela!

– Quantos anos de cadeia eu pego se matar a Tati e alegar legítima defesa? – Inha perguntou para Kaká.

Por falar em Carrie Catherine Shy Goldenblat, num belo dia, uma semana depois da traição, a modelo garantiu em uma entrevista que Guima era o amor da sua vida e que nunca mais se apaixonaria, já que agora sabia que amar era sinônimo de sofrimento.

Mais uma vez, o mundo se roía de dor pela modelo com cara de anjo que encantava a todos e iluminava qualquer passarela. Poucos dias depois da bombástica declaração, porém, Carrie Catherine Shy Goldenblat surpreendeu a todos ao ser flagrada jantando em clima de romance em um restaurante de Beverly Hills com ninguém mais, ninguém menos que o rapper mais celebridade do mundo dos rappers celebridades: ele mesmo, PJ Gut Gut Teddy Bear.

PJ era um dos dez aristas mais ricos do *show business*, segundo a conceituada revista *Forbes*, que todo ano publica o ranking dos maiores bilionários do mundo, dono de restaurantes espalhados pelos quatro cantos do globo e de grandes marcas de roupas e acessórios. Praticamente a versão masculina da Kim Kardashian (uma das melhores amigas de Carrie Catherine Shy Goldenblat, aliás. Pelo menos nas fotografias, porque todo mundo é extremamente feliz e se ama infinitamente no Facebook, Twitter e Instagram, né?).

– Gente, se eles se casarem, imagina o filho? Vai ter uns 17 sobrenomes! – brincou Kaká.

– Claro que não. O sobrenome do PJ é Rivers, Paul Jay Rivers. E Shy não é sobrenome, é apelido transformado em nome, tipo Xuxa – explicou Tati, mostrando seu imenso e espantoso conhecimento quando o assunto era cultura inútil.

– Shy é apelido? Como é que pode alguém achar essa barraqueira tímida? Fala sério! – resmungou Inha.

Em uma semana, Carrie Catherine Shy Goldenblat e PJ Gut Gut Teddy Bear anunciaram o noivado nas redes sociais, onde assinavam com o apelido dado pela mídia: Goldenblear (junção de Gondenblat com Bear).

– Será que a Carrie Catherine Shy Goldenblat já estava traindo o Guima com o PJ Gut Gut Teddy Bear? Será que ela não é a coitadinha que todo mundo está pensando? – indagou Tati. – Que bafo!

– Pode ser pra se vingar do Guima – opinou Kaká. – Pra mostrar que a fila anda.

– A gente nunca vai saber! – argumentou Inha.

– Tão estranho esse noivado repentino... Essa Carrie Catherine não é mesmo flor que se cheire, viu? – disse a princesa da Paçoca.

– Não é flor que se cheire? A Carrie Catherine Shy Goldenblat? Ela é péssima! Egoísta, metida, não se acha, se tem certeza... Adooooooro!

Inha e Kaká nada disseram com o surto de Tati. Apenas olharam para a amiga com a fisionomia que dizia "você é um caso perdido mesmo. Tsc, tsc, tsc".

– Querem saber a verdade? Eu não quero saber se ela estava ou não traindo o Guima! Estou feliz porque acho que agora, com essa notícia do casamento, a mídia vai finalmente me esquecer! Graças a Deus! – comemorou a loirinha.

– Gente do céu, me dói o coração ouvir um negócio desses, sabia? Chega a dar taquicardia, sério – revelou Tati, pegando a mão de Inha e Kaká e encostando ambas em seu peito.

Sim, o coração dela estava realmente acelerado.

– Como alguém, do nada, ganha a fama que você ganhou, e rejeita? Re-jei-ta? Por que não foi comigo? Por quê?

– Você ia gostar de ser odiada e xingada no mundo inteiro? De receber mensagens malcriadas de *haters*? De ganhar a antipatia imediata de toda e qualquer pessoa? De ser perseguida por fotógrafos? – indagou Inha, irritada.

– Eu ia A-M-A-R!

– A parte dos fotógrafos só, né? – indagou Kaká.

– Imagina! Todas as partes. Falem mal, mas falem de mim!

As meninas estavam certas. Tati era mesmo um caso perdido.

– Tudo bem, a mídia vai largar do seu pé e tal, mas... é só isso o que importa pra você agora? – instigou Kaká.

– Não entendi.

– Poxa, Inha, o Guima te liga todo santo dia. O garoto quer muito falar com você! – explicou a morena.

– Não correu atrás da Carrie Catherine Shy Goldenblat para pedir desculpas...

– Como você sabe, Tatielly?

– Você não acha que a gente ia saber se ele tivesse pedido perdão pra Carrie? Que ela não contaria pra todo mundo?

– A Tati tá certa, Inha. Além do mais, o garoto se preservou e TE preservou não dando entrevistas, não expondo você ainda mais. Ele foi um lorde no meio desse terremoto... Você jura que não pensou sobre isso?

A dona do nariz irritantemente perfeito ficou reticente.

– Essa história me machucou muito, Kaká. Quando eu penso no que a Aline deve estar pensan...

– Aline? Eu ouvi A-li-ne? Para, deixa de show! Dane-se a Aline! E dane-se o Alex!

Enfim, Tati dizia algo sensato.

– Eles não estão nem aí pra você! Você não pode pensar no Alex numa hora dessas! Eu te proíbo!

Nossa! A sensatez tinha realmente vindo para ficar em Tati. Que evolução em poucos minutos!

– Ele tem chulé! Chulé! – soltou a subcelebridade. – Que foi, Kaká? A Inha que contou.

Tudo bem, a sensatez veio, mas a graça não podia abandoná-la jamais.

– Tem mesmo – confirmou a loira, permitindo-se sorrir.

– Liga pro Guima, gata.

– Nem pensar, Kaká! Pra sofrer mais do que eu sofri?

– Para ouvir o lado dele!

– Pra quê? Eu não vou acreditar numa palavra!

– Ah, e na mídia você acredita! – bronqueou Kaká.

– A mídia mente, tá? Até eu sei disso. Lembre-se de que a mídia falou que você faz biquínis, mas você só fez um. Um! – recordou Tati.

– Como esquecer, Tatielly? Foi VOCÊ que passou essa informação para a mídia, lembra?

– Ai, chega de Tatielly por hoje, por favor! Falando sério, Inha, quantas matérias foram desmentidas e jornalistas processados por calúnia e difamação?

Palmas pra Tatielly! Clap, clap, clap!

– Você tá certa. Minha mãe sempre diz pra desconfiar do que sai nesse tipo de site, pra não acreditar cegamente em tudo o que a gente lê sobre celebridades...

Olha a Inha aí, dando sinais de que repensaria a situação! O que uma conversa com amigas cheias de bons argumentos não faz?

– Mas nesta vida eu nunca mais vou falar com o Guima. E vamos mudar de assunto porque já perdi muito tempo falando desse garoto. Talvez minha sina seja essa: ter dedo podre para ficantes e namorados.

Mulheres... sempre dramáticas.

Tocou o telefone, era um número de São Paulo. Tati atendeu num impulso. Inha quase voou na sua jugular.

– É da produção da Luciana Gimenez!

– Nããão! O inferno não tinha acabado? – lamentou Inha.

Tapando o telefone com a mão e falando baixinho, Tati argumentou com a amiga:

– Você tem que ir! O tema vai ser "Carnaval vale tudo?". Vai ser ótimo!

A boa, velha e louca por fama Tati estava de volta!

– Vai ser péssimo! – Kaká se meteu na conversa.

– Claro que não! Eles querem saber qual o preço da traição, se ser *achingalhada* por uma modelo mexeu com sua autoestima... Tem que ir!

– AchinCAlhada, anta – corrigiu Inha. – E claro que não vou. Desliga esse telefone.

– Não! Posso me oferecer para ir no seu lugar?

– Ãhn?

– Ai, Inha! Por favor! Meu sonho é ir no programa dela!

– Que sonhos esquisitos você tem, Tatielly! Como você é esquisita... – disse a futura nutricionista.

– Para! Deixa! Eu vou falar tanto, e encantar tanto com meu carisma, que vou desviar o foco de você!

– E você vai como "amiga de ficante de namorado de Carrie Catherine"? – espetou Kaká.

– Isso!!! – comemorou a subcelebridade, dando pulinhos. É, pulinhos. – Deixa?

Inha e Kaká se entreolharam.

– Talvez não seja má ideia... – opinou a princesa da paçoca.

– Mas vão falar de mim.

– Iam falar de você com ou sem você lá, com ou sem a minha presença. Talvez seja ótimo ter alguém lá para te defender, pra falar coisas boas sobre você e sua alma maravilhosa.

Inha fechou os olhos, suspirou, balançou a cabeça, desolada, pensando quando, afinal de contas, aquela tortura acabaria.

●

Em dois dias, Kaká e ela estavam esparramadas no sofá de olho na telinha, com uma ponta de vergonha alheia, para ver Tati falando sobre assuntos de extrema importância e relevância, não só sobre Carnaval mas também táticas para namorar famosos, as melhores roupas para curtir nos camarotes, o bumbum mais bonito do Brasil, o que esperar de um flerte de Carnaval e outras maravilhas do gênero.

E não é que Tati era boa com um microfone na mão? Articulada, engraçada, nada tímida com câmeras e holofotes, sem se abalar com perguntas embaraçosas, e lançando mão de tiradas espirituosas, que faziam a apresentadora gargalhar, Tati foi a estrela do programa e cumpriu o prometido: falou bem de Inha (ganhando aplausos calorosos da plateia) e, quando pôde, tirou o foco da amiga e puxou para si. E ainda divulgou seu blog!

— Pronto! Espero que esteja satisfeita, porque foi o primeiro e último programa da sua vida como amiga de ficante de você sabe quem! — estrilou Inha.

— Mas me chamaram para aquele programa *Mundo Cão*! Eu amo *Mundo Cão*! Deixa? Deixaaa?

— Não vou nem levar em consideração esse pedido. Não acredito que exista um programa com esse nome e acredito menos ainda que você CONHEÇA esse programa e QUEIRA IR a esse programa! Doida!

— Mas...

— Não, Tatielly! Seus 15 minutos de fama televisiva acabaram!

— Droga!

Os dias se passaram e nada de Guima. Nem Paçoca, que engatou um namoro firme e muito fofo com Kaká, sabia do amigo. Só dizia que ele mal falava, andava triste e queria muito conversar com a Inha.

Mas ela não queria conversar com ele.

Numa noite quente, com direito a lua cinematográfica no céu, quando o Jardim Oceânico e seus barzinhos ainda estavam plenamente acordados, e lotados, uma música se fez ouvir na calçada do edifício de Inha.

Era Guima, munido de um violão um tanto desafinado, cantando "Pela Luz dos Olhos Teus", pérola bossa-novista que pouca gente da sua idade conhecia, mas que ele aprendeu a tocar ainda criança, nas primeiras aulas de violão, instrumento que abandonou anos antes e trouxe de volta à sua vida especialmente para a ocasião. A música é aquela que diz:

Quando a luz dos olhos meus
E a luz dos olhos teus
Resolvem se encontrar
Ai, que bom que isso é, meu Deus
Que frio que me dá
O encontro desse olhar

A cantoria de Guima foi interrompida drasticamente por um balde de água gelada.

As pessoas dos barzinhos congelaram, o trânsito congelou, os pedestres congelaram. Guima congelou, mas de frio.

– Vai cantar pra top model! Mas canta uma coisa mais moderna, porque ela gosta mesmo é de rap! – gritou uma muito enraivecida Inha da janela, para vaia dos que presenciaram a cena (que agora estavam devidamente descongelados e indignados com a frieza da garota).

No dia seguinte, a loira prometeu nunca mais falar com Kaká, que havia dado seu endereço ao "mentiroso, salafrário, cafajeste, traste, safado, sem-vergonha do Guima".

– Ele não é nada disso! Ele tá sofrendo!
– Porque perdeu a gazela!
– Não! Porque perdeu você! O Paçoca diss...
– Não quero saber o que o Paçoca disse ou deixou de dizer! Você não tinha o DIREITO de dizer onde eu moro para ele. Era só o que faltava, uma serenata em pleno século XXI.
– Tão romântico...
– Tão estúpido!
– Cadê a minha amiga? A Inha que eu conheço era romântica, sonhava com o amor verdadeiro e...
– Essa Inha não existe mais! – a loira encerrou o assunto.

Naquela noite, outra serenata.

Guima atacou de Pixinguinha e, mesmo desafinando verso sim, verso não, segurando o choro, encantou todos à volta ao entoar os primeiros versos de "Carinhoso", lindeza em forma de canção.

Meu coração, não sei por quê
Bate feliz quando te vê
E os meus olhos ficam sorrindo
E pelas ruas vão te seguindo
Mas mesmo assim foges de mim

E ao contrário da noite anterior, quando parou de cantar ao receber a água gelada na cabeça, continuou mesmo depois que sua chuva particular caiu sobre ele.

Àquela altura, todos à volta aplaudiam, derretidos. A coragem e a paixão do garoto (porque só uma paixão muito grande move uma pessoa a cantar para outra no meio da rua, no sereno), que parecia claramente desesperado com tamanho sofrimento.

Sem se abalar com a demonstração de amor, Inha fechou as janelas e botou fones de ouvido para escutar Metallica no volume máximo. E deixou uma lágrima tímida cair pelo rosto. E depois outra. E mais outra. Choro contido, ela não queria mais chorar nem sentir o que sentia. "Por que a gente não consegue controlar nossos sentimentos? Por quê?", ela se perguntava, enquanto o metal da música invadia seus tímpanos em altos decibéis.

Ela queria apagar a noite em que conheceu Guima e se deixou envolver por cada sorriso, cada palavra, cada abraço. Queria se esquecer do beijo que virou sua vida de cabeça para baixo, queria se esquecer do dia em que esqueceu Alex.

Mas Guima não queria que ela se esquecesse de nada.

— Não acredito que ele dormiu na sua portaria! — gritou Tati ao telefone.
— Ãhn?
— Tá em todos os sites!
E estava mesmo.

> **Namorado de Carrie Catherine Shy Goldenblat dorme na calçada de pivô da separação**

– Inha, o rapaz dormiu na porta do prédio! – avisou Lia, mãe da loira.

– Tô sabendo... – retrucou Inha, acordando ainda.

– Você precisa falar com ele. O porteiro disse que ele está um trapo.

Assustada porém impactada com a notícia, a loira que queria ser nutricionista abriu os braços para sua genitora. Precisava de um abraço apertado que só as mães sabem dar.

– Você precisa conversar com ele, filha...

– Não quero... – Inha soluçava no ombro materno.

– Mas se coloca no lugar dele! Esse rapaz veio duas noites seguidas aqui...

– Mais um "rapaz" e eu vou te chamar de vovó – Inha conseguiu fazer graça entre uma lágrima e outra.

– Palhaça! – riu Lia. – Deixa o ga-ro-to subir pra se explicar. Ele precisa conversar com você, está muito claro. E gosta muito de você e...

– Gosta nada!

– O que você acha que ele sente por você, então?

– Não sei e nem quero saber.

– Muito madura essa resposta, mas sei que você é melhor que isso.

– Para, mãe... Eu tô sofrendo!

– Ele também está!

– Eu não quero sofrer mais!

– Então deixa de ser turrona e ouve o que ele tanto quer te dizer! Diz pra ele subir!

Silêncio. Suspiro. Mais choro. Inha limpou as lágrimas e foi lavar o rosto.

– Ele não pisa aqui nem se estiver banhado em ouro – avisou para sua mãe. – Vou descer.

E desceu.

E já saiu do elevador xingando Guima aos berros. E, vermelha de raiva, bateu no peito dele repetidas vezes e disse pra ele nunca mais aparecer lá, que ele tinha sido a pior coisa que aconteceu na vida dela, que o Alex era mil vezes melhor que ele, e que ele era feio. Muito feio!

Brincadeira! Era só para dar emoção à narrativa e atiçar sua curiosidade para o que realmente veio a seguir.

Na verdade, tudo aconteceu assim:

– Fala rápido. Por favor, seja objetivo e sincero, não quero mais mentiras – pediu Inha, sem olhar nos olhos de Guima.

– Não falei mentira nenhuma!

– Ah, não? Você falou que nunca tinha se apaixonado, lembra?

– E não tinha mesmo! – respondeu na lata. – Achava que tinha, mas só descobri o que era paixão naquele camarote.

Opaaaa! Guima era bom! Que coisa linda!

Uns bons quilos mais magro (sofrer emagrece. Fato.), ele explicou que Carrie Catherine Shy Goldenblat mudou com a fama, que era uma menina doce e divertida antes de cair nas graças do povinho da moda, e aos poucos foi virando a barraqueira que o mundo conhecia agora.

– Ela ama essa coisa de mil flashes o tempo todo, todos os olhos em cima dela. E eu odeio. Era um conflito muito grande dentro de mim.

– Você gostava dela.

– Claro que gostava. Muito. Mas gostava menos a cada dia.

– E porque não me disse que estava namorando?

– Porque a nossa situação estava indefinida. Desde que vim para o Brasil, a gente resolveu dar um tempo para pensar a relação. A gente só brigava, não tinha motivo para continuar...

– Por que você não falou que estava namorando?

– Porque eu não me sentia namorando! A gente não se via há mais de um mês e mal se falava!

Guima explicou que Carrie Catherine e ele decidiram conversar em abril, quando ele voltasse para a Califórnia. Aí, sim, colocariam os pingos nos is e decidiriam que rumo seguir.

– Poderia voltar para ela em abril? Poderia! Queria me acertar com ela? Queria. Ninguém gosta de terminar um relacionamento. E, apesar de barraqueira, ela é uma pessoa muito bonita por dentro.

– Isso, fala mais. Faz mais declarações de amor pra ela.

– Declaração? Eu não tô fazendo declaração nenhuma, Inha! Tô aqui abrindo meu coração pra você! – gritou Guima. – Um dia eu cheguei a pensar que a Carrie era a mulher da minha vida mesmo. O amor da minha vida. Até conhecer você. Mudou tudo na minha cabeça quando eu te conheci. Mudou tudo no meu coração. Será que você não entende o quanto mexeu comigo!?

A loirinha engoliu em seco e prendeu o choro nessa hora.

– Você tem... V-você tem falado com ela?

– Falei com ela uma vez só. Ela falou comigo, na verdade. Falou meia dúzia de palavrões e desligou na minha cara. E foi melhor assim, porque ter que explicar que me apaixonei por outra pessoa ia ser difícil, machucaria muito a Carrie. E ela não merece mais sofrimento ainda. Melhor ficar sem saber o que aconteceu.

– Ah, então você não quer que ela saiba da gente? – inquiriu Inha, visivelmente irritada.

– Como eu disse, só falei com ela no dia em que ela viu nossa foto, na manhã seguinte ao desfile. Claro que ela sabe da gente. O que não sabe é o que eu senti quando te vi pela primeira vez. Não sabe a dor que é você não acreditar em mim! Não sabe como você mexeu comigo de um jeito inédito na minha vida! E acho que nem precisa saber.

– Por que você não quer magoá-la mais, é isso?

– É, Inha. Ela também sofreu. Pra que mais sofrimento?

– Se você não quer que ela se magoe mais, é porque ainda tem sentimentos por ela.

– Eu sempre vou gostar da Carrie. Ela é do bem, e foi importante na minha vida. Mas eu só acho que não faz a menor diferença ela saber o que sinto ou deixo de sentir por você – explicou o garoto. – Não gosto de vê-la sofrendo por minha causa, mas confesso que não estou nem um pouco preocupado com ela. Estou preocupado com você, e comigo. Com a gente.

Ele era bom com as palavras! E parecia tão sem jeito com elas no camarote... O nariz irritantemente perfeito de Inha começou a ficar vermelho, e uma piscina se formou em cada olho.

– Eu sou um cara legal! Um cara que, até outro dia, não acreditava em paixão à primeira vista, mas mudou de ideia em pleno Carnaval! – Guima aumentou o tom de voz, com lágrimas nos olhos. – Tudo o que eu quero nesta vida é te fazer feliz e mostrar que eu sou uma pessoa que odeia mentiras. Eu odeio mentiras, acredita, por favor!

Ô, dó... O bichinho se esvaía em lágrimas agora. Era claro que ele não estava mentindo. A não ser que ele fosse o melhor ator do mundo.

– A gente tem tudo pra dar certo – falou baixinho, antes de cair de joelhos para arrematar seu discurso. – Me dá uma chance?

Sim! Você leu certo! De joelhos!

"Que vontade de voar para os braços dele!", desejava Inha. "Mas não posso! E se for tudo mentira? E se eu sofrer mais ainda?"

Tudo bem, dá para entender o medo de Inha, mas como não se jogar no colo daquele menino cujos olhos ficavam ainda mais verdes quando choravam?

"O que mais eu preciso dizer pra você acreditar em mim? Eu te amo, garota", Guima se remoía por dentro.

Espera aí! "Eu te amo"?

Foi isso mesmo? "Eu te amo"?

– Eu te amo – declarou ele, transformando seu pensamento em palavras, sem pensar duas vezes.

Uau! Foi isso mesmo!

Era amor!

Se esta história estivesse escrita no caderno de uma menina romântica, a página seria invadida agora por uns mil corações sorridentes. Não. Um coração sorridente já é bizarro, mil nem se fala. Mil corações sem boca e não se fala mais nisso.

– Não acredito em amor – revelou Inha, solene. – Além de a gente mal se conhecer, você provavelmente disse a mesma coisa para a top model.

Garota chataaaa!

Não. Garota chataaaaaaaaaaaaaaaaaaaaaaaaaaaaaaaa! (Às vezes só a insana repetição de uma vogal salva. Agora sim!)

– Claro que eu não disse a mesma coisa pra ela. Faz tempo que não digo nada *parecido* para ninguém.

Ai, meu Deus! Inha bem que podia dizer alguma coisa fofinha, né?

– Quem garante? Por que eu deveria acreditar nisso? – questionou ela, nada fofinha. – Me dá um tempo para pensar, Guima. Muita coisa foi dita, muita dor foi sentida... Me dá um tempo.

Olhos de kiwi se fecharam desolados, enquanto a cabeça desabava rumo ao chão, dando a impressão de que pesava uma tonelada naquele momento. Só não se desgrudou do pescoço porque estava bem presa a ele. Os ombros também caíram.

Tadinho!

– Tá bem – ele sussurrou, quase sem força na voz.

Inha virou as costas para chamar o elevador, mas estancou quando ouviu seu nome.

– Inha! Posso só te dar um abraço?

Dá! Dá um abraço nele! Dá um abraço nele, garota!

– Não. Desculpa, mas não consigo. Ainda dói muito...

– Então me diz se eu tenho alguma chance.

– Não sei. Foi muita mentira, muita exposição. Tudo isso me machucou muito. Já pedi, me deixa pensar!

O elevador chegou, Inha rapidamente entrou e nele desandou a chorar. Entrou em casa e foi direto para o quarto se enterrar no travesseiro.

– Filha... – Lia entrou no quarto.

– Agora não, mãe. Me deixa. Por favor, me deixa sozinha. Preciso ficar sozinha...

À noite, Guima ligou para Inha. Uma, duas, três vezes. À 1, 2, 3 horas da manhã. E, no dia seguinte, a cada hora, mais um telefonema. E no outro dia, a mesma coisa.

– Atende, idiota! O cara veio aqui cantar pra você! – implorou Tati.

– E disse que te ama! A-ma! O que mais você quer? – argumentou Kaká.

– Eu não sei se algum dia vou conseguir acreditar nele, se vou ser capaz de confiar nessa pessoa...

– Mas como é chata! Você é louca por ele também! O que aconteceu entre vocês é tão raro e bonito, e você, por teimosia, vai virar a cara para o destino? Depois não quer que eu te chame de burra! – Tati se descontrolou.

– Burra e mal-agradecida! A vida te deu um presente lindo e você mandou devolver – filosofou Kaká.

Inha podia sofrer com o peso da dúvida, mas suas amigas estavam determinadas a dar uma segunda chance aos olhinhos de kiwi. No terceiro dia, novas ligações não atendidas.

– Você pode estar perdendo a chance de viver uma linda história de amor por causa de teimosia. E lindas histórias de amor têm que ser vividas – disse Lia, ao ver a filha rejeitar mais um telefonema.

À noite, o celeblindos.com.br estampava uma nada animadora notícia, com direito a uma galeria de fotos, título e subtítulo bombásticos:

> **Namorado de Carrie Catherine Shy Goldenblat embarca para a Califórnia**
>
> Amigos do casal acreditam em reconciliação

– Viram como foi bom não atender o telefone? Ele gosta é dela, gente! Eu não posso ser a pessoa que vai atrapalhar a história dos dois.

– Não acredito! Ele não pode estar indo se reconciliar com a Carrie! – lamentou Kaká.

– Foi – disse Inha, seca.

– Depois de tudo o que ele disse pra você?

– Foi, Kaká. Veio aqui, viu que não ia ser fácil e resolveu fazer as pazes com a barraqueira.

– Ele não foi fazer as pazes com ninguém, gente! De repente, foi só pegar as coisas dele que estavam na casa dela! A maluca só deve ter jogado pela janela uma parte das roupas! – Tati tentou justificar.

– Claro que não! Ele foi ficar com ela! – chorou a loira.

– Ele não pode só ter voltado para estudar? Pra fazer um curso, sei lá?

– Não, Kaká! Ele disse que só ia voltar em abril pra lá... Resolveu antecipar a viagem para conversar com ela... Eu sabia. Eu sabia! Não tenho sorte no amor, gente! Simplesmente, não tenho. Melhor aceitar minha sina.

– Ai, que drama! Você só tem 17 anos. Deixa de ser louca! – bronqueou Tati.

·

Três dias se passaram e nem sinal de Guima, o que reforçava a tese de Inha de que ele e Carrie Catherine agora formavam novamente um feliz casal.

Cada vez mais conformada com a fama que se esvaía, Tati começou a pensar no que poderia fazer da vida, já que o sucesso parecia não ir muito com a sua cara, embora ela o amasse com todas as suas forças.

– Tô a fim de ser empresária, cuidar da carreira de jogadores de futebol e de cantoras de funk. Wylsinho e Keikei podem me apresentar para os amigos. Eu tenho tino comercial, sei o que uma celebridade deve e o que não deve fazer para alavancar a carreira.

– Tem certeza que você sabe? – debochou Kaká, dias depois que Guima embarcou para a longínqua Califórnia.

Em silêncio, Inha parecia nem estar no mesmo recinto que as amigas. Ouvia tudo sem dar nem uma palavra sequer.

– Você tá triste. Liga pra ele! Escreve! Manda um WhatsApp, um sinal de fumaça! Mas faz contato com a criatura!

– Pra quê? Ele nunca mais escreveu... – rebateu ela.

– Claro! O cara pede uma chance e você some! Nem atende as ligações dele! – brigou Kaká.

– O bofe diz que te ama e você desaparece! Normal ele desistir de te ligar diariamente, mil vezes por dia, depois de duas semanas fazendo isso, né?

Inha não respondeu. Apenas deu um suspiro.

À noite, quando ainda era dia claro em Los Angeles, a surpresa chegou via internet.

> **Ex-namorado de Carrie Catherine Shy Goldenblat faz declaração de amor para a atual**

Na foto que ilustrava a matéria, podia ser vista uma imagem linda, irretocável, de um *outdoor* onde se lia:

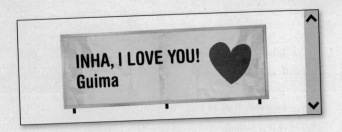

Segundo o texto, Guima alugou o outdoor em frente à casa de Carrie Catherine Shy Goldenblat por dez dias para deixar a mensagem. Entre aspas, a declaração de Guima deixou Tati, Kaká e Inha boquiabertas e sem palavras.

"Estou sendo condenado injustamente por ter traído, mas não houve traição, já que, na verdade, a minha relação com a Carrie já estava praticamente acabada. Não nos víamos havia quase dois meses. Precisei vir para os Estados Unidos para provar ao verdadeiro amor da minha vida que não tenho duas caras, que não falo a mesma coisa para duas mulheres. Amei e sempre vou amar a Carrie pela nossa história e por tudo o que ela significou para mim. Eu a admiro como profissional e como pessoa, um ser humano que merece toda a felicidade do mundo. Mas meu coração é da Inha, a garota que me provou que existe, sim, amor à primeira vista."

Ai, meu Deus! Ai, meu Deus mil vezes! Ai, meu Deus mil vezes com mil pontos de exclamação!!!!!! Aquilo é que era declaração de amor! Agora Inha não podia duvidar de nada. Era a maior prova de que Guima estava mesmo perdidamente apaixonado por ela.

– Eu não tô acreditando nissooo! – gritou Tati.

– O Paçoca não ia ser tão amigo de um cara do mal. Sabia que o Guima era do bem e que estava falando a verdade! – comentou Kaká.

– Ele gosta de mim...

– Ele te ama, idiota! A-MA! – esculachou Tati.

– E agora?

– E agora liga pra ele, Inha idiotinha! – disse Kaká, com o telefone na mão.

Inha nada idiotinha prontamente atendeu o pedido da amiga, com um sorriso que não largaria seu rosto pelos próximos dias, meses, anos!

– O-oi, Guima...

– Ai, que alívio! Você viu! Você viu!

– Vi...

– Você queria que a Carrie soubesse, né, Inha?

– É, eu queria. Nem sei por quê, mas queria. É muita maldade?

– Não. É só um pouco de maldade – Guima fez graça.

Inha riu do outro lado.

– Desculpa, pode mandar tirar esse outdoor, não quero que ela veja isso todos os dias, a toda hora. Vai ser ruim pra ela, como pessoa normal e como pessoa pública, né? Tudo bem que ela se aproveitou da humilhação pra conseguir mais trabalho e faturar, mas ainda assim não merece sofrer. Ninguém merece sofrer.

– Ai, que bom, obrigado – respondeu ele, aliviado. – Ela se promoveu à custa de tudo o que aconteceu, jogou minhas coisas fora pela janela e, certamente, já estava com o PJ quando tudo estourou. Mesmo assim, me fez mal botar de pé essa história de outdoor, mas me sentiria muito pior se você continuasse não acreditando em mim e no meu amor.

– Eu acredito no seu amor. Eu amo o seu amor.

Own...

– Não quero nem imaginar a quantidade de desaforos que devem estar escritos no meu perfil no Face. Se eu já era o inimigo número 1 das pessoas de bem, imagina agora?

– Guima?

– Fala, meu amor...

"Meu amor!" Ele chamou a Inha de meu amor! Corações sorridentes, corações sorridentes invadindo esta página! Sim, sorridentes, são bizarros mas são fofinhos!

– Você me fez sentir a coisa mais linda que já senti em toda a minha vida.

– Nem o *Alex* te fez sentir nada parecido?

– Quem?

Os dois riram. Um breve silêncio se fez.

– Eu te amo, Flávia Torres, fazedora de biquínis de crochê!

Inha sorriu, encantada, aliviada e completamente apaixonada.

– Eu... eu também te amo, Humberto Guimarães, totalmente *ex*-namorado da Carrie Catherine Shy Goldenblat.

Os olhos de kiwi estavam brilhando agora.

– Não precisava ter feito isso, eu entendo a violência que foi para você. Você é um cara bom...

– Eu sei, mas se eu não fizesse uma coisa drástica, você nunca ia acreditar em mim. E já que esses sites me encheram o saco, usei eles quando quis te dar a notícia do meu outdoor. Rapidinho a notícia se espalhou.

– Seu lindo!

– Sabe de uma coisa? Eu cheguei a pensar em fazer uma tatuagem com a sua foto!

– Deus me livre! Morro de medo de tatuagens de fotos! Na minha opinião, não são provas de amor. Amor é de dentro pra fora, não de fora para dentro.

– Mas seria uma forma de mostrar que te quero pra sempre.

– Não precisa de tatuagem. Amor verdadeiro não precisa dessas coisas. Aliás, se você tivesse feito a *tattoo* o mais provável seria que eu nunca mais olhasse na sua cara, Guima!

– Ufa! Eu também não gosto nada da ideia, mas estava tão desesperado que juro que pensei em fazer uma presepada dessas.

– Que bom que não fez.

– Mas com ou sem tatuagem, é verdade que te quero pra sempre, tá?

– Tá – respondeu Inha, feliz como jamais esteve antes.

– Vamos começar do zero?

– Nããão! A gente começou tão lindamente! Foi tão mágico o tempo que passei com você naquele camarote, tão especial... Não quero apagar aquilo pra começar do zero. Vamos começar do 1 mesmo.

– Combinado, meu amor!

"Meu amor" de novo! Own...

– Quando você volta?

– Tô indo para o aeroporto, não vejo a hora de te ver e te abraçar.

– Ai, eu também não! Por que a Califórnia tinha que ser tão longe?

– Para aumentar a sua saudade.

– Volta logo!

– Tô voltando... COMO EU TÔ FELIZ!!!!!!

Inha riu com todo o rosto.

– EU TAMBÉM! – gritou.

– Tenho que ir. Daqui a umas 14 horas estou no Brasil. Mas antes me diz: você... você quer namorar comigo?

– Dã-ã!

– Jura que vai me dar essa resposta?

– Claro que quero! Que pergunta!

– Ah, bom! Tô chegando!

E assim, os dois futuros pombinhos desligaram o telefone com um sorriso apatetado nos lábios.

Tati e Kaká não cabiam em si de felicidade. Inha merecia tudo. A maior alegria, o maior amor, o cara mais bacana do mundo. E, em pouco tempo, ele estaria voando para perto dela.

No dia seguinte, Paçoca e Kaká passaram para pegar a loira para levá-la ao aeroporto. Tati já estava no carro.

– Nem acredito! Vai rolar a cena de aeroporto que você tanto sonhava! – comentou Kaká.

– Mais ou menos, né? Eu vou buscar o cara que eu amo, não impedi-lo de viajar pra ficar comigo.

– Inédito. Muito melhor – opinou a morena.

– Você falou "buscar o cara que você ama"? Ai, tô morrendo de inveja. Quero amar alguém assim um dia! – lamentou a ex-subcelebridade.

– Vai amar. Quando a gente menos espera, o amor vem... – filosofou a enamorada da Barra da Tijuca.

– Eu tô pronta pra amar. E já decidi: pode ser qualquer coisa que respire. – entregou Tati, fazendo os amigos rirem. – Falando sério, não precisa nem ser muito famoso, um pagodeiro em começo de carreira já tá valendo.

– Cruzes, Tatielly! – criticou Kaká, rindo. – Príncipe, meu amor, pedi pra você ir devagar mas não precisa dirigir a 20 por hora!

– Príncipe? Sério que você continua chamando o coitado de príncipe? Meus ouvidos merecem isso? – criticou Tati, gaiata.

– Reage, Paçoca! Fala alguma coisa! – instigou Inha.

– Vocês são chatas. Ele gosta de ser chamado assim, não gosta, amor? – perguntou Kaká, sem nem esperar pela resposta para prosseguir: – Ele não é só *meu* príncipe. Ele é o príncipe da Paçoca. Aliás, vai uma paçoquinha aí? Alguém?

O trajeto até o Aeroporto Tom Jobim correu bem, com o coração de Inha acelerando a cada quilômetro percorrido. Ela tinha comprado para Guima um ursinho de pelúcia muito do bonitinho e vestiu nele uma camiseta azul e branca onde se lia PORTELA.

Assim que viu os amigos e sua amada segurando o bicho de pelúcia, Guima largou as malas e foi correndo dar um beijo de cinema em Inha. Paçoca, Kaká e Tati aplaudiram, matando os dois de vergonha.

Não era uma cena de cinema. Era muito melhor! O que estava na telona era o filme da sua vida. Sonhar para quê, quando a realidade é muito melhor do que qualquer longa-metragem? Bonito, emocionante, sincero, com direito a explosão de amor no fim.

Fim? Não! Ainda não acabou!

❋

Cinco anos se passaram desde que esta história aconteceu.

Wylsinho terminou com a Kero-Kero após sete meses de namoro e ficou com a ex-melhor amiga da funkeira, o que lhe rendeu mais alguns minutos de atenção no efêmero mundo das subcelebridades. Hoje, o irmão mais velho de Tati namora ninguém mais, ninguém menos que Aline Brás, a ex de Alex, que, por sua vez, está sozinho desde que foi trocado pelo jogador. E mais: tentou firmemente voltar para Inha, o imbecilzinho! E, claro, levou um toco atrás do outro. Como é bom ver que o mundo dá voltas...

Kaká continua feliz no posto de Princesa da Paçoca e está de malas prontas para realizar o sonho de conhecer Mônaco, o mais famoso dos principados. Com seu príncipe, claro. E, verdade seja dita, nem se lembra direito de Diogo e de seu Ermenegildo Barbosa, o único quadrúpede que ela odiou na vida.

Tati, quem diria, se revelou uma ótima empresária. Cuida da carreira de vários jogadores de futebol, cantores e artistas em geral. Sabe negociar, é dura na queda, e ganha uma boa grana fechando contratos milionários para seus agenciados. E ainda aparece em todas as fotos atrás das celebridades para as quais trabalha. Atualmente, namora o fisioterapeuta do Botafogo, mas antes teve um relacionamento sério com o ortopedista do Vasco, e um namorico com o cavaquinista de um grupo de pagode que nunca emplacou.

Como era de se esperar, o amor de Carnaval de Inha e Guima durou muitos outros Carnavais e, no dia em que ela recebeu o diploma de nutricionista, em plena festa de formatura, ele pediu sua mão em casamento.

– Sim! Mil vezes sim! – respondeu Inha, enchendo o rosto do agora noivo de beijos. – Hoje é o dia mais feliz da minha vida!

– Você me faz feliz todos os dias da minha vida! E vai fazer até a gente ficar velhinho – declarou Guima, que continuava a fofura em forma de gente.

– Mesmo com pelanca você vai gostar dela? Porque essa garota não malha, vai ficar toda mole.

– E eu vou amar cada pelanquinha, cada gordurinha dela, Tati... – disse Guima.

– Pelanquinha tem a sua avó! E gordura tem o seu avô! – brincou Inha.

No dia seguinte, ainda nas nuvens com o acontecimento, as três inseparáveis amigas conversavam sobre aliança, casamento, amadurecimento e amizade. E sobre o tempo. O sábio tempo.

– Nem acredito que já faz cinco anos que tudo aconteceu... Cinco anos! – suspirou Kaká.

– E acredita que amo mais o Guima hoje do que cinco anos atrás? – comentou Inha.

– Own... – fez Tati. – Muita paixão, né?

– Muita. Paixão infinita – a loirinha se derreteu.

– Também amo o Paçoquita cada dia mais.

– Paçoquita é péssimo! Não faz isso com o menino... – bronqueou a loira.

– Ai, como vocês criticam meus apelidos! Me deixa, gente chata!

– Também tô curtindo meu fisioterapeuta. Nunca mais tive torcicolo! O cara arrasa na massagem. Quer dizer, mandei bem de namorado.

Todas riram.

– Eu amo tanto o Guima que chega a doer, sabe? Vocês já se sentiram assim?

– Já... – respondeu Kaká.

– Nunca... – disse Tati. – Mas minha hora vai chegar. Sou tão gente boa, tão limpinha, certeza de que vou me apaixonar de verdade um dia.

– Claro que vai! – concordaram em coro Inha e Kaká.

– Já tá pensando no vestido?

– Claro, Kaká! Separei vários modelos, vem ver!

Encantadas e genuinamente felizes, elas folheavam uma revista de noivas e sonhavam com o casamento de Inha enquanto refletiam sobre a beleza do amor e do perdão, sobre os caminhos loucos da paixão, sobre os imprevistos da vida. Leves e alegres como anos atrás, apenas mais velhas, mais maduras.

– Posso pedir uma coisa, Inha?

– Não vou jogar o buquê pra você, Tati!

– Não é nada disso! Quero saber uma coisa. Você me ama?

– Claro! Amo muito!

– Então... Quando você finalmente criar coragem pra perguntar se o Guima quis mesmo depilar o sovaco com cera quente... deixa eu estar presente, por favorrrr?

Inha tacou uma almofada na cara da ex-subcelebridade e o trio terminou este conto de verão como começou: rindo muito e sendo extremamente feliz, como três crianças grandes devem ser.

Este livro foi composto com tipografia Electra Std e impresso
em papel Off-White 70 g/m² na Artes Gráficas Formato.